Margaux Fragoso

Tijger, tijger

Vertaald door Anne Jongeling

2011

DE BEZIGE BIJ

AMSTERDAM

Copyright © 2011 Margaux Fragoso
Published by arrangement with Farrar,
Straus and Giroux, LLC, New York
Copyright Nederlandse vertaling © 2011 Anne Jongeling
Oorspronkelijke titel *Tiger, tiger*
Oorspronkelijke uitgever Farrar, Straus and Giroux, New York
Omslagontwerp Studio Jan de Boer
Omslagillustratie Abby Kagan
Foto auteur Sara Essex
Vormgeving binnenwerk CeevanWee, Amsterdam
Druk Koninklijke Wöhrmann, Zutphen
ISBN 978 90 234 5962 0
NUR 302
www.debezigebij.nl

Voor Edvige Giunta, die het zaadje liet ontkiemen
Voor John Vernon, die zo geduldig heeft geoogst

Tijger! Tijger! vlammenvuur
In het bos van 't nachtlijk uur
Welk onsterflijk oog of wie
Ontwierp uw wilde symmetrie?

– William Blake, 'De tijger' (vertaling Erik Bindervoet)

'Zeg mij, o Heer, waarom liet u uw pupil zo lang alleen
dat zij haar weg naar mij kon vinden?'

– Toni Morrison, *Het blauwste oog*

Inhoud

Proloog 11

Deel 1

1. 'Mag ik met je spelen?' 21
2. Het huis van twee verdiepingen 32
3. Een slechte gewoonte 41
4. Wilden 53
5. Hoger, hoger 64
6. 'Acht jaar is de mooiste leeftijd voor een meisje' 71
7. Karen, mijn zusje, mijn zusje 94
8. 'Alleen als je zelf ook wilt' 111
9. 'Er is niets verkeerds aan om van je te houden' 119
10. 'Er is iets goed mis met die man' 132
11. Cirkel, cirkel met een punt 149
12. De gebloemde nachtpon 160
13. Ons geheimpje 175

Deel 2

14. De hereniging 185
15. De bruidsschat 205

16. Cathy en Paul 223
17. Red me 233
18. Nina 245
19. De waterval 264
20. 'Duivelse machten' 277
21. Knappe meisjes 288
22. De bruiloft 295
23. De bekentenis 307
24. De onbekende in de spiegel 315
25. Van school af 332
26. De vrouw in de boom 350
27. Het contract 359
28. De tijgersprong 364

Deel 3

29. Rivalen 379
30. De lening 383
31. De erfenis 393

Nawoord 409
Dankbetuiging 413

Proloog

Ik ben met dit boek begonnen in de zomer na het overlijden van Peter Curran, de man die ik op mijn zevende leerde kennen en met wie ik vijftien jaar een relatie had, totdat hij op zijn zesenzestigste zelfmoord pleegde.

Met het opschrijven van mijn levensverhaal hoopte ik inzicht te krijgen in wat er is gebeurd. Ook als ik niet aan het boek werkte en het op een plank in mijn kast lag, voelde ik hoe het bij me leefde op de momenten dat de wanhoop toesloeg, zoals klokslag twee uur 's middags, wat het tijdstip was waarop hij me altijd kwam ophalen voor een autoritje; dezelfde wanhoop om vijf uur in de namiddag omdat ik hem dan voorlas, met mijn hoofd op zijn borst; om zeven uur 's avonds als hij me vasthield en me over mijn buik wreef; en alweer die wanhoop om negen uur als we ons avondritje maakten, dat begon bij Boulevard East in Weehawken, daarna over River Road en dan verder naar beneden naar de Royal Cliffs Diner, waar ik voor hem altijd een kopje koffie bestelde met precies zeven suikerklontjes en een heleboel melk, broodpudding met slagroom en rozijnen of rijstpudding als hij een keer iets anders wilde. Daarna reden we (met de Granada, de Escort of de zwarte Mazda) weer terug over River Road, naar Boulevard East met de kapitale huizen in victoriaanse, neovictoriaanse en neogotische stijl, we staarden naar de overkant van de Hudson-rivier met de verlichte wolkenkrabbers die flonkerden als duizenden spiegels, en waar we soms de auto aan de kant zetten om naar de onweersbuien te kijken.

In een van zijn zelfmoordbriefjes aan mij stelde hij voor om de memoires van ons gezamenlijke leven vast te leggen in een boek, wat ironisch is. Ons wereldje bestond slechts bij de gratie van opperste geheimhouding; als je onze leugens en codes en blikken en symbolen en toevluchtsoorden wegnam, dan vaagde je alles weg; en als je dat op mijn twintigste of vijftiende of twaalfde had gedaan, had ik mezelf misschien wel van kant gemaakt en had je nooit iets geweten van dat piepkleine eilandje dat uit geheimen en leugens en codes en blikken en symbolen en toevluchtsoorden bestond. Al die geheimen tezamen vormden een loper, en als je een slotenmaker vraagt of er een loper bestaat die alle sloten van de wereld kan openen, dan zal hij nee zeggen, maar dat je wel een sleutel kunt maken waarmee je alle sloten in één enkel gebouw open krijgt. Je kunt de sloten van tevoren zo ontwerpen dat de groeven met die ene desbetreffende sleutel overeenkomen, maar het is onmogelijk een sleutel te maken die op alle reeds bestaande sloten past. Peter wist dit, omdat hij ooit een loper voor een ziekenhuis heeft moeten maken: hij had zich het vak van slotenmaker eigen gemaakt toen hij als nachtwacht in bibliotheken werkte en wist zich later in de branche naar binnen te bluffen.

Probeer je eens een meisje van een jaar of zeven voor te stellen dat tuk is op rode toverballen uit een toverballenautomaat waar ze altijd de groene en de blauwe in laat zitten; een kind met klittenband op haar gymschoenen, geen veters; een kind dat in winkelcentrum Pathmark stevig haar knieën om metalen pony's klemt waarop je voor een kwartje even kan hobbelen; een kind dat de jokers in een kaartspel doodeng vindt en erop staat dat ze voor elk spelletje uit de stok worden gehaald; een kind dat bang is voor haar vader en dat niet van puzzels houdt (saai!); een kind dat van honden en konijnen en leguanen en Italiaans ijs houdt; een kind dat graag achter op de motor zit want welk ander kind van zeven heeft die mazzel; een kind dat nooit naar huis wil (echt nooit) omdat Peters huis op een dierentuin lijkt, maar bovenal omdat je met Peter lol kan trappen, Peter is precies zoals zij maar dan groter en hij kan dingen die zij niet kan.

Misschien wist hij wel dat de cellen in het menselijk lichaam zichzelf elke zeven jaar vernieuwen, en dat er na elke cyclus uit die oude klont van minuscule deeltjes een nieuwe persoon verrijst. Laten we het zo stellen dat deze man, die Peter, in de daaropvolgende zeven jaren de muterende cellen van dat kind herprogrammeerde. Dat hij heel slim registreerde welke weggetjes bij haar naar verrukkingen leidden en welke makkelijk traceerbare sporen naar haar verlangens: dat ze gek was op roomijs, en liefst als een jongetje zonder T-shirtje rondliep, hoeveel ze ervan hield als de hond met zijn zachte roze tong aan haar gezicht likte en hoe graag ze konijnen aan sappig jong groen zag knabbelen. Later leerde hij net zo ijverig de songteksten van Madonna uit zijn hoofd en nog later de namen van twintig songs van Nirvana.

Vier maanden na Peters dood interviewde ik een reclasseringsambtenaar toen ik de hoofdartikelen schreef voor ons universiteitsblad. We zaten met een kopje kamillethee bij haar thuis, een studio in de wijk Journal Square in het centrum van New Jersey. Ik vertelde dat ik een boek aan het schrijven was. Ze wilde weten wat voor boek, en ik zei dat het over een pedofiel ging en dat dit nog maar een ruwe versie was die nog flink geredigeerd moest worden. Ik vroeg of ze via haar werk met pedofielen in aanraking was gekomen.

'Met pedofielen? Jazeker. Het zijn de aardigste mensen van alle gedetineerden.'

'Aardig?'

'Jawel. Aardig, beleefd, je hebt nooit problemen met ze. Ze spreken je altijd aan met "u" en het is steeds mevrouw voor en mevrouw na.'

Ze praatte er zo onbevangen over dat ik werd aangemoedigd erop in te gaan. 'Ik heb ergens gelezen dat pedofielen hun daden goedpraten door zichzelf voor te houden dat het van twee kanten komt, zelfs als ze druk uitoefenen.' Dit gegeven had ik uit mijn studieboek voor psychologische aberraties en het had me geschokt omdat het zo perfect overeenkwam met Peters manier van denken. Mijn volgende inzicht daarentegen kwam niet uit een boek, al zei ik tegen mezelf van wel: 'Ik heb ook gelezen dat omgang met pedofielen net zoiets is als de roes die je van drugs krijgt. Een meisje beweerde dat pedofielen in een gefantaseerde realiteit leven en dat alles door die fantasie wordt aangestoken. Alsof het zelf nog kinderen zijn, behalve dat zij de kennis hebben die kinderen niet hebben. Hun verbeeldingskracht ontstijgt die van kinderen en ze weten een werkelijkheid te creëren waar kleine kinderen niet eens van kunnen dromen. Ze hebben het vermogen de belevingswereld van een kind... extatisch te maken. En als het eenmaal voorbij is, dan is het voor de kinderen met een dergelijke ervaring alsof ze van de heroïne moeten afkicken; dat proces neemt jaren in beslag en al die tijd hebben ze de drang om dat gevoel weer opnieuw te kunnen beleven. Een ander meisje zei dat het was alsof de aarde verschroeid was en er nooit meer gras op zou kunnen groeien. De grond ziet er zwartgeblakerd en kaal uit maar daaronder woekert nog altijd het vuur.'

'Wat sneu,' zei Olivia en ze keek erbij alsof ze het meende.

Na een ongemakkelijke stilte veranderden we van onderwerp en praatten over andere soorten gedetineerden en hoe het was om in een gevangenis te werken. Tijdens ons gesprek voelde ik me onpasselijk worden, alsof deze omgeving met de warme keuken die ik eerst zo behaaglijk had gevonden, bedreigend werd. Mijn zintuigen stonden altijd op scherp als gevolg van jarenlang marginaal contact met een wereld buiten die ene die ik met Peter had gedeeld.

Die dag in Olivia's keuken kreeg ik het gevoel dat in mijn binnenste een alarm werd ingeschakeld, alsof de wereld om me heen op zijn achterste poten was gaan staan en me toebrulde.

Union City in New Jersey, waar ik ben opgegroeid, is naar verluidt de dichtstbevolkte stad van de vs. Dat vat je niet meteen als je alleen afgaat op de beschrijving van de oudbakken, dik beboterde kadetjes, de papieren espressobekertjes maat poppenservies of de lange zoete broodstengels, net zoals je Manhattan niet snapt als je alleen iets weet van dat ene kebabkraampje bij Port Authority of van boekwinkel Strand met zijn zevenentwintig kilometer boekenplank of van de skateboarders in Washington Square Park. Probeer je eens de duiven voor de geest te halen, de bars en de nightclubs (gespeld niteclubs), de capuchonjongeren met hun laaghangende broeken waar hun boxershorts bovenuit komen, de auto's die bumper aan bumper staan geparkeerd en de soms absurd nauwe steegjes waar de zijspiegel van je auto nogal eens wordt meegenomen door een langsrijdende bestelwagen. Je hebt mannen in alle leeftijdscategorieën die sissen naar elk meisje van boven de twaalf, fruitkramen met goedkope papaja's, mango's en avocado's (mijn vader was een absolute avocadoliefhebber en beweerde bij hoog en bij laag dat ze het eeuwige leven gaven), en de zwart verkleurde, diep ingesleten kauwgumresten in de trottoirs van gebarsten cement. Het is niet ongewoon om kinderen te horen zingen: 'Trap niet op de scheuren, dan gaat je moeder zeuren!' en ik, al net zo bijgelovig als mijn vader, lette altijd goed op waar ik mijn voeten neerzette, al was dat heel moeilijk want het cement was echt vergeven van de zigzaggende breuklijnen, als de nerfjes in een opengevouwen landkaart die ergens heel lang opgefrommeld heeft gelegen. Ik vermeed ook net zo zorgvuldig op mijn eigen schaduw te gaan staan omdat ik anders bang was mijn ziel te vertrappen.

Als je in de buurt komt van de pluimveemarkt Polleria Jorge op Forty-second Street, tussen New York Avenue en Bergenline, knijp dan gauw je neus dicht tegen de stank. En steek je over bij Panda Shoes, die daar al zit zo lang als ik me kan heugen, dan kom je bij El Pollo Supremo: de milde geuren van gebraden kip, pruttelende yuca, zwarte rijst met zwarte bonen en gefrituurde banaan verwelkomen je als de elixers van de Atlantische Oceaan. We gingen daar altijd eten, Peter en ik, en op een keer zat hij, gedurende de twee jaar dat mijn ouders ons gescheiden hielden, tijdens een regenachtige Halloween in zijn eentje in een eethoek acht uur lang door de natgeregende ramen te turen in de hoop een glimp van mij en mijn moeder op te vangen op onze *trick-or-treat*-ronde.

Ik bewaar nog steeds twaalf ingebonden boekwerken van brieven met datum die altijd begonnen met 'Dierbare prinses'. Peter gebruikte een 'x' voor kusjes en een 'o' voor knuffels. Hij zette er altijd IDVAJEZAVJH bij, een afkorting van 'ik denk vaak aan je en zal altijd van je houden'. Ik heb zeven videobanden, ook alle met datum, met titels als *Margaux op rolschaatsen, Margaux met Paws de hond, Margaux achter op de motor, zwaaiend*.

Peter bekeek de tapes elke dag, tot aan de dag van zijn dood: Margaux die met Paws in het zand loopt te ravotten; Margaux die vanuit een hoge boomtak zwaait; Margaux die een kushandje werpt. Niemand kijkt nu nog naar Margaux. Zelfs Margaux verveelt zich bij de aanblik van Margaux met haarband, Margaux in afgeknipte spijkerbroek, Margaux met nat haar, Margaux bij de hemelboom waar altijd de witte hangmat aan hing.

Ik was Peters religie. Niemand anders raakt in vervoering van de twintig albums met foto's van mij alleen, of van mij met Paws, of van mij met Karen, of van mij met mijn moeder. In de houten doos die ik in de tweede klas van de middelbare school maakte, voor het vak Technische Vaardigheden, zitten een paar losse foto's en die zijn net zomin interessant. De twee vervlochten haarlokjes, de een bruin en de ander zilvergrijs, zijn gelamineerd zodat ze nooit zullen vergaan. Een album met herfstbladeren, met de namen van de bomen waar ze vanaf komen eronder: suikeresdoorn, rode eik, amberboom. Mijn toverstokje met glitters, mijn kleine viltmuisje dat Peter tijdens een ruzie een keer had weggegooid maar later weer uit de vuilnisbak viste, de roestvrijstalen loper die we een keer bij de werf vonden; mijn zilveren armbanden en het enorme kruis van klatergoud dat ik in de West Village cadeau kreeg, de strakke zwarte legging (die hij mijn Madonna-broek noemde), het zwartfluwelen halslint met het zilveren hartje, mijn rode catsuit afgezet met kant en de lakleren motorbroek – meisjesmodel – die hij voor me had gekocht, een boek met wiccaspreuken, de cassettebandjes met Nirvana, Hole en Veruca Salt voor in de auto, piratenvideo's met Nirvana (ook uit de West Village), audiotapes van onze vier boeken (met verschillende stemmen voor elk personage), een houten talisman van een fee die in een glazen bol kijkt, ook van Peter gekregen. Dit zat allemaal in een zwarte doos met een kapot slotje die aan het voeteneinde van zijn bed stond.

Peter, aan het eind van je leven kon je nog maar een paar straten lopen en je kon niet meer op je motor rijden. Je liep dat kleine stukje naar het randje van een klif in Palisades Park om daar te springen. Je viel bijna tachtig meter naar beneden, althans, dat is wat er in het politierapport staat. Je hebt een envelop in mijn postbus gestopt met tien zelfmoordbrieven en diverse gesigneerde verklaringen op gelinieerd papier waarin je je auto aan mij nalaat. Je hebt een plattegrond getekend zodat ik je zwarte Mazda kon vinden en geen wegsleep- en stallingkosten hoefde te betalen. Je hebt er een kopie bij gedaan van het autosleuteltje, het origineel zat in het contact van de Mazda. Ik was tweeëntwintig en jij was zesenzestig.

DEEL EEN

I

'Mag ik met je spelen?'

1985. Het was lente, en als er een harde wind opstak waaide de kersenbloesem uit de bomen. De lelies en asters stonden volop in bloei, en ik rook de zoete, bedwelmende geur van kamperfoelie die door de windvlagen werd meegevoerd, samen met die net losgekomen fladderende roze en witte kersenbloesem en de zilverwitte pluisjes van de paardenbloem. Het was het seizoen van de geeljasjes, die slome wespen die altijd bij afvalbakken en lege frisdrankflessen rondhangen. Toen ik drie was, ben ik een keer door zo'n wesp in het puntje van mijn neus gestoken waarna die meteen opzwol tot twee keer zijn normale grootte; sindsdien had mijn moeder een grondige hekel aan die beesten.

'Donder op!' riep ze, en maaide met haar hand naar de wespen die onaangekondigd waren gekomen, op het grasveld van Liberty State Park, waar we zaten te picknicken met vrienden van mijn ouders, Maria, Pedro en hun zoon Jeff.

Papa deed een beetje Pepsi op het uiteinde van zijn plastic rietje en zette het rechtop op ons groen met rode strandlaken. De wespen vlogen er meteen op af en papa grinnikte.

'Kijk, ik pak zulke problemen pragmatisch aan. Ze houden van zoet, dus zolang daar cola op zit, blijven ze bij dat rietje. Toch, Keesy?'

Papa was me Kissy gaan noemen (hij sprak het uit met een

Spaans accent, als 'Keesy'). Hij had me als peuter geleerd om hem een nachtkusje te geven en gedurende enige tijd gaf ik alles een kusje: al mijn poppen en knuffelbeesten, zelfs mijn eigen spiegelbeeld. Alleen als papa blij was, noemde hij me Keesy, en soms ook Baby Bow. Als hij boos was, gebruikte hij geen koosnaampjes; dan sprak hij over me in de derde persoon enkelvoud. Papa noemde me zelden bij mijn eigen voornaam, Margaux (spreek uit als Margo), al had hij die zelf voor me bedacht omdat hij ooit een vintage Franse wijn uit 1976 had gedronken die Château Margaux heette. Nooit noemde hij mijn moeder Cassie, hij gaf haar nooit een kus en sloeg nooit zijn armen om haar heen. Ik dacht dat dat normaal was, totdat ik andere ouders zag die elkaar wel kusten, zoals die van Jeff, en eerlijk gezegd vond ik dat maar raar.

Maria was mijn moeders beste vriendin en soms paste ze op me. Jeff was toen zeven, een jaar ouder dan ik. Als ik bij Jeff thuis was, spraken we af dat als hij Sprookjes mee speelde, ik op mijn beurt meedeed aan G.I. Joe en Transformers. Ik was dat oorlogsgedoe altijd snel zat en Jeff haatte de wolf en de zeven geitjes omdat er geen speelgoed aan te pas kwam: onze vriendschap hield stand dankzij goede afspraken.

Mama en Maria praatten over dingen waar moeders altijd over praten: dat vitamine C goed voor je is, over dat kind dat was ontvoerd op Orchard Beach, het jongetje dat pas was omgekomen tijdens een ritje in de achtbaan. 'Wat zonde,' zei mijn moeder dan, en 'Gods wegen zijn ondoorgrondelijk'. Mijn moeder hield in haar notitieblokje met spiraalrug onder andere bij welke rampen er allemaal op radio en tv voorbijkwamen. Op die manier had ze altijd iets belangrijks te vertellen als zij haar vrienden belde of bij ze op bezoek ging. Ze noemde dat notitieblokje haar Feitenboek.

Papa had een hekel aan dat Feitenboek. Als mijn moeder ziek was, begon ze altijd over kinderen die de hongerdood stierven en meer van dat soort gruwelijke onrecht in de wereld. Ze draaide thuis altijd *Sunshine*, de elpee met de kronieken van een jonge vrouw die terminale botkanker had en een laatste vaarwel had opgenomen voor haar echtgenoot en dochter. Mama vond dat heel romantisch.

Ik hoorde Maria zeggen dat ik meer kip en yuca zou moeten eten, en mijn moeder schreef dat dan op in haar Feitenboek. Ze kwamen er niet uit waar je het meest van aankwam: kip of rundvlees. Papa gaf Pedro een por in zijn ribben en zei: 'Wat weten die vrouwen nou? Ik weet er veel meer van. Geef meisjes niet te veel vlees want dan komen al die hormonen in hun systeem. Zwarte bonen met rijst, fruit en pasta: dat is het beste. Je wilt niet dat je kind te mager is, anders denken mensen dat je ze te weinig geeft. Maar je wilt ook niet dat zo'n jong meisje er ouder uitziet dan ze is, dus geef je ze niet te veel biefstuk of varkensvlees. Zeevruchten – prima. Jongens daarentegen moeten sterk worden. Zonen moet je vaak varkensvlees te eten geven. Misschien geef jij je kroost een beetje te veel koteletjes.' Papa glimlachte. Hij had het talent om mensen te beledigen zonder dat ze het hem kwalijk namen. 'Zelf eet ik heel vaak salades. En ook pistachenoten en soms een papaja. Vitamine A. Ik zeg niet dat je zoon te dik is. Ik bedoel alleen maar dat hij wel een paar pondjes mag afvallen, ik hoop niet dat je dat verkeerd opvat. Ik zeg mijn vrienden altijd de waarheid. Maar hij is een sterk joch, een gezonde, mooie jongen!'

Jeff leunde naar voren en fluisterde in mijn oor: 'Mager kippetje met je sprietpootjes. Tok, tok! Tok, tok!'

'Hou je kop!'

'Tok, tok!' Hij klapwiekte. 'Je loopt als een kip, ook nog 's. Tok, tok!'

Dat hij me sprietpootje noemde vond ik niet erg, maar toen hij zei dat ik als ik een kip liep, gaf ik hem een klap. 'Hou je kop, dikzak! Sterf en loop naar de hel!'

Iedereen keek naar me, en toen Maria mijn blik zag wendde ze haar blik af.

Papa moest lachen. 'Jongens, kijk uit voor die dochter van me!' zei hij.

'Louie!' riep mijn moeder uit. 'Je moet haar niet leren slaan!'

Een wesp vloog rakelings langs mijn moeders gezicht en Jeff, die de held wilde uithangen, probeerde hem weg te jagen met een stok. Hij haalde uit naar de wesp en rende luid joelend en wild om zich heen slaand achter de zwerm aan. De wespen vlogen op hem af en hij liet de stok vallen. Alle volwassenen begon tegelijk te schreeuwen en de wespen, die nu woedend waren, vielen iedereen aan. De geeljasjes gingen op mijn hoofd, armen, handen en borst zitten. Papa keek me recht in de ogen. 'Zit stil, Keesy, blijf stilzitten, anders word je gestoken.' Ik kon hun kleine zwarte pootjes voelen, hun naar beneden gekromde onderlijfje. Ik deed wat hij zei. Papa en ik waren de enigen die dag die niet werden gestoken.

Tot mijn zevende woonde ik met mijn ouders in een woonblok van oranje baksteen, aan Thirty-second Street. Ons kleine eenkamerappartementje was vergeven van de kakkerlakken, waar papa ondanks een heel arsenaal van verdelgingsmiddelen maar niet van afkwam. 'Ze komen bij de buren vandaan. Ze kruipen onder de deur door. De bewoners hier zijn een stelletje wilden. Het zijn allemaal wilden hier in deze uithoek van de stad. Een stuk noordelijker, in Union City, is het een stuk beter toeven. Hier zitten de junks en het uitschot. Ik kan niet wachten om te verhuizen.'

Papa had een hekel aan graffiti, branduitgangen, de verlaten binnenplaatsen vol vuilnis, de fluitende en sissende hangjongeren, gettoblasters, rotzooi die mensen overal lieten slingeren. Hij vond het wel leuk om een stukje te wandelen naar Bergenline Avenue, een paar straten verderop, voor een espresso en een broodje roomboter (waarvan hij stukjes voor me afbrak die ik zelfs in zijn espresso mocht dopen). Hij vond het prettig dat iedereen Spaans sprak, omdat hij zich vreselijk opgelaten voelde als hij bij het bestellen van zijn eten ook maar één Engels woord verkeerd uitsprak. Toen ze nog verkering hadden, plaagde mijn moeder hem een keer met de manier waarop hij 'schoenen' (skoenen) zei, en hij heeft de rest van de dag geen woord meer tegen haar gezegd.

Papa heeft mij noch mijn moeder ooit aangemoedigd om Spaans te leren, en volgens haar deed hij dat met opzet. Zo konden we nooit horen wat hij aan de telefoon zei. Ik nam het hem kwalijk. Als je het Spaans niet machtig was, kon je ook niet lezen wat er op de pui van een winkel stond, of iets bestellen in de restaurants en bodega's in de buurt. In Union City dachten de mensen vanwege mijn lichtgetinte huidskleur dat ik uit Cuba of Spanje kwam, en nooit dat ik half Puerto Ricaans was. Mijn moeder was een mengelmoesje van Noors, Zweeds en Japans. Ik had mijn zwarte ogen volgens mij van mijn half Japanse grootvader, en ook mijn hartvormige gezicht, volle lippen en sluike donkerbruine haar.

Toen ik nog heel klein was, kon ik zomaar willekeurige vrouwen in de bus of op straat een mep geven, en volgens mijn moeder kwam dat omdat mijn vader losse handjes had. Ze zei dat ik had gezien dat mijn vader een grote schilderijlijst op haar rug in tweeën had gebroken toen ik drie was, maar ik was te jong om me dat te herinneren. Wat ik me wel herinner, is dat mijn vader de lampen aan- en uitdeed om mijn moeder te pesten met haar labiele geest. Mijn vader, moeder en ik sliepen altijd samen in het enorme bed omdat ik voortdurend werd geplaagd door nachtmerries en te bang was om alleen te slapen. Voor zijn eigen nachtrust bond mijn vader een stuk katoen om zijn ogen dat hij van een oud hemd had afgeknipt; met zijn kastanjebruine baard en lange kastanjebruine haar vond ik hem altijd op een piraat lijken. Als hij met zijn goede been uit bed was gestapt, vertelde hij altijd over het bedrieglijke aapje, de kwaadaardige kikker en de stoïcijnse witte olifant; verhaaltjes die zich afspeelden in Carolina op Puerto Rico, waar hij was opgegroeid. En soms vertelde hij me ook over zijn kindertijd. Hij klom in hoge palmbomen door zijn hele lichaam dicht tegen de ruwe schors van de boom te drukken en hees zich dan centimeter voor centimeter naar boven.

Mijn vader was dol op verhalen vertellen. Hij hield van overdrijven en gebaarde dan altijd druk met zijn handen. Hij was degene die altijd kookte en het huishouden deed, omdat mijn moeder volgens hem alleen maar in staat was om onze vuile kleren naar het washok in de kelder van ons woonblok te brengen en om boodschappen te doen bij de kruidenier op de hoek. Ze nam de boodschappen altijd mee naar huis in een rood boodschappenwagentje omdat ze geen rijbewijs had. Maar ze kocht altijd te veel en gaf altijd te veel geld uit en dan ging papa weer tekeer.

Papa was altijd zo gespannen dat ik nooit begreep hoe hij het uithield op zijn werk, waar hij de hele dag moest stilzitten. Hij was edelsmid en gespecialiseerd in ontwerp en handwerk. Naast reparatiewerk kon hij ook edelstenen snijden, zetten en polijsten. In de jaren tachtig hadden de edelsmeden nog geen ergonomisch verantwoorde werkplek en moesten ze de hele dag pijnlijk voorovergebogen zitten.

Als papa thuiskwam, was hij zo uitgelaten als een hond die je net zijn riem had afgedaan. Soms was het een opgeruimd soort van uitgelatenheid en sloeg hij blikjes Heineken achterover terwijl hij het diner in elkaar flanste. Dan pakte hij zingend de kruiden uit de kastjes en liet me hapjes op een lepel keuren en proeven, of schoof me de rijstpan toe zodat ik de licht aangebrande, knapperige restjes van de bodem kon schrapen die hij 'popcornrijst' noemde. Als hij vrolijk was, kneep hij heel veel in mijn neus – dat was zijn manier om me te liefkozen aangezien hij zelden kusjes gaf. Mijn moeder lag dan in de slaapkamer naar 45-toerenplaten van John Lennon te luisteren, of naar haar album van *West Side Story, Sunshine* of Simon en Garfunkel. Ze kwam er pas uit als het eten klaar was. Ze wist dat hij direct zijn goede humeur zou verliezen zodra hij haar in het oog kreeg. Ze vertelde me dat ze zich een keer uitkleedde bij het raam, waarop papa de gordijnen sloot en zei: 'Je bent niet mooi, je bent een dikke koe en niemand wil je zien.'

Als papa thuiskwam met een slecht humeur, dook ik met mama de slaapkamer in en zetten we haar platenspeler heel hard aan, omringden ons met kussens alsof we in een mini-fort zaten en trokken de quiltdeken over ons hoofd. In ons zelfgebouwde tentje sabbelde ik (zelfs toen ik al zes was) aan mijn fopspeen en drukte mijn gezicht tegen mijn gele knuffelhond met een vilten oor dat loshing omdat ik er zo vaak aan trok. Dan liep papa te tieren dat hij allerlei vernederingen van zijn baas moest slikken en dat de zaken er zo beroerd voor stonden. Minstens eenmaal per jaar zat hij een poos zonder werk, omdat het na kerst altijd komkommertijd was in de juwelenhandel. Zijn tirades konden aanzwellen tot tomeloze aanvallen van razernij die weleens uren duurden. Als hij in zo'n bui was, leek het wel alsof hij bezeten was en bleven we doodsbenauwd heel ver bij hem uit de buurt. Hij schreeuwde dat wij hem hadden veroordeeld tot een ellendig leven en dat hij nooit meer een vrij man zou zijn. God kon hem niet meer naar de hel sturen omdat hij er al in zat, en hij vroeg zich af wat hij had misdaan dat hij met twee miskleunen was opgezadeld: een ziekelijke vrouw als echtgenote en een wild beest als dochter. Dikwijls wenste ik dat hij maar in het Spaans tekeerging, zodat we hem tenminste niet konden verstaan.

We woonden nog altijd in Thirty-second Street in de zomer dat ik zeven werd en te voet naar het zwembad op Fifty-fifth ging, een paar straten verderop. Er zat veel chloor in het water, dode insecten dreven op het wateroppervlak en het was niet meer dan één meter twintig diep. De oudere kinderen noemden het 'het pisbad'. Ik moet tot mijn schaamte bekennen dat ik aan deze bijnaam heb bijgedragen, als ik nonchalant naar de blauwe zijkant zwom en om me heen keek of niemand me zag.

Het zwembadwater was van een helder, licht, weids blauw dat zich opende om mijn duikende lichaam te ontvangen, mijn lichaam met de gebalde vuisten en de voeten tegen elkaar gedrukt en de benen gestrekt als lange vinnen; de mond dichtgeknepen zodat ik mijn zuurstof als in een stijf gesloten beursje kon binnenhouden; mijn zeemeerminnen-ik, mijn dolfijnen-ik, mijn gewichtloze ik. Als ik weer bovenkwam en met mijn hoofd boven het water uit stootte om krachtig in te ademen, voelde ik mijn hersens licht worden van genot. Na enkele seconden zochten mijn ogen naar mijn moeder, die met de grote zwarte schoudertas op schoot langs de kant zat. Ze was bang voor dieven. Soms, als mijn zelfverzonnen spelletjes me verveelden, ging ik midden in het zwembad staan en keek dan om me heen. Als ik zelf stilstond en rondkeek, was het net alsof alle mensen – groepjes kinderen, moeders met snorkelende kleuters, kinderen met plastic zwembandjes om hun armen om hen te laten drijven, jongens die doken waar het VERBODEN TE DUIKEN was – uit het niets opdoemden. Alsof opeens het geluid werd aangezet, geluiden van gespetter, geschreeuw, gefluit en de geluiden van vogeltjes en auto's van achter de omheining van groene schotten.

Op de dag dat ik Peter ontmoette zag ik aan de andere kant van het zwembad twee kleine jongetjes verwikkeld in een worstelpartijtje met hun vader; spetterend en lachend. Een van de jongens was heel knap. Hij was de kleinste van de twee, misschien negen of tien, tenger, met vrij lange bruine pony. Hij was niet zomaar knap; hij straalde geluk uit. Zijn gezicht en zijn huid gaven licht, zijn benen en armen en handen waren soepel en snel, en er lag een zachtaardigheid in zijn gezicht en ogen die je zelden bij een jongen tegenkwam. Zijn oudere broer leek ook heel gelukkig, maar niet met dezelfde levendigheid.

Hun vader had zilverachtig peper-en-zouthaar met een jarenzestigpony als een Beatle. Hij had volle lippen, een lange, puntige neus die bij een ander onaantrekkelijk was geweest maar niet bij hem, en een vastberaden kin. Toen hij in mijn richting keek, zag ik dat zijn ogen fel aquamarijn waren. Hij glimlachte naar me en zijn gezicht zat vol groeven – op zijn voorhoofd, rond zijn ogen, en bij zijn kaak. Hij moest wel oud zijn, met al die lijnen en dat grijzende haar en die losse huid bij zijn hals, maar hij was zo energiek en opgewekt dat hij helemaal niet oud leek. Hij leek niet eens volwassen op die natuurlijke manier waarop volwassenen zich altijd van kinderen onderscheiden. Kinderen begrijpen de afstand tussen henzelf en oudere mensen, zoals honden weten dat ze anders zijn dan mensen. En al spelen volwassenen kinderspelletjes, nog altijd zijn ze zich ervan bewust dat ze anders zijn. Hij zou met honderd andere mannen een rij kunnen vormen, die allen dezelfde bouw en uitstraling hadden, en ik had hem zo uit die rij kunnen trekken om te vragen: 'Mag ik met je spelen?'

Ik zwom naar de andere kant van het zwembad en stelde precies die vraag. Hij zei 'natuurlijk', plensde meteen water in mijn gezicht en dartelde met me alsof ik zijn eigen kind was. Ik spatte water in het gezicht van de jongens en zij in het mijne, want die jongens vonden het blijkbaar niet erg om te spelen met iemand die veel jonger was en dan nog een meisje ook. Op een gegeven moment duwde de knappe jongen me zachtjes kopje-onder en toen ik weer bovenkwam moest ik zo hard lachen dat het even leek alsof ik alleen maar mijn eigen geschater hoorde. Hun vader tilde me onder mijn armen op alsof ik een veertje was en liet me in het rond zwaaien, lachend als een groot kind. Toen hij ophield, was de hele wereld uit balans en was het net alsof zijn gezicht werd verborgen achter een vreemde, wit schuimende uitbarsting – net een aureool.

Toen de badmeester tegen sluitingstijd iedereen sommeerde om het water uit te gaan, stelde de vader, die Peter heette, ons voor aan een lieve latinovrouw, Inès, die had staan pootjebaden in het ondiepste gedeelte van het zwembad terwijl de rest aan het spelen was. Peter plaagde haar dat ze altijd zo dicht bij de rand van het zwembad bleef en grapte tegen mij en mijn moeder dat Inès zich altijd druk maakte om dingen waar niemand zich druk om maakte, zoals ritjes in een achtbaan en fietsen. Inès was op een rare manier knap. Ze had slaperige ogen met allemaal rimpeltjes eromheen van de zon en lang, donker krulhaar waarvan de abrikooskleurig geverfde lokken al voor de helft waren uitgegroeid. Ze miste twee valse paarse nagels en op de overige zag ik kleine zwarte vredestekentjes.

Peter stelde zijn kinderen voor: de oudste jongen heette Miguel. Ik schatte hem op twaalf of dertien, en de jongere, Ricky, was maar een paar jaar ouder dan ik. Aan het eind van de dag was ik alle namen vergeten maar ik herinnerde me wel de initialen van de voornamen van de ouders: P en I. Ik bleef aan ze denken, aan P en I, en aan hun belofte om mij en mijn moeder een keer uit te nodigen. Een paar dagen verstreken en we hoorden niets meer, dus toen vergat ik hen ook.

Ik dacht niet meer aan ze, afgezien van een ondefinieerbaar gevoel van napret over die middag. We zaten in papa's Chevy uit 1979 toen mama zei dat ze hadden gebeld, althans, Peter had gebeld.

'Ze hebben ons uitgenodigd bij hen thuis, leuk hè?' Toen papa niet reageerde, vervolgde ze: 'Peter en Inès. En de jongens, Ricky en Miguel. Miguel en Ricky. Wat een aardige jongens zijn dat. Netjes opgevoed, helemaal niet ruw. Echt een fijn gezin.'

'Bij hen thuis? Wonen ze dan in de buurt?'

'Niet ver bij ons vandaan. Peter zei aan de telefoon dat ze bij Weehawken wonen, op de grens met Union City. Ik wilde het eerst met jou bespreken. Wat denk jij?'

'Waarvan?'

'Om daarheen te gaan. Vrijdag, als je op je werk zit.'

'Kan mij wat schelen.'

'Nou, ik dacht dat ik het beter eerst met jou kon bespreken.'

'Mij kan het niet schelen. Het zijn toch geen seriemoordenaars?'

'Het is een leuk gezin. Aardige mensen. Fijn gezin.'

'Iedereen is altijd zo aardig tegen je. Iedereen is zo aardig. Alles is zo fijn.'

'Goed, dat is dan afgesproken,' zei mama. 'Vrijdag om twaalf uur.'

2

Het huis van twee verdiepingen

Voor de tweegezinswoning stonden een schaalfontein en drie grote standbeelden van hars: een roze beer, een zwarte labrador met vleugels en een zeemeermin. De beer was voor de helft overwoekerd met hedera. De vreemde, donkere klimplant had zich om de dikke staart van de zeemeermin geslingerd en waar hij helemaal tot aan de nok van het huis was gekropen had hij zich als een woeste mannenbaard over de gebarsten paarse dakpannen verspreid; uit de klimop die in een wirwar laag op de grond groeide, waren allemaal roze en rode rozen ontsproten. Er hing een rafelige, goud met rode Spaanse vlag aan een stok en aan weerszijden van de deurmat stonden potten met bloemen. De bel waar mijn moeder op drukte hing aan losse draadjes uit de deurlijst. Toen er geen geluid uit kwam, liet ze de zware, goudkleurige klopper op de deur vallen.

In eerste instantie associeerde ik de slanke, lenige man die ons voorging op de trap niet met de vader uit het zwembad. Ik hield me op advies van mijn moeder stevig aan de mahoniehouten trapleuning vast: ze noemde de wenteltrap 'verraderlijk'. Ik gleed bijna uit omdat ik me liet afleiden door de sleutelvormige gouden wandversiering die naast me op de muur omhoogliep, en de suggestie wekte dat elke sleutel groter was dan die eronder.

'Deze trap is levensgevaarlijk,' zei de vader met zijn hand

tegen zijn onderrug. 'Ik zou graag op de begane grond wonen. Maar daar is het te klein voor ons allemaal. En het is ook niet goed onderhouden. Ik kan het nu niet eens verhuren. Ik ben steeds van plan om de boel daar op te knappen, maar er is boven nog steeds genoeg te doen. Dat zullen jullie zo wel zien.'

Boven aan de trap hing een ornament, en toen mijn moeder ernaar vroeg, zei hij: 'Dat is een Amerikaanse girandole, met een adelaar aan de bovenkant. Ik spuit hem elk jaar opnieuw goudkleurig zodat hij mooi blijft. Op de vlooienmarkt op de kop getikt. Hij is antiek.' Toen lachte hij en zei: 'Net als ik.'

Hij vervolgde: 'Alles hier in dit huis is antiek. In de keuken staat een ouderwetse stookoven op gas, die is geïnstalleerd in 1955. En we hebben ook een heel oude badkuip op pootjes, zo'n hoge die je tegenwoordig nergens meer ziet. En een diepe dubbele gootsteen: de ene om de afwas in te doen en de andere om je kleren in te wassen.'

Ik merkte dat hij het uitstelde om de houten deur naar de bovenverdieping open te doen, zoals volwassenen er altijd plezier in scheppen om kinderen te laten wachten. Ik gleed tussen hem en mijn moeder in, keek met mijn ernstigste maar ook allerliefste pruillip naar hem op en zei: 'Eh... hoe heet u ook alweer?'

'Peter, wist je dat niet meer?'

'Peter, wilt u de deur openmaken, alstublieft?'

Met een pracht van een glimlach legde hij als de wiedeweerga zijn grote, vriendelijke hand over mijn ogen. 'Niet stiekem gluren. Als ik zo meteen mijn hand wegtrek, dan zie je iets geweldigs, oké? Beloof je dat je niet zult gluren?'

'Ik beloof het.'

Ik hoorde de deur opengaan en probeerde te kijken, maar het enige wat ik zag waren gekartelde strepen daglicht tussen zijn verweerde vingers. 'Klaar?'

'Klaar!'

Midden op de vloer van de kamer stond een enorm terrarium dat zo groot was als een tweezitsbank. Er zaten lange bruine takken in en op die takken zaten leguanen met een stekelige kam op hun kop; in een modderig vijvertje zwom een zwarte meerval met van die sprieten naast zijn bek. Naast het raam hipten parkieten en vinken op hun stokjes heen en weer; de grond onder hen lag vol met kranten om de poepjes op te vangen; hun voederbakjes waren in de muren gebouwd en hun speeltjes hingen vanaf het plafond naar beneden: allemaal belletjes en strengen kleurige steentjes. Een grote langharige hond kwam met zijn tong uit zijn bek op me af om zich te laten aaien, en ik begroef mijn handen meteen diep in zijn roestkleurige vacht; hij zakte door zijn poten en draaide zich om zodat ik hem op zijn witte buik kon strelen en kriebelen.

'Dat is Paws,' zei Peter. 'De liefste hond van de wereld, half golden retriever, half collie.'

'O, dat zijn zulke leuke honden!' zei mijn moeder, die zich ondanks haar allergie niet kon beheersen en hem even moest aaien.

Daarna nam Peter ons mee naar de keuken, waar een schildpadje in een aquarium rondzwom. 'Hij eet wormen,' zei Peter, en liet me een paar grijze blokjes zien: het waren echt wormen, maar dan gedroogd en samengeperst. Hij trok het net van de bovenkant van het aquarium en ik liet er een blokje in vallen; het schildpadje stak zijn kopje boven het water uit om het te pakken. Het aquarium rook net zo wild en bedompt als het terrarium in de kamer en de geur ging op in alle andere geuren: die van vogelpoepjes en veren en oude kranten en Paws' vacht met die typische warme, muffe hondenlucht. Paws liep ons overal achterna en bleef ons aankijken met zijn vochtige hondenogen. Het gekwetter van de vogels vermengde zich met het getik van de hondennagels op het zeil en het geluid van die onbesuisd blije kwispelstaart die tegen alles aan sloeg waar hij langs liep. Paws' hele achterkant draaide met de staart mee. 'Het lijkt wel alsof hij danst,' zei ik.

We gingen naar de huiskamer, met een rood tapijt op de vloer, een rood fluwelen bank en stoelen met fluwelen zittingen, rode gordijnen en drie enorme boekenkasten propvol boeken. Er stond een kooitje van kippengaas op de vloer waarin een forse bruin met witte hamster zat en bij het raam stond een aquarium dat half zo groot was als dat in de voorkamer; er zaten goudvissen in, oranje met zwarte stippen. Ze zweefden langs waterplanten, een stenen huisje, een stenen zeemeermin, een stenen pad en langs een stenen molentje waar luchtbellen uit opstegen. Naast dit aquarium stond nog een glazen bak, iets kleiner, en met een grijns wenkte Peter ons dichterbij en wees op de kleine alligator die erin zat.

'Dat is een kaaiman. Half alligator, half krokodil,' legde hij uit, en ik zag dat hij maar half zo lang was als mijn arm, misschien ietsje groter. Zijn huid was overal gebarsten, hij had oude ogen die nooit knipperden en zat daar roerloos als uit steen gehouwen.

'Hoe komt het dat hij zo klein is?' vroeg ik.

'Als hij in het wild zou leven, zou hij een stuk groter zijn,' legde Peter uit. 'Maar in gevangenschap passen ze zich aan de grootte van hun kooi aan. Zijn lichaam beseft dat hij te groot wordt voor zijn omgeving als hij groeit. Maar hij heeft het hier naar zijn zin, kijk maar, met zijn waterstroompje en een blokje hout om op te zitten: hij wordt niet groter. Of ik moet een grotere kooi voor hem kopen.'

'Gaat u dat doen?' Ik keek op naar zijn lachende gezicht. 'Een grotere kooi kopen?'

'Misschien wel, ooit. Maar deze maat bevalt me wel. Zal ik je een trucje laten zien? Het is echt heel leuk.'

'Ja!'

Peter stak zijn hand in de kooi en mijn moeder en ik hapten naar adem. Maar hij bleef lachen en duwde de alligator omver; ik ging dichterbij staan om de zachte, witte, gelijnde buik beter te kunnen zien en de stompe korte pootjes die hij, zo leek het, in volledige overgave omhoogstak, en dat vreemde snoetje van hem met een bek die wel leek te grijnzen, heel sereen, waarbij hij twee rijen piepkleine driehoekige tandjes ontblootte. Die tandjes mochten dan klein zijn, volgens mij konden ze flink in Peters hand bijten en mijn hart bonsde van angst. Ik dacht aan mijn bibliotheekboeken over tijgers en andere grote katachtigen, die me mateloos fascineerden. Ze zeggen dat krokodillen zich onder het moeraswateroppervlak verborgen houden en dan ineens eruit springen om een tijger, die staat te drinken, in zijn hals te bijten en met die gemene kleine tandjes diep in de dikke oranje vacht het water in te trekken terwijl de reuzenkat op zijn achterpoten op de oever probeert te blijven.

Maar Peter aaide hem over zijn buik en ik zag die lichte, heldere reptielenoogjes kleiner worden. Even later had hij tot onze verbazing zijn ogen helemaal gesloten en fluisterde Peter: 'Nu is hij in slaap gevallen.' Ik fluisterde terug: 'Ik dacht dat hij u zou gaan bijten. Ik werd bang.'

'Alle dieren vinden het lekker om op hun buik te worden geaaid. Zonder uitzondering.'

'Hoe heet hij?'

'Cerberus.'

'Zo ziet hij er ook wel uit,' zei mama. 'Althans, als hij wakker is. Zeg, Peter, waar haal je de tijd vandaan om voor al deze dieren te zorgen?'

Peter stak een sigaret op. Ik wist dat mijn moeder bang

was voor de effecten van meeroken, maar ze zei er niets van. 'Ik krijg als oorlogsveteraan een invalidenuitkering. Het is mijn taak om dit huis te onderhouden, want zoals je ziet gaat er steeds iets kapot. Ik heb een timmermansopleiding gevolgd dus ik weet alles over reparaties.' Hij blies een paar rookkringetjes uit en ik stak mijn vinger erin; giechelend zag ik ze verdwijnen.

'Tijdens de Koreaanse Oorlog zat ik daar als timmerman, en toen ik een keer tijdens een regenbui een heuvel af daalde, werd ik van achteren door een truck geramd. De artsen hebben een paar wervels moeten vastzetten. Soms moet ik zo'n korset aan, maar ach, ik ga niet bij de pakken neerzitten. Ik blijf gewoon bezig. Zoals met dit huis en de verzorging van de dieren. Anders zou ik me echt gaan vervelen. In een huis als dit krijg je daar de kans niet voor.' Hij zweeg even. 'Weet je hoe oud dit huis is?'

'Nou?' vroeg mama. Met mijn vinger trok ik cirkels op het glas van de kooi met de slapende kaaiman.

'Meer dan een eeuw oud. Het is ten tijde van de Burgeroorlog gebouwd en het is een van de oudste huizen van Weehawken. Inès heeft het van haar man geërfd. Hij is omgekomen bij een auto-ongeluk toen de kinderen nog in de luiers zaten.'

Mijn moeder sperde haar ogen wijd open. 'Wist je dat er dagelijks honderd dodelijke verkeersongelukken plaatsvinden? Daarom zeg ik altijd tegen Margaux dat ze haar gordel om moet doen. Mijn man doet dat nooit.' Ze schudde haar hoofd. 'Wat moet dat vreselijk voor haar zijn geweest, ik durf me er nauwelijks een voorstelling van te maken.'

Peter knikte. 'Het heeft haar zwaar aangegrepen, het was beslist traumatisch. Enfin, Miguel en Ricky hadden echt een vader nodig en Inès... Ik weet niet of ze het had gered zonder iemand erbij om een helpend handje toe te steken. Geloof mij maar, dit huis verkeert in een permanente staat van... hoe noemen ze dat ook alweer? Verval. Ze werkt bij Pennysaver: een van haar taken is het intypen van de contactadvertenties. Ze besloot om er zelf ook maar een te zetten maar er ging iets mis en haar advertentie had die dag niet eens in de krant mogen staan. Maar toch werd ie afgedrukt. Het zal wel lotsbestemming zijn, of zoiets. Maar goed, jij heet Cassie, zei je. Komt dat van Cassandra?'

'Ja, van Cassandra Jean. Mijn vader heeft dat verzonnen, maar hij noemde me altijd Sandy.'

'Mag ik je dan Sandy noemen? Het is belangrijk om dicht bij je kindertijd te blijven, vind ik. De kindertijd is de belangrijkste periode in iemands leven.'

'Dat ben ik met je eens. Goed, noem me maar Sandy.'

'Ik heb vroeger op school eens een gedichtje uit mijn hoofd moeten leren, en ik kan het nog altijd opzeggen. Grappig, de dingen die we ons blijvend herinneren. Het gaat zo: "Zij gezegend, kleine vent / Die op blote voeten rent / Met een opgestroopte broek / Fluitend als een blije roek / Getuite lippen vol en rond / Als aardbei'n op de heuvelgrond / Zon straalt van je aangezicht / Je danstred is zo vederlicht / Het is met vreugde dat ik zing / ooit was ik zo'n jongeling." John Greenleaf Whittier.'

'Bravo!' zei mama. 'En zonder te haperen.'

Peter schraapte zijn keel. 'Ik probeer me dat mijn hele leven al in te prenten. Ik moet altijd optimistisch blijven. Zeg, Sandy, heb jij nooit het gevoel dat je ondanks alles wat je als volwassene hebt meegemaakt, in je hart altijd een klein meisje bent gebleven? Ik meen dat in jou te herkennen.'

Mama bloosde en gaf niet direct antwoord. Ze dempte haar stem en volgens mij dacht ze dat ik zo verdiept was in die kaaiman dat ik niet luisterde. 'Nou, als je ziet hoe mijn man me behandelt, zou ik net zo goed een klein meisje kun-

nen zijn. Wat ik volgens hem wel niet allemaal fout doe...
Toen ik nog heel jong was, moest ik van mijn vader altijd bepaalde taken uitvoeren. Ik moest elke avond afwassen en dan kreeg ik een dubbeltje.' Haar gezicht lichtte op. 'Ik was de jongste en mijn vaders oogappel.'

'Volgens mij leek je toen sprekend op Shirley Temple, of niet?'

'Dit is een dierentuin en u bent de dierenoppasser!' riep ik plompverloren uit.

'Zo zou je het kunnen stellen, ja. Wil je nog meer dieren zien?'

'Ja, graag!'

'We hebben nog de cavia op zolder. Dat is de kamer van Miguel en Ricky. En buiten hebben we ook nog een paar konijnen, die zitten in een hok.'

'Waar zijn Miguel en Ricky vandaag?' vroeg mama. 'Ik hoopte eigenlijk dat Margaux en zij wat konden spelen samen.'

'Waarschijnlijk zitten ze in een automatenhal deze mooie zonnige dag te verkwisten.'

'Met Inès?'

'Nee, die komt pas zo rond halfzes thuis van haar werk. Ze maakt de laatste tijd veel overuren. Niet dat ze daarvoor extra betaald krijgt, maar denk maar niet dat ze er ooit iets van zegt.' Hij rolde met zijn ogen.

'Ik wil die konijntjes zien!' Ik pakte Peters hand. 'Mag daar nu alstublieft naartoe?'

'Kom op dan.'

Ik huppelde al weg en achter me hoorde ik Peter zeggen: 'Dat vind ik altijd zo leuk, als kinderen huppelen. Het onschuldigste, meest onbezorgde wat een mens kan doen is huppelen.'

Toen we weer thuis waren, pakte ik in de keuken de telefoon met draaischijf. 'Zullen we Peter bellen en vragen wanneer we weer mogen komen?'

'Oké, ik geef je zijn nummer wel. Bel maar. We moeten vooral niet te gretig overkomen.' Aan de telefoon zei ik: 'Peter, wanneer mogen we weer langskomen? Het is niet beleefd daar zo snel om te vragen maar ik vond het zo leuk bij jullie en je bent zo grappig, ik heb het zo fijn gehad en ik ben zo gek op Paws, echt hartstikke, en ook op Cerberus, al leek die af en toe wat uit zijn humeur, en de konijnen... ze zijn zo zacht en ik vind hun konijnenneusjes zo lief. Peaches en Porridge zijn dotjes! Ik wil voortaan elke dag bij je langskomen, de rest van mijn leven!' Ik wachtte even: mijn moeder wees me er altijd op dat een zekere structuur heel belangrijk is. 'Maak je een schema voor de dagen dat we je mogen opzoeken?'

Ik kon niet precies uitleggen waarom het zo goed voelde om er alles maar gewoon uit te flappen; ik wist gewoon dat het klopte.

Peter schoot in de lach. 'Als jij eenmaal iets wilt, dan zul je je zin krijgen ook, hè? Geef je moeder maar even.'

Na wat een eeuwigheid leek, hoorde ik mijn moeder lachen en zeggen: 'Oké, op maandag en vrijdag. Dat is wat ons betreft prima. Mijn man vindt het altijd leuk om in de weekends uitstapjes te maken met het gezin, dus dat komt dan goed uit.' Ze zweeg even. 'Je kunt goed met kinderen omgaan; Margaux is ontzettend op je gesteld. O, je hebt ook pleegkinderen gehad? Nou, wat leuk zeg. Ik heb altijd bewondering voor mensen die zo altruïstisch zijn. Ik wou dat ik ook zo was, maar mijn man gelooft niet in geld voor goede doelen of van die dingen. Tja, wat gij niet wilt dat u geschiedt...'

3

Een slechte gewoonte

Toen we al drie achtereenvolgende weken op maandag en vrijdag bij Peter waren geweest, vanaf tien uur 's morgens tot ongeveer halfvijf zodat we weer op tijd terug waren als papa thuiskwam, beging ik de blunder om voor Peters neus met mijn haar te gaan frunniken op de manier waar mijn vader zo'n hekel aan had: ik nam dan ongemerkt hele plukken tussen mijn vingers die ik ronddraaide en in de war maakte. Soms zat ik zo fervent te woelen dat ik hele bossen in onmogelijke knopen en klitten trok, die mama niet eens meer probeerde uit te kammen. We zaten in de tuin. Mama lag in een tuinstoel en ik stond bij het vogelbadje. Ik had net een hele tijd balletjes gegooid voor Paws.

'O, mijn man en ik proberen haar dat af te leren,' zei mijn moeder snel. 'Dat hebben we Margaux keer op keer gezegd. Ik wou maar dat haar vader niet zoveel commentaar op haar had. Het is maar gewoon een zenuwtrekje, net zoiets als nagelbijten.'

'Allemachtig, dat kind is zeven. Ik vind het wel snoezig. Ze voelt zich helemaal vrij en gelukkig als ze dat doet. Ik snap nooit waarom volwassenen altijd zoveel druk op kinderen moeten leggen.' Mama haalde haar schouders op en Peter vervolgde: 'Margaux, doe dat nog eens? Ga gerust je gang, dat mag hier in de tuin, doe waar je zin in hebt. Ga je gang, speel jij maar met je haar, hoor.'

Ik wilde niet. Als ik zo pal voor zijn neus aan mijn haar zat te frutselen, al zei hij dat hij het leuk vond om te zien, schaamde ik me eigenlijk nog meer dan de keren dat papa me ervoor op mijn donder gaf. Het enige wat ik niet leuk vond aan Peter was dat hij zo kon aandringen. Dus leidde ik snel zijn aandacht af en sprong bij hem op schoot zodat hij bijna met tuinstoel en al omviel.

'Pas op!' zei mama. 'Je weet toch dat Peter een slechte rug heeft?'

Peter werd niet boos, hij begon me gewoon te kietelen. Later kwam Ricky ook naar buiten en toen gaf Peter hem de tuinslang om me nat te sproeien. Hij zat ons allebei achterna totdat Ricky er genoeg van kreeg en weer verdween. Naarmate de uren in de tuin voorbijvlogen, werden onze schaduwen steeds langer. Na een poosje zei mama dat het beter was als we maar naar huis gingen voor het avondeten. 'Waarom blijven jullie niet barbecueën?' vroeg Peter. 'Was het niet vrijdag kliekjesdag voor Louie?'

'Ja, op vrijdag gaan ze altijd na het werk naar het café,' zei mama. Peter schudde zijn hoofd.

Terwijl Peter hotdogs stond te grillen, wandelde Inès de tuin in met een sandwich op een wegwerpbordje. 'Wil je niet liever een hotdog?' vroeg Peter.

'Nee, dank je, ik heb hier al een volkorenbroodje met olijvenmortadella,' zei Inès, en ging met haar sandwich en een boek op een gebloemde handdoek liggen. 'Ik heb ook een broodje voor de jongens gemaakt.' Ze noemde haar zonen altijd 'de jongens'.

Toen Inès later opstond om een belletje te plegen, liet ze haar nauwelijks aangeroerde broodje op het badlaken achter terwijl wij ons te goed deden aan gegrilde hotdogs en bonen met worst die we direct uit het blik lepelden. Onderweg naar huis vertelde mama dat ze langs Inès' handdoek was

gelopen en had gezien dat het broodje was overdekt met kri-
oelende, piepkleine bruine mieren; blijkbaar had Inès ervan
gegeten zonder er iets van te merken.

'Ze is een dromer, net als jij,' zei mama.

Mama vond het soms leuk om Peter op de kast te jagen met
vreselijke verhalen over papa. Ik ging met ze meedoen, en op
een vrijdagmiddag zaten we ons met ons drietjes vrolijk te
maken over papa tijdens de lunch bij Blimpie op Bergenline
Avenue. Mama had een broodje tonijn en Peter en ik aten samen Italiaans brood dat was doordrenkt van olie en azijn en
belegd met salami en provolone, toen mama over papa's obsessie met een keukenkastje begon.

'Hij heeft alles in dit kastje als een pietje-precies neergezet: elke pen heeft zijn eigen plekje, de zakdoek is lijnrecht
opgevouwen – volgens hem heeft hij die uit Madrid – en hij
heeft van de luciferdoosjes uit alle landen waar hij ooit gele-
gerd was keurige stapeltjes gemaakt. Margaux is een keer,
toen ze drie jaar oud was, die kleine doerak, op het aanrecht
geklommen en heeft in dat kastje zitten rommelen en alles
verschoven, en toen hij thuiskwam – let wel, ik had geen
idee wat ze had uitgespookt – wierp hij er een blik in en liep
meteen naar zijn kledingkast om de riem te pakken. Ik wist
dat Margaux doodsbang is voor die riem, dus ging ik tussen
hen in staan en uiteindelijk heeft hij zich op mij uitgeleefd.
Margaux bleef gelukkig ongedeerd. O, en moet je luisteren,
Peter, ik zweer je, hij heeft een setje Japanse vechtstokjes –
ken jij iemand die Japanse vechtstokjes heeft liggen? Hij
haalt er trucs mee uit om te imponeren, de uitslover.'

En ik gaf ter plekke een grappig staaltje van papa's fratsen
met de vechtstokjes, midden in de Blimpie. Peter en mama
schaterden het uit. Maar ik voelde me toch wel een tikje
schuldig toen ik papa later die avond zag. Ik weet dat hij al-

leen maar van die trucjes deed om mij aan het lachen te maken en mij ervan te overtuigen dat hij me kon beschermen tegen inbrekers.

Ik zat met papa en mama onder een grote parasol op het buitenterras van een restaurant in Westchester. Op weg naar City Island stapte papa daar altijd graag even uit voor een mandje gestoomde krab. Daarna reden we door naar het strand om bij Tony's te dineren, waar we kreeft of gefrituurde mosselen aten. Tony's had een paar gameapparaten staan, dus kwam ik bij papa steeds om de kwartjes vragen die hij los in zijn zak had zitten, terwijl hij Heineken dronk, sigaren rookte en met mama praatte. Thuis zei hij nooit zoveel tegen haar, hij schreeuwde dan vooral heel veel. Maar zodra we ergens in een restaurant zaten, wilde hij van alles bespreken. Misschien vond hij het gewoon niet leuk bij ons thuis of was hij gelukkiger in het weekend omdat hij dan niet hoefde te werken. Hoe dan ook, als we eropuit trokken kon hij heel galant zijn voor mijn moeder. Dan bestelde hij pina colada's zonder rum (ze mocht geen alcohol drinken vanwege haar medicijnen) en haar favoriete gerecht: gebakken garnaal met sauce tartare en koolsla. Hij behandelde haar nog steeds als een baby. Hij stopte het papieren servetje in haar kraag alsof het een slabbetje was en hij veegde zelfs haar mond af, wat ze, zo viel me op, wel leuk leek te vinden al mopperde ze vaak tegen Peter dat ze het niet kon uitstaan als hij haar niet als zijn vrouw maar als zijn dochter behandelde.

Iets anders wat ze leuk moet hebben gevonden, was om papa met lof te overladen: 'O Louie, je kookt als een chef-kok' of 'Louie, laat me die foto van jou in San Juan nog eens zien? Die ene waar je precies op Robert Redford lijkt?' Nu viel me dat alleen maar op omdat ze tegen Peter heel anders over hem praatte. Papa was dol op complimentjes. We hadden thuis een eigen spelletje. 'Vertel me eens alles over je pa-pa-pa.' Dan kroop ik bij hem op schoot en vertelde hem welk ideaalbeeld een dochter van haar vader heeft. Dat hij de grootste en knapste was, de slimste en de beste. Ik was daarentegen in papa's ogen allesbehalve een voorbeeldige dochter.

We waren uit eten en ik moet weer ongemerkt aan mijn haren zijn gaan trekken, want papa zei: 'Moet je haar nou eens zien. Iedereen kijkt naar haar. Dat kind heeft geen enkel besef van wat dan ook: van het leven, van mij, noem maar op.' Dat laatste zei hij zonder een spoortje kwaadheid, er lag eerder spijt in zijn stem. Even was hij stil, bijna bedacht-zaam. Toen vervolgde hij: 'Niets zo erg als een kwalijke ge-woonte. Een kwalijke gewoonte...' herhaalde hij en hield daarbij zijn ogen op mama gericht. 'Kun je misschien iets verzinnen om een einde aan die kwalijke gewoonte te ma-ken? De gewoonte waarmee...'

Mama viel hem snel in de rede in de hoop dat ze zijn preek kon afkappen, want als hij eenmaal op stoom was, wist ze – wisten we allebei – dan was er geen houden meer aan en duurde het een eeuwigheid voor hij ophield. 'Ze groeit er wel overheen. Dokter Gurney zegt altijd dat het ene kind nu eenmaal nerveuzer is dan het andere en we moeten ons niet druk maken om zo'n stom futiliteitje als Margaux die met haar haar speelt. Sterker nog, hij zei dat nagelbijten een stuk slechter is en dat we blij moeten zijn dat ze niet zo'n kind is: dan krijgt ze allemaal van die losse velletjes en infec-ties. En Pe...' zei mama, en ik wist dat ze Peter wilde gaan zeggen, maar ze slikte de rest snel in met een slok frisdrank. Ze wist dat papa nijdig werd als ze Peters naam noemde, be-halve als het over zijn jansteenhuishouden ging. Papa had haar gevraagd een beschrijving van 'dat huis' te geven; dan kon hij lachen om de wc die niet altijd doorspoelde of dat er mieren over de vensterbank liepen, of dat Peter het grootste gedeelte van het meubilair op de stoep had gevonden op avonden voordat het vuilnis werd opgehaald, en dat hij had opgeschept dat je alles kon opknappen met een dotje twee-componentenlijm of vulmiddel. Papa werd helemaal blij van die gootsteen die soms tot aan de rand volstond met vuile vaat die niet eens werd afgespoeld. 'De meur met al die die-ren in huis is vast niet te harden,' zei hij.

Papa kneep wel even zijn ogen tot spleetjes bij het horen van die 'Pe...' maar hij ging er niet op in.

'In elk geval,' zei mama met neergeslagen ogen, 'zoals dokter Gurney al zei: het is niet blijvend. Hij heeft het letter-lijk zo gezegd: "Kinderen groeien eroverheen." En Margaux groeit wel over die gewoonte heen om zo met haar haar te spelen.'

'Ze groeit er wel overheen,' zei papa, niet te hard, maar wel met een ernst die impliceerde dat hij direct dat specifieke woord uit elk woordenboek zou schrappen als hij de heerser was over de Engelse taal. En alsof hij dat beledigende woord de kans wilde geven om zichzelf te verschonen, probeerde hij het anders uit te spreken, op een vriendelijker toon, ter-wijl hij ondertussen het stoommandje tussen duim en wijs-vinger nam.

De dreigende storm van papa's gespannen zenuwen leek bedwongen.

Hij schraapte zijn keel en zei: 'Ik zal je een verhaal vertel-len over een meisje in Puerto Rico dat een kwalijke gewoon-te had, Keesy. Anders dan die van jou, maar net zo destruc-tief. Haar vader en moeder maakten zich zorgen omdat de kinderen bij haar in de klas dachten dat ze niet goed bij haar hoofd was. Maar dit meisje was zich er niet van bewust dat ze werd uitgelachen, noch dat ze haar arme ouders zoveel verdriet en schaamte bezorgde.' Hij nam een slokje bier. 'In elk geval, ze liep altijd te dromen en keek nooit waar ze haar voeten neerzette. Op een dag, althans, zo gaat het verhaal, maakte ze een lange wandeling en liep ondertussen te zingen en te neuriën. Toen ze bij een treinspoor aankwam, legde ze haar benen dwars over de rails, zong een liedje en keek ondertussen naar de blauwe lucht. Ze was zo verzonken in haar dagdromerij dat ze de trein niet hoorde aankomen. De machinist toeterde, maar het meisje keek niet op of om en als een trein eenmaal in beweging is kan hij niet meer stoppen. De trein reed over haar benen en de wielen sneden haar benen tot hier af.' Hij wees op zijn heup. 'O jawel, Keesy, en kijk niet zo verschrikt. Haar benen waren eraf en ze lagen daar midden op de rails als voer voor de roofvogels. Dat arme kind hield tot verdriet van haar ouders alleen nog maar twee bloederige stompen over.'

'Louie, wat een afschuwelijk verhaal!' zei mijn moeder. 'Je moet een kind niet van die enge dingen vertellen!'

'Wat gebeurde er toen met haar, papa? Wat gebeurde daarna?'

'Je moeder heeft gelijk, dit is een moeilijk verhaal. Als ik nog verder vertel, krijg je alleen maar nachtmerries.'

De ober kwam om de lege Heinekenflessen weg te halen en mijn vader een nieuw biertje te geven. 'Toe nou, papa, je kan niet zomaar een verhaal vertellen zonder het einde!'

'Je hebt genoeg fantasie. Maak het verhaaltje zelf maar af, Keesy.'

'Louie, je hebt te veel gedronken! Je hebt veel te veel gedronken en het is tweeëndertig graden! Tweeëndertig! Je hebt een zonnesteek!' zei mijn moeder met een fluisterschreeuw – ze wist dat hij woest kon worden als hij publiekelijk voor schut werd gezet. 'Daar is een telefooncel. Ik ga nu dokter Gurney bellen en hem vertellen dat je Margaux angst hebt aangejaagd!'

'Ga je gang! Ik geef je wel een kwartje!' Hij stak zijn hand in zijn broekzak. 'Hier heb je een paar muntjes. Bel hem maar op. Dan heb ik tenminste even rust en kan ik hier kalm mijn salade opeten! Ga dan!'

Toen mijn moeder van tafel opstond, vouwde ik mijn handen voorzichtig om de metalen staaf die de grote parasol boven onze hoofden op zijn plaats hield. Het gaf me een gevoel van veiligheid.

'Grappig hoor, die vrouw. Ze heeft vast last van de warmte. Wat denkt ze wel niet? Wat is er zo verkeerd aan wat koude biertjes op een warme dag? Dat mens is niet goed snik. Ik heb geen zin in ruzie met deze hitte. Ik zit liever in de schaduw met een lekker koud biertje onder een grote parasol. Ze doet net alsof het voor mij een lolletje is dat het zo heet is. Ik vind het vreselijk, en dan is het ook nog zo klef! Daarom ben ik uit Puerto Rico weggegaan! Ben ik dat alles ontvlucht en dan loop ik tegen deze vrouw aan.'

'Vertel de rest van het verhaal nou, papa.'

'Welaan,' zei hij en ik staarde naar zijn kastanjebruine baard en moest aan een kever denken die ik onlangs had geplet, om te kijken wat voor kleur zijn bloed had. Het bloed was oranje en rook smerig; ik was zo verbaasd dat het niet rood bleek te zijn. 'Dat weet eigenlijk niemand,' vervolgde hij. 'Er zijn twee versies in omloop. De ene is dat ze bij haar ouders bleef, die haar tot aan haar dood zijn blijven verzorgen. De andere is dat ze tot de duivel heeft gebeden om haar benen terug te krijgen. En tot God, maar ze hebben geen van beiden haar gebeden verhoord. Volgens de legende deed haar moeder op een dag de deur naar haar slaapkamer open en toen was ze weg, niemand heeft haar ooit nog gezien. Maar soms dacht die moeder vreemde kloppende geluiden op het dak te horen, geen regen of takken die op de golfplaten tikten, maar voetstappen. Sommigen beweerden – al zullen we nooit weten of het waar was, want kinderen verzinnen zo vaak dingen –, maar in de tijd dat mijn opa nog leefde waren er kinderen die zeiden dat ze 's nachts een meisje met een groot beest met horens op het dak zagen en dat het de duivel moet zijn geweest. Ze waren samen aan het dansen!' Hij nam even een pauze voor een slokje bier tussendoor, en ging toen weer door. 'Zelf weet ik niet wat ik precies van dat verhaal moet geloven. De eerste versie klinkt het meest plausibel. Maar de tweede zou ook waar kunnen zijn.'

Ik keek bedrukt naar de confetti van mijn servetje. Zonder dat ik het in de gaten had, had ik het ene servetje na het andere tot snippertjes gescheurd. Mijn vader stak zijn hand over tafel, tikte even het puntje van mijn neus aan en streelde over mijn wang.

'Ik vertel je dit voor je eigen bestwil, Keesy. We moeten in de realiteit leven en niet altijd met ons hoofd in de wolken lopen. Ik wil dat mijn dochter net zo sterk wordt als ik en met beide benen stevig op de grond staat.'

Ondanks papa's waarschuwende verhaal werd ik met de dag dromeriger naarmate de zomer verstreek en steeds meer verhalen in mijn hoofd rijpten. Peter vroeg me niet alleen mijn verhalen te vertellen, hij hielp mee een verhaal te construeren van hem en mij alleen. Het heette 'Gevarentijger' en het ging over een tijger met vleugels die overal mensen kwam redden. Ik herinner me er niet veel meer van, behalve dat Peter verschillende personages uitbeeldde en ik altijd maar eentje, de Gevarentijger zelf. Gevarentijger was een hij, daar stond ik op, anders zouden we 'Gevarentijgerin' moeten zeggen. Ik weet niet waarom ik het leuker vond om mannelijke personages uit te beelden als ik met Peter verhalen verzon. Peter daarentegen speelde liever vrouwenrollen en zette dan een gek hoog stemmetje op, waar we altijd erg om moesten lachen. Gelukkig was mijn moeder altijd bezig met het bijhouden van haar Feitenboek of lag ze gewoon te luieren in haar ligstoel en naar ons te kijken zonder met ons mee te doen. Ik vond het ook fijn dat Inès de hele dag op haar werk zat. En de jongens waren meestal weg met hun skateboard, zaten in de automatenhal of op hun zolderkamer of voor de tv. Peter zei een keer tegen mijn moeder dat het maar goed was dat ik was aan komen waaien, want Ricky en Miguel werden nu al wat ouder en hadden geen zin meer om veel tijd met hem door te brengen. Terwijl ik balletjes gooide voor Paws, hoorde ik hem grapjes tegen mijn moeder maken dat het nog makkelijker was om een theekransje te organiseren met een stel apen dan in het weekend het hele gezin naar het zwembad aan Forty-fifth Street te krijgen. 'De jongens zitten in de fase dat hun vrienden een obsessie voor ze worden. Ricky gaat nu naar groep zeven en Miguel naar de middelbare school, dan krijg je dat. Maar ik werd wel een beetje eenzaam. Gelukkig kwamen jij en Margaux. Jullie hebben mijn leven weer een stuk leuker gemaakt.'

Mama keek op van haar Feitenboek en verjoeg een bromvlieg. 'Dank je, Peter. Ik vind jou ook als door de hemel gezonden.'

Peter glimlachte even maar keek toen weer bedrukt. 'Wat jammer dat de scholen weer beginnen in september.' Hij stak een sigaret op.

'O, maar we kunnen nog steeds langskomen, hoor,' zei mama met een achteloos handgebaar. 'Op zijn laatst om drie uur 's middags, en dan kunnen we gewoon blijven. Louie is allang blij als hij niet zo vaak hoeft te koken, dan heeft hij meer tijd om in de kroeg te zitten.' Ze zweeg even. 'Maar de schoolperiode zal ook de nodige stress met zich meebrengen. Het heeft zoveel voeten in de aarde... Margaux moet een schooluniform hebben, daarvoor moet je naar een speciale winkel, en dan weer naar een andere voor de schoenen. En al die studieboeken! Je moest eens weten, Peter: al die boeken moeten worden gekaft en als ik dat aan Louie vraag wordt hij hels, en het is echt een lastige klus. Je moet het papier heel precies knippen en ik ben tegenwoordig niet meer zo handig in die dingen.'

'Dan help ik je toch met kaften?' zei Peter. 'Neem het boeltje maar mee als het zover is; ik zal je wel laten zien hoe je het heel eenvoudig kunt oplossen.'

'Maar ik wil je er niet mee lastigvallen...'

'Het is geen moeite, echt niet, Sandy.'

Mama vond Peters achtertuin de meest ontspannen plek op aarde, nog rustgevender dan zijn huiskamer. Paws aaien was haar favoriete tijdverdrijf. Volgens mij zat er niemand zoveel met die hond te teuten als mijn moeder. 'Hij krijgt rust noch duur,' grapte ze, en als Paws eindelijk wegdribbelde om mij of Peter te zoeken, schreef ze weer in haar Feitenboek. Het kleine ringbandje was inmiddels helemaal vol, dus moest ze in de marge krabbelen en op de voor- en de achterkant. Peter gaf haar uiteindelijk een nieuw boekje, en wist haar ervan te overtuigen dat ze met twee aparte exemplaren niet het overzicht zou kwijtraken. En zo begon ze weer met een nieuwe lijst van regionaal nieuws en wereldwijde rampen, boodschappenlijstjes en kinderliedjes, wat ze nog moest doen en wie ze nog moest bellen. Soms vroeg ze of ze even gebruik mocht maken van zijn telefoon, en dan belde ze de mensen uit haar boekje: mensen die ze in de wachtkamer van de psychiatrische kliniek had ontmoet, dokter Gurney of oude schoolvrienden die, zo mopperde ze, nooit aan de lijn wilden komen. Ze had het thuis altijd over een 'zwarte lijst' met namen: dat waren mensen die niet terugbelden, maar voor zover ik weet heeft ze nooit iemands nummer doorgestreept. En als ze haar hele bellijst had afgewerkt, belde ze de zelfmoordhulplijn, of het warenhuis om naar de prijs van dit of dat product te informeren, of het ziekenhuis van St.-Mary's met het verzoek om haar een brochure over kanker te sturen of over een andere ziekte waarvoor ze bang was.

Naast 'Gevarentijger' speelden Peter en ik nog een heleboel andere spelletjes die hij had verzonnen. Een daarvan was de geavanceerde versie van het populaire kinderliedje over spinnen, Itsy-Bitsy Spider. Dan kromde Peter zijn vingers en bewoog ze als de wriemelende poten van twee lieve tarantula's die over me heen klommen en me kietelden. Ook had hij de Gekke Wetenschapper en de Gekke Tuinier bedacht; dat laatste speelden we altijd in de tuin. Peter zat me dan achterna met de tuinslang en als hij me in een hoek had gedreven spoot hij me drijfnat. Bij de Gekke Wetenschapper werd er ook gekieteld, en als hij me had gevangen kreeg ik de 'kieteldood in etappes'. Peter begon dan op niveau drie, zoals hij het noemde, en dat was de milde versie: dan bleef hij uit de buurt van mijn buik, oksels en voetzolen (niveau één), maar als ik me niet overgaf dan kietelde hij me daar ook. Volgens hem had hij nog nooit iemand ontmoet die niveau één haalde zonder te smeken om genade. Eerst was ik daar heel trots op, later vond ik het niet meer zo leuk omdat ik jaloers werd: ik dacht dat de Gekke Wetenschapper ons eigen spelletje was en zat steeds te piekeren met wie hij dat nog meer had gespeeld.

4

Wilden

Blijkbaar had papa een aanbetaling gedaan voor een huis. Wij wisten niets van de verhuizing, tot er op een dag in september overal verzegelde verhuisdozen stonden en een grote witte vrachtwagen voor de deur verscheen. We doneerden mijn oude speelgoed aan de methodistenkerk Emanuel, aan de overkant van de speeltuin op Thirty-second Street. De dag ervoor had ik met papa een rondrit door onze buurt gemaakt. Hij had allerlei lelijke dingen aangewezen waarvan we verlost zouden zijn als we negen straten verderop gingen wonen. Hij had mama ook meegevraagd, maar die bleef liever thuis om naar de radio te luisteren. De slaapkamer was om depressief van te worden, met al die ingepakte spullen en mijn moeder die met haar radio languit op het witte laken lag. Ze had zich nog niet aangekleed en droeg een lange geruite pon met een gesp aan de voorkant, die ze een keer had meegenomen na een verblijf in de kliniek. De leeggehaalde huiskamer bood een nog troostelozer aanblik: met al mijn speelgoed in dozen was de schaduw van mijn leven alleen nog aanwezig in de potloodtekeningen op de muur, van de keren dat papa mij uit nijd jegens de verhuurder enige artistieke vrijheid had toegestaan.

'Wat loop je toch te sloffen!' zei hij en trok me resoluut mee. Op weg naar de hal beneden, waar het stonk naar urine en bier, zei hij: 'Keesy, als ik je zo meeneem met de auto, moet je goed kijken naar de dingen en plekjes waar je het leuk hebt gehad. Die vrouw is lui en ik weet zeker dat ze niet de moeite zal nemen om je nog een keer deze kant mee op te nemen, en eerlijk gezegd weet ik ook nog niet zo zeker of ik wel wil dat je hier nog komt.'

In Thirtieth Street parkeerde papa de auto voor de laatste keer om daar zijn havanna's te kopen. Ik had in de Chevy niets anders te doen dan verloren naar de speelhal te staren waar ik altijd Galaga en Pac-Man had gespeeld. Ik moest denken aan de rollerskatebaan vlak bij ons huis, met de enorme schildering op de pui van een skate met rode wielen. Van mijn moeder mocht ik daar nooit heen omdat ze bang was dat ik zou vallen en mijn nek breken.

Net toen ik besloot om een deuntje te gaan huilen, kwam papa weer terug met twee soorten sigaren: Ninfa's en Senadores.

Hij greep het stuur beet alsof we al reden. 'Ik zal je eens wat vertellen,' zei hij, 'ik maakte net een praatje met die man binnen en hij zei dat we net op tijd de benen nemen. Er zijn hier meer junks dan ooit, tieners en jongeren beginnen gangs te vormen en laten de wijk verloederen. Ze kruipen als kakkerlakken onder de tegels vandaan en niemand die er wat aan doet. Ik hoorde dat er zelfs al prostituees op de parkeerplaats van Toys R Us zitten. Nou vraag ik je!'

Hij reed de weg op en keek om zich heen. 'Dit is een gribus, Keesy. Moet je eens zien hoe die man daar op straat spuugt. Al stikte ik bijna, dan zou ik nog niet op straat spugen! Daarom heb ik altijd een zakdoek bij me. Ik spuug niet en ik loop ook niet te vloeken als een of andere halve wilde en ik gooi mijn rotzooi niet op straat. Moet je eens zien hoe die twee duiven in sigarettenpeuken lopen te pikken! Daar wordt elk mens depressief van. Alles hier deprimeert me. Ik dacht dat ik gewoon op een dag mijn auto zou pakken en wegrijden om ergens anders te gaan wonen, overal behalve hier. Maar ik heb verantwoordelijkheidsgevoel en ik ben geen wegloper. Wie zou er anders voor iemand als je moeder moeten zorgen? Ik zal je vertellen, Keesy, geniet ervan zolang je nog jong bent. Want je weet maar nooit wat het leven nog voor je in petto heeft.'

Hij zuchtte en vervolgde: 'Je kunt niet alles hebben in het leven. Maar je kunt wel jezelf blijven, iemand die zich moedig heeft gedragen en die zijn angsten heeft overwonnen, en dan pas kun je met trots op je jeugd terugkijken. Daarom ben ik op mijn achttiende bij het leger gegaan. Mijn vader en mijn broers hadden in het leger gezeten, en ik besefte dat daarna de beurt aan mij was. En denk maar niet dat het een pretje was om in Duitsland in een tank te zitten waar de temperatuur kon oplopen tot boven de vijftig graden. Maar nu ben ik blij dat ik als jonge vent die beproeving heb doorstaan, anders was ik niet de man geweest die ik nu ben. Het belangrijkste is zelfrespect, Keesy. Mensen kunnen een hekel aan me hebben, misschien hebben mijn collega's wel een hekel aan me, kan mijn baas mijn bloed wel drinken en kijken die wilden op straat me met scheve ogen aan, maar ik weet dat ik in die tank heb gezeten en dat ik elke dag met militaire precisie mijn bed opmaakte en dat mijn uniform altijd tiptop was. Ik kijk naar mezelf en weet dat ik het contract van het leven heb nageleefd. Het leven is een contract, Keesy.'

Papa ging even langs de kant van de weg staan, zocht naar het sixpack dat hij altijd achterin op de vloer had liggen, deed het lege flesje in een boodschappentas en stopte een nieuwe fles bier in het gekreukte papieren zakje. Hij bood mij ook een slokje aan, waarvoor ik bedankte – ik dronk mijn bier liever koud, zei ik. Hij lachte en gaf me een klopje op mijn knie.

'Toen ik met je moeder trouwde, wist ik niet dat ik met

een ziekelijke, hulpeloze vrouw in mijn maag kwam te zitten. Die zus van haar is een teef, maar ik had wel naar haar moeten luisteren. Die teef in Connecticut had me nog gewaarschuwd, maar ik wilde niet luisteren. Weet je wat ze me vertelde, Keesy? Het was haar opgevallen dat wanneer ze met je moeder naar het strand ging, dat ze dan altijd een koptelefoon op had. De meeste mensen willen het geluid van de branding horen, het briesje dat over het zand waait, het krijsen van de zeemeeuwen. Maar je moeder moest altijd muziek horen. Ik had toen al moeten aanvoelen dat er iets mis was. Maar wie jong is, heeft die wijsheid nog niet. Ik weet niet waarom ik ben getrouwd. Ik was veel gelukkiger geweest als ik alleen was gebleven, een kluizenaar. Maar ik wilde kinderen, ik wilde mijn genen overdragen aan een nieuwe generatie; dat is een basale levensdrift, die voortplantingsdrang. Je instincten... Onthoud dat je daarmee bijna altijd de plank misslaat. Het is beter om naar je familie en vrienden te luisteren, zelfs naar een vreemdeling op straat die helemaal niets van jou weet: leg die persoon je situatie voor en je zult een beter advies krijgen dan wanneer je er zelf over gaat nadenken.'

Papa had afwezig door de gebruikelijke drukte op Bergenline Avenue gereden waar de weg in Kennedy Boulevard overging. We waren langs Pastore Music gekomen, de Burger Pit en de Four Star Diner; we waren helemaal tot aan Sears gereden en weer terug. Papa had gelijk: deze winkelstraten hadden iets droevigs en ze zagen er verloederd uit. Misschien kwam dat wel doordat het op Bergenline Avenue in de buurt van Twenty-ninth Street zo doods was geworden en het vanaf daar alleen maar bergafwaarts ging: steeds minder winkels en steeds minder winkelpubliek, steeds meer hangjongeren op de motorkap van geparkeerde auto's en steeds meer oudere mannen die onderuitgezakt met een fles sterkedrank in een papieren zak op een stoepje zaten.

'Ik zweer je, Keesy, ik zou liever doodgaan dan zo op straat te hangen, met een fles goedkope whisky!' Papa snoof verachtelijk. 'Maar deze vagebonden in Union City hebben tenminste nog een beetje respect: ze bedelen niet. Ze zitten daar gewoon een beetje te mijmeren over wat er in hun leven verkeerd is gegaan, en als je langs ze loopt, vragen ze nergens om en ze hangen ook niet het slachtoffer uit.' Hij nam nog een slokje bier. 'Maar ik moet wel een wapen op zak hebben, anders word ik overvallen. Ik heb mooie sieraden en daar zijn mensen jaloers op. Ik zie er graag verzorgd uit en de underdogs hebben een hekel aan me omdat zij ook mooie spulletjes willen. Ik denk zo vaak, Keesy: als we geen schoonheid meer om ons heen hebben om te bewonderen, wat hebben we dan nog? Dat geldt ook voor al die zwervers. Als een leuk meisje zich omdraait en naar ze glimlacht, dan kikkeren ze weer helemaal op. Een mooi vrouwengezicht en een krachtig paard, goed geroskamd en klaar voor de renbaan: die beelden hebben eeuwigheidswaarde. Het gezicht van Elizabeth Taylor. En van Brooke Shields. Een paar vrienden van me zeggen dat je op haar lijkt. Maar jij bent mooier. Ik vind haar wenkbrauwen niet mooi. O, we moeten hier even stoppen.' We bleven stilstaan bij Los Precious Supermarket op Twenthy-ninth Street, tegenover het busstation van NJ Transit. 'Heb je zin in chips?'

In de winkel kocht papa voor zichzelf wat zwoerdjes van Donita, een zakje La Dominica-bananenchips en wat cassavechips. Ik kreeg van hem gesuikerde vanillewafels en een Tampico Citrus Punch. Voordat we weer in de Chevy stapten, tilde papa mijn kin op en zei: 'Ik vrees de dag dat je vrouw zult worden. Die mannen hier weten niet wat respect is. Ze staan te loeien en te fluiten als een onbehouwen bende bij alles wat op hakken voorbij komt lopen; Joost mag weten uit wat voor gezinnen ze komen. Wij mogen ons dan ontwikkelen, dat soort apen hou je altijd. De wilden zitten over de hele stad verspreid. Wat zou ik graag naar een buitenwijk willen verhuizen.'

Terwijl we naar *Rubber Soul* luisterden van de Beatles werd de sfeer in de auto dromerig. Bij het nummer 'Run for Your Life' zong papa mee en sloeg de maat op zijn stuur. Toen het cassettebandje was afgelopen, legde papa uit dat dat ene liedje over een jaloerse man ging die dacht dat zijn vriendin hem bedroog: hij waarschuwde dat hij haar zou vermoorden als hij haar ooit met een ander zou betrappen.

'Waarom moet ze per se dood, papa? Kan hij niet gewoon een nieuwe vriendin zoeken?'

'Zo simpel is het niet, Keesy. Dit gaat om eer. Al denk ik niet dat een man zijn vriendin moet straffen voor zulke misstappen. Vrouwen zijn frivole wezens; ze worden makkelijk verliefd en het is niet hun schuld dat ze zo hartstochtelijk zijn. Ze zijn niet zo rationeel als mannen. Boos worden op vrouwen die vreemdgaan is als wolken uitschelden vanwege de regen. Ik heb zonder dat je moeder er iets van weet een vriendinnetje.' Hij zweeg even. Even was ik blij dat hij er blijkbaar op vertrouwde dat ik niets tegen mama zou zeggen. We deden zo vaak dingen samen achter haar rug om. Ik mocht van hem bijvoorbeeld altijd zonder gordel voorin zitten; als mama erbij was, moest ik achterin met die gordel om. En altijd als hij me meenam om de auto te laten keuren, kreeg ik vier grote chocoladedonuts als lunch: 'Niets tegen je moeder zeggen.' Maar toch vond ik het ook wel sneu, want ik begreep dat het door die vriendin kwam dat hij mama nooit knuffelde of kuste en nooit 'ik hou van je' tegen haar zei.

'Wie weet,' vervolgde hij, 'houdt mijn vriendin er nog tien anderen op na, maar wat kan ik doen? Ik kan me niet overal druk om maken. Dochters, zusjes, moeders... ze zijn me heilig omdat we van hetzelfde vlees en bloed zijn en als een man hen iets aandoet, dan is dat een persoonlijke aanval. Uit eigen ervaring, en ook die van mijn vrienden, weet ik dat mannen alleen achter je zus, je moeder of je dochter aan gaan om jou een hak te zetten, om jouw eergevoel te krenken. Het draait allemaal om macht. Ik weet dat er twee jongens rondlopen bij dat gezin waar je moeder je altijd mee naartoe neemt, dus pas op met die zonen: speel alleen met ze als er iemand anders bij is, maar ga niet alleen met ze ergens naartoe. Beschouw dit als een pragmatisch advies van iemand die het hele spelletje doorziet.' Ik durfde niet tegen papa te zeggen dat ik de jongens daar zelden tegenkwam en het grootste gedeelte van de tijd alleen met Peter was, zowel in mijn eentje als met mijn moeder erbij.

Toen we weer bijna thuis waren, wees papa op de graffiti op de zijkant van een gebouw. 'Kijk eens,' zei hij opgewonden, 'dat is van die macho, die Bones, die vandaal die ze nooit te grazen kunnen nemen en die onze hele stad vernielt! Nou, Keesy, zeg maar dag met je handje tegen onze oude vriend Bones, we hoeven nooit meer naar zijn signatuur te kijken!'

In ons nieuwe huis, zei papa, mochten we niet zo lang douchen als in onze vorige flat, waar het water gratis was. Ons meubilair was nieuw en het verpakkingsplastic liet papa eromheen zitten omdat het anders zou slijten. Door dat plastic zat het helemaal niet lekker en daarom ging er nooit iemand op zitten – papa zelf ook niet. Ik zag aan de manier waarop de besnorde verhuismannen met de zitbank liepen te zeulen dat hij loodzwaar moest zijn. Er zaten gekrulde eikenhouten poten onder en hij was zo groot dat papa er languit op kon liggen. De nieuwe tv was kolossaal en versierd met mahoniehouten krullen, maar papa zat amper in de huiskamer om ernaar te kijken; liever keek hij in de slaapkamer naar het oude kleine teeveetje uit ons vorige huis. Het telefoontoestel met draaischijf was verruild voor eentje met knoppen die oplichtten als je erop drukte, maar ik miste het geluid van die draaischijf wel een beetje. Dat klonk altijd als schaatsen op een ijsbaan en dan moest ik denken aan de keren dat papa me had meegenomen naar het Rockefeller Center om de schaatsers te zien.

Op een dag hoorde ik mama aan de telefoon tegen iemand zeggen dat ze had verwacht dat we in deze knusse, in koloniale stijl ingerichte eengezinswoning gelukkiger zouden zijn dan in dat krappe kakkerlakkenflatje. Toch was dat niet zo en ze snapte niet waarom. Ze had gelijk. Het leek wel alsof papa in ons nieuwe huis vaker van die drie uur durende woedeaanvallen had, en al had mama nu een heel huis om doorheen te dwalen, ze lag nog steeds in haar ene kamer met haar radio of haar Gibson-platenspeler. Papa had zelfs nog meer schoon te houden dan voorheen en het vergde veel meer inspanning om alles er netjes uit te laten zien. Zelfs bij het kleinste plasje gemorst water in de badkamer begon hij meteen te briesen dat de tegels zouden loslaten. Daar was hij zo bang voor dat hij erop stond dat we na elke wasbeurt met een mop over de vloer gingen. Daarna dweilde hij zelf ook nog een keer en ondertussen schreeuwde hij hoe duur het wel niet was als hij alles opnieuw moest laten betegelen. Hij had als regel ingesteld dat we overdag niet mochten douchen als hij niet zelf aanwezig was om op de tegelvloer te letten.

Het was ook rond die tijd dat papa steeds meer problemen op zijn werk kreeg en in mineurstemming liep te tieren over mama's zus Vera. Zij was degene die hij 'die teef uit Connecticut' noemde. Mijn moeder had twee zussen: Vera, die drie jaar ouder was, en haar tweelingzus, mijn heel lieve tante Bonnie die in Ohio woonde.

We zaten een keer bij Peter thuis in de huiskamer en we hadden net naar *Old Yeller* gekeken, waarbij we allebei hadden zitten huilen. Mama probeerde ons op te vrolijken en vroeg me om papa na te doen, hoe hij dat weekend was teruggekomen uit de kroeg en over tante Vera was begonnen. 'Moet je eens opletten, Peter,' zei mama, 'Margaux is nog beter dan een stand-upcomedian.'

Dus ik kwam overeind. 'Oké, oké,' zei ik, 'maar jullie moeten niet lachen want dan steken jullie me aan en dat bederft alles. Oké, dat ging dus zo... Die teef in Connecticut kijkt op ons neer omdat ze in een luxe huis woont, en toen ik haar een keer bij ons uitnodigde wilde ze niet eens komen! Ze kwam met een of ander vergezocht rotsmoesje, maar ik weet heel goed dat ze gewoon geen voet in Union City wil zetten! Nou, ik hoop dat ze een terminale ziekte krijgt! Ik hoop dat ze schreeuwend in haar nest crepeert! Want dat soort wijven ken ik van haver tot gort. Ze heeft geen Frans gestudeerd omdat ze die taal zo mooi vond, maar om een rijke bankier te strikken! En daar zitten ze dan met z'n tweeën in dat huis – de teef en de bankier, in hun kille huis –, ik zweer je dat ze de verwarming laag zetten zodat we maar vooral niet langskomen! Ik begrijp niets van dat mens! Ik heb Frans en Duits geleerd uit liefde voor die twee talen, voor de cultuur en voor hun keuken! Ik heb veel respect voor de Europese cultuur! Ik ben dol op de Fransen! Ze doet ook net alsof ze kan fluitspelen om die bankier te imponeren, niet omdat de muziek haar in het bloed zit. Ik kan die neplui niet uitstaan! Ik bestudeerde de Spaanse dichters omdat ik ze enorm waardeer; ik luister naar muziek omdat ik er zoveel van hou. Ik zal jullie eens wat zeggen: zelfs als ik zal branden in de hel zal dat nog altijd de moeite waard zijn omdat ik die teef daar dan ook kan zien branden! Want zij gaat naar de hel, dat verzeker ik jullie! Geloof me maar!' En toen viel ik machteloos van de slappe lach op het tapijt.

'Margaux zou actrice moeten worden,' zei Peter en zijn gezicht lichtte helemaal op van bewondering.

'Ze heeft absoluut talent voor het neerzetten van typetjes,' zei mama. 'Maar weet je, wat mijn man ook over Vera zegt, ze heeft ons wel uit de brand geholpen. Zij was degene die na de geboorte van Margaux twee maanden voor haar heeft gezorgd toen ik in de kliniek lag. Dat was de eerste keer dat ik ziek was geworden, en toen beseften ze dat ik de rest van mijn leven medicijnen zou moeten gebruiken. Ik kon Margaux niet eens vasthouden omdat ik als de dood was dat ik haar zou laten vallen. Ik voelde me compleet mislukt. Ik wilde wel bij de baby zijn maar ik wist dat ik niet in orde was; ik huilde voortdurend en wist dat ik met geen mogelijkheid voor die kleine kon zorgen.'

'Zullen we nog een film kijken?' vroeg ik, en Peter stopte een van zijn zelf opgenomen afleveringen van *Punky Brewster* in de video. Volgens mij vond hij die tv-shows net zo leuk als ik: hij zei dat de relatie tussen Punky Brewster en zijn adoptievader hem aan ons tweeën deed denken.

'Ik voel me schuldig door al die rekeningen,' vervolgde mijn moeder. 'Elke keer dat ik in de kliniek lig, kost dat Louie minstens duizend dollar.'

Peter ging rechtop in zijn stoel zitten. 'Wie is dan degene die jou zo ziek maakt?' vroeg hij. 'Dat is hij, Sandy, met zijn psychische mishandeling. Hij is je aan het hersenspoelen door je te laten geloven dat je nergens voor deugt, terwijl de fout bij hemzelf ligt. Die man spoort niet! Ik ga je nu een vraag stellen, Sandy. Waarom ga je niet gewoon bij hem weg, en dan wel voorgoed? Pak je spullen en zoek een flat voor jou en Margaux samen. Je bent een knappe vrouw, je zult vast wel iemand anders tegenkomen.'

'Ach Peter, dankjewel, wat lief van je. Maar de waarheid is dat ik echt te dik ben en geen man zal me willen hebben. Ik kan niet met geld omgaan en ik heb geen jota verstand van het huishouden. In Westport, waar ik ben opgegroeid, hadden we een dienstmeisje. En ik krijg steeds rekeningen van de kliniek die hij dan betaalt...'

'Van je eigen uitkering!' Naast de toeslag die mijn moeder voor mij kreeg, ontving ze zelf een ziektewetuitkering omdat ze vanwege haar geestelijke gezondheid was afgekeurd.

'Jawel, van onze uitkering, maar toch... Hij zorgt ervoor dat ik mijn medicijnen inneem en hij kookt voor ons en... en ik ben ziek.' Ze staarde naar het aquarium en zei toen: 'Ik functioneer niet, ik moet steeds naar de kliniek. Wat ik bedoel te zeggen: als de rechter één blik op mijn dossier werpt en ziet dat ik steeds moet worden opgenomen, dan krijgt Louie de voogdij. Dan zouden ze haar van me afpakken, Peter.'

'Niet als je kunt bewijzen dat hij geweld gebruikt tegen jou en Margaux, Sandy,' zei Peter. En hij legde zachtjes zijn hand op haar arm.

5

Hoger, hoger

Naarmate het kouder werd, moesten we steeds meer tijd binnenshuis doorbrengen, en van de weeromstuit moest Peter steeds meer spelletjes verzinnen. Het was gedaan met de barbecues en de hotdogs en aangebrande marshmellows op spiesjes, met de duik in het zwembad, het natspuiten met de tuinslang en het boompje klimmen. Mijn moeder werd erg down van het winterse weer. Het wandelingetje naar Peters huis was voor haar al zo vermoeiend dat ze het grootste gedeelte van de tijd in de huiskamer bleef zitten met haar koptelefoon op, starend naar de zwierende vissen (dat deed ze op advies van Peter: volgens hem werkte dat bloeddrukverlagend), of ze zat daar brieven te schrijven aan tante Bonnie of aan haar Feitenboek te werken. Papa had haar haar geknipt en het zat echt verschrikkelijk, bovendien viel het met plukken uit vanwege de vele medicijnen die ze slikte. Haar wangen zagen er ondanks hun blos toch ingevallen uit. Alleen bij Peter thuis leek ze een beetje op te leven, alsof ze daar nog een sprankje hoop kon koesteren.

Inès leek niet echt gecharmeerd van mijn moeders aanwezigheid in de huiskamer. Als ze rond zessen thuiskwam, warmde ze het bord eten op dat Peter voor haar had klaargezet en trok zich met een boek terug onder de bronskleurige schemerlamp met rode franje die als sierlijke ranken naar beneden hing. Peter vertrouwde me toe dat Inès zich na een drukke werkdag niet graag liet verplichten tot prietpraat, maar mijn moeder was nooit zo gevoelig voor zulke hints. Vaak bleef Inès gewoon doorlezen terwijl mijn moeder maar doorkeuvelde. Volgens Peter bezat Inès die zeldzame eigenschap om zich van de buitenwereld te kunnen afsluiten. 'Mij lukt dat nooit,' zei hij. 'Ik word weleens voor een rechercheur aangezien, omdat ik zo alert ben en me volledig bewust van alles wat er om me heen gebeurt.'

Hoewel we veel tijd binnen moesten doorbrengen, was hij vastbesloten om me bezig te houden en me te vermaken: met films, bordspelletjes en zelfs schaken – dat hij me stapje voor stapje leerde om me niet te frustreren – en natuurlijk met het voeren en verzorgen van de dieren. Hij liet me zelfs de leguanen aanraken, terwijl hij voorheen altijd zo bang was dat ze me in mijn gezicht zouden krabben. Maar nu ik bijna acht was, was ik volgens hem al verantwoordelijk en groot genoeg voor dat soort taken. Ik moest eerst dikke zwarte handschoenen (net bokshandschoenen) aantrekken, en daarna mocht ik een van de oude wijze leguanen vasthouden, die heel stil bleef zitten als ik hem voorzichtig streelde. Ergens is er een foto waarop ik met gebogen hoofd sta en mijn zwarte pony in mijn ogen: de leguaan heeft zijn stekelige kop opgericht en zijn klauw vergenoegd om mijn broekspijp gekruld – als een stokoud kind wiens gevoelige huid zelfs door die handschoenen nog mijn zachte vingertoppen voelt.

We werkten ook aan een puzzel van wel duizend stukjes. Hij gaf me telkens een vluchtig kusje op de lippen als een van ons een passend stukje had gevonden, al keken we eerst om ons heen of niemand ons zag. Soms liep Miguel of Ricky de keuken in, maar gelukkig waren ze altijd erg luidruchtig, net als mijn moeder, die erg slofte bij het lopen. Peter zei dat het heel belangrijk was dat niemand onze kusjes zag, want mensen deden daar vandaag de dag zo raar over – elke vorm van affectie was al verdacht. Toen hij nog een klein jongetje was, konden vaders nog gewoon hun dochter een kusje op de mond geven.

Op een vrijdag in januari, toen het zo koud was als een open graf, schopte ik voor het eerst stennis waar Peter bij was.

'Ik word er mesjogge van om steeds maar binnen te zitten! Ik haat de winter!' Ik keek vanuit het huiskamerraam naar Miguel en Ricky, die buiten aan het skateboarden waren, en, erger nog, ze hadden niet eens dikke jassen aan. 'Moet je die stomme knullen eens zien. Ze zijn het hele jaar door buiten en ze bevriezen nooit. Volgens mij is het een sprookje dat je kan bevriezen, een smerig rotsprookje om meisjes achter slot en grendel te houden! Ik wil naar het park! Ik wil op de schommel! Ik wil! Ik wil! Ik wil!' riep ik stampvoetend uit.

Mijn moeder keek zonder iets te zeggen naar Peter.

'Kom op, Margaux,' zei hij, 'ik heb een goed idee.'

Ik liep achter hem de wenteltrap af en raakte bij het afdalen elke gouden sleutel aan; iets wat ik altijd deed als ik naar boven of naar beneden ging. Toen we door de nauwe gang langs het benedenhuis kwamen, werd ik opgewonden. We stonden stil voor een kale houten deur, waar Peter een klein, zilverkleurig sleuteltje in stak om het slot open te maken. Hij trok aan een lang touw om een kaal peertje aan te knippen, en gebaarde dat ik hem moest volgen.

'Hou je vast aan de leuning,' waarschuwde hij, maar de leuning begon pas halverwege het trapje. De treden voelden aan alsof ze van zacht oud hout waren gemaakt en ze wiebelden een beetje zodat ik aan piratenschepen en loopplanken moest denken. Beneden trok Peter aan een ander touwtje en ging er nog een peertje aan.

'En toen was er licht! Nou, wat vind je ervan? Wat een

bende, hè? Inès is een echte verzamelaar, ze kan niets weg-gooien. Ze kan niet eens afscheid nemen van de kleren van haar echtgenoot. Ze heeft nog altijd de mocassins die ze tijdens Woodstock heeft gedragen.'

Ik keek om me heen. Ik zag twee motoren, een paar verroeste fietsen, ski's, een paraplu, een koelkast, strandstoelen en een paar wijd openstaande gereedschapskisten met spijkers, schroevendraaiers en tangen. Op de grond lagen stapels boeken; overal stonden dozen, kratten en vierkante bakken die me heel nieuwsgierig maakten. Maar om te beginnen sprong ik op het leren zadel van een van de motorfietsen, greep met beide handen het stuur beet en riep: 'Vroem, vroem, vroem!'

'Ik moet hem nodig opknappen zodat we er komende zomer mee kunnen toeren. Heb je daar zin in?'

'Als het mag van mama. Vroem, vroem, vroem.'

'Ik denk van wel. Je moeder maakt zich altijd veel zorgen, maar ik denk dat ik haar wel kan overhalen.'

Het was koud in het souterrain en ik was blij dat mama me de gebreide kabeltrui had laten aantrekken. Ik was nog niet eerder in het souterrain geweest. Er hing een bedompte, muffe geur en de sfeer deed me een beetje aan een grot denken, althans, wat ik me bij een grot voorstelde. De vloer leek wel van ijzer en er zaten allemaal lange balken tegen het plafond, dat zo laag was dat Peter voorover moest buigen om zijn hoofd niet te stoten.

'Je ziet er maar raar uit, zo kromgebogen,' zei ik.

'Tja, vroeger waren de mensen nu eenmaal kleiner. Elke nieuwe generatie is weer een beetje langer dan de vorige. Nog even en we zijn allemaal reuzen.' Hij zweeg even. 'Jij bent lang, Margaux. Je schiet uit als een bonenstaak. In de afgelopen paar maanden ben je wel een paar centimeter gegroeid, lijkt het wel. Of misschien is het mijn verbeelding.

De tijd is omgevlogen. Zou jij de tijd niet af en toe stil willen zetten? Ik in elk geval wel.'

Ik klom van de motor af en liep naar een victoriaanse kledingkast die precies leek op de kast in mijn vaders slaapkamer. Ik maakte hem zonder het eerst te vragen open en wachtte of Peter er iets van zou zeggen, maar nee. Dat was een van de dingen die ik zo leuk aan hem vond: hij stelde geen regels. De enige regels waaraan ik me van hem moest houden waren de regels die mijn moeder had verzonnen, en volgens mij deed hij dat alleen maar om haar blij te maken, niet omdat hij ze zelf nodig vond. Soms fantaseerde ik dat mijn moeder gewoon zou verdwijnen en Peter en ik met z'n tweetjes zouden overblijven, voor altijd, en dat er nooit regels zouden zijn.

Er lagen jurken, hoeden en boa's van veren in de kast. En ook een of ander kroontje dat Peter een tiara noemde. 'Zet hem maar op,' zei hij, en al had ik liever de stoffige zwarte deukhoed opgezet of die fluwelen flaphoed, ik zette hem op mijn hoofd.

'Wat zie je er mooi uit,' zei Peter heel zachtjes. 'Je lijkt wel een prinsesje.'

'Ik ben geen prinses, hoor,' zei ik, 'ik ben de Hartenkoningin uit *Alice in Wonderland*! Koppen eraf! Koppen eraf!' En ik maakte maaiende bewegingen met mijn armen.

Peter fronste. 'Ben je niet liever een prinses dan een of andere vinnige ouwe koningin?'

Ik gooide de tiara op de vloer. 'Het is toch maar een lelijk ding. En ik hou niet van dit soort jurken: ze zijn veel te oud, het lijken wel vodden. Waarom bewaart ze deze rommel eigenlijk?' Zonder te weten waarom rukte ik de jurken van de hangertjes en smeet ze op de vloer. Ik keek glimlachend naar hem op.

Hij keek ontzet. 'Raap op! Dit is haar verleden! Het

grootste gedeelte van haar familie woont in Spanje en ze ziet hen nooit meer! De jurk die je daarnet op de grond gooide was de trouwjurk van haar moeder!'

Beschroomd raapte ik de jurken weer op en hing ze terug op de hangertjes. We zeiden geen van tweeën iets.

'Nou, ik heb je in elk geval niet mee naar beneden genomen om je de spulletjes van Inès te laten zien,' zei hij. 'Ik was op zoek naar triplexplaten, touw en een stuk schuurpapier om de platen op te schuren en mijn boormachine om gaten te boren. O ja, en wat verf. Wat is je lievelingskleur?'

'Paars.'

'Ik weet niet of ik dat wel heb. Is roze ook goed?' Hij glimlachte.

'Ga je iets voor mij maken?'

'Misschien.' Hij glimlachte weer. Ik rende naar hem toe en sloeg mijn armen stevig om hem heen.

'Alles wat je doet is voor mij. Dat vind ik fijn.' Ik zweeg even. 'Is het voor een skateboard? Ga je een skateboard voor me maken? Zeg nou... Ben ik warm of koud?'

'Zo koud als de Noordpool. En kom, laten we er meteen aan beginnen. Maar eerst een kusje, om weer op krachten te komen. Ik krijg pijn in mijn rug van het bukken. Ik weet niet of ik anders weer de trap op kom.'

Ik wilde hem een kus op zijn wang geven maar hij draaide zijn hoofd zodat mijn mond zijn lippen raakte.

Peter maakte de roze schommel op de zolder aan het plafond vast, waar hij de komende anderhalf jaar aan dikke knooptouwen zou blijven hangen. Als het buiten koud was, zat ik er heel vaak op en dan gaf Peter me steeds een zetje. 'Hoger, hoger!' riep ik dan en zwaaide mijn benen omhoog tegen het scheve balkenplafond. Het licht dat van buiten kwam maakte kleine, zachtgele vlekjes op de harde houten vloer; ik keek naar de stapelbedden van Miguel en Ricky met de opengeslagen dekens en verfrommelde lakens (niemand vertelde hun dat ze hun kamer moesten opruimen) en ik zag de eivormige holte in het kussen waar ze met hun hoofd hadden gelegen. Hier boven woonde Zwartkop, de cavia: ik moest altijd zijn waterfles bijhouden en hem korrels voeren, wat vroeger Ricky's taak was. Maar nu de jongens dertien en tien waren, hadden ze meer interesse voor skateboarden en computerspelletjes dan voor het verzorgen van dieren, had Peter gezegd. Twee dagen per week onthief ik niet alleen de jongens van hun gebruikelijke plicht jegens de dieren, maar ik begon ook de vaat te wassen als Peter gekookt had. Peter vond het heel leuk om te zeggen dat ik een volmaakte echtgenote zou zijn.

6

'Acht jaar is de mooiste leeftijd voor een meisje'

In Peters souterrain was het zo makkelijk om de buitenwereld te vergeten. Tussen die betonnen muren konden we nauwelijks horen wat er buiten gaande was. Het geluid van auto's als iemand dubbel probeerde te parkeren, van hangjongeren die op hun vingers floten of twee duiven die vochten om een broodkorst. In het souterrain hoorde ik nooit mensen die hun wasgoed of boodschappen naar binnen sjouwden in karretjes die ze in het winkelcentrum hadden gegapt en geen snorrende wieltjes van kinderwagens of moeders die 'Mami' kirden naar hun dochtertjes.

Een paar zwerfkatten hadden door dat ze een bakje eten en wat melk konden vinden als ze het souterrain in glipten; er zat een heel mooie cyperse bij die wekenlang met een gezwollen buikje rondliep totdat ze op een middag in de verste hoek een plekje zocht; toen ik haar weer terugzag, lag ze jonkies te zogen. Peter had haar Mamaatje gedoopt, ze had al twee keer eerder in het souterrain een nestje geworpen. Het was zo leuk om met die kittens te spelen. Ik had ergens een zakje knikkers gevonden die ik over de vloer liet rollen, en zag die levendige kleine beestjes proberen om hun pootjes op die snelle, gladde balletjes te leggen – een kunst die ze nooit onder de knie kregen. 'Je bent heel moederlijk aangelegd,' zei Peter als ik met de poesjes speelde. 'Volgens mij droom je er nu al van om ooit zelf met een bolle buik rond te lopen. Ik vind het altijd zo lief als kleine meisjes een dik buikje hebben, alsof ze zwanger zijn. Dromen niet alle kleine meisjes daarvan? Om zelf een baby'tje te hebben dat ze in hun armen kunnen houden?'

Ik had er nog niet eerder over nagedacht, maar Peter begon er zo vaak over als we alleen waren dat ik er meer en meer over ging fantaseren om net als Mamaatje een eigen gezinnetje te stichten.

De eerste paar keren dat we in het souterrain waren, wilde Peter per se heel lang zijn armen om me heen slaan en me op mijn mond kussen. De eerste keer dat we zo kusten, als volwassenen, was ik me er nog heel erg van bewust hoe groot zijn gezicht was zo van dichtbij, en hoe zijn huid aanvoelde. Ik vond het alleen niet leuk dat ik nauwelijks adem kon halen, dus dan liet ik me weer op de vloer vallen en deed alsof ik Doornroosje was. Als ik me zo languit op de grond inbeeldde dat ik op een bed vol tulpen lag, was het net alsof ik echt sliep, of in een soort trance was terwijl hij me bleef kussen. Dat ging veel verder dan gewone spelletjes. Als ik met de katjes zat te spelen, aaide Peter me eerst over mijn rug, dan over mijn gezicht, mijn billen, mijn hals en tussen mijn benen. Hij vond altijd een manier om me ertoe over te halen meer toe te laten als ik al over mijn grens heen was. Als ik me bijvoorbeeld op de cementen vloer liet zakken om hem duidelijk te maken dat ik er genoeg van had, streelde hij net zoals grote jagers een tijger stropen mijn vacht eraf. Op zulke momenten was ik ervan overtuigd dat ik dood was en kon ik mezelf afsluiten van al die overstelpende gewaarwordingen.

Toen het kwik weer omhoogging, stelde Peter voor dat ik mijn kleren uittrok en we speelden verstoppertje terwijl ik alleen mijn onderbroekje aanhad. Peter telde tot tien en dan moest ik heel snel besluiten waar ik me ging verbergen: er waren zoveel verstopplekjes in het souterrain. Ik verborg me een paar keer in de eikenhouten kledingkast en ik ben ook een paar keer in een doos geklommen. Soms kroop ik weg achter de motorfietsen. Het was zowel vreemd als bevrijdend om alleen in mijn onderbroekje rond te lopen. Op een dag daagde hij me uit om ook mijn onderbroekje uit te trekken door te zeggen dat dieren in de jungle nooit kleren droegen. Na de eerste keer vond ik het niet erg meer om in mijn blootje te lopen; zo voelde ik me minder mezelf en meer een tijger of een konijntje, of welk dier ik me op dat moment ook inbeeldde te zijn. Als ik helemaal naakt was, gebeurde het vaak dat ik vanzelf diep in mijn keel ging grommen of aan de handvatten van het stuur van de Suzuki likte. Ook hield ik soms mijn ogen stijf dicht of bleef ik gewoon staan totdat Peter met een zaklantaarn in mijn gezicht scheen. 'Tjonge,' zei hij daarna, 'jij kunt zo opgaan in een spelletje dat het net is alsof je compleet van de wereld bent. Het is bijna eng.'

Ik ging ook weleens op het zadel van de Suzuki zitten, pakte het stuur beet en deed alsof ik een ritje maakte. Peter stak een keer het sleuteltje in het contactslot en startte de motor; ergens vanuit de machine voelde ik het sidderende geronk opstijgen en zich verspreiden, door het gebarsten leren zadel heen, en daarna snorde het door mijn hele lichaam als de draden van het spinrag in de holtes van houten balken, en ik hield het bijna niet uit, mijn ogen traanden; ik zei iets raars, dat ik me net voelde als Mamaatje die haar katjes kreeg; en toen barstte het smeulende, trillende, idiote gevoel in me los als een zak waar miljoenen parelachtige eitjes in zaten die als pollen door de lucht dwarrelden, als rondvliegende pluisjes van een rijpe paardenbloem. Ik stapte duizelig van de motor af, viel bijna om, en vroeg me af wat me zo-even was overkomen.

Tegen de lente werd ik nog ondeugender en ik maakte ook steeds meer stampij. Ik begon Peter zo hevig te commanderen dat hij me Mevrouw de Sergeant noemde. Mijn moeder vond dat hij veel te toegeeflijk werd en dat hij moest oppassen dat ik niet hopeloos werd verwend. Ik haalde zelfs vuile streken uit, gewoon voor de lol, zoals Peters hand plotseling loslaten als we naar de speeltuin gingen en pardoes de straat op rennen. Ook nam ik hem in de maling door spullen te breken en daarna het gebroken object te verbergen, of ik verstopte zijn sigaretten en zijn aansteker en hield dan vol dat ik geen idee had waar ze waren.

'Ik hou niet van die bedrieglijke spelletjes,' zei Peter. 'We hebben een heel sterke band, jij en ik. Met elke leugen die jij me vertelt komt daar een barst in. Het is maar een haarscheurtje, je kunt het niet zien, maar dat jokken... Het wordt met de dag erger. Laten we nu een pact sluiten dat we nooit tegen elkaar zullen liegen en nooit een belofte verbreken.'

We bezegelden ons pact en op de een of andere manier nam ik het heel serieus, dus ik jokte niet meer. Maar ik had wel nog steeds mijn streken, al vond Peter die niet zo erg als de leugens en hij accepteerde zelfs mijn geëtter – kwaadaardige dingen als zijn koffie door de gootsteen spoelen als hij even naar het toilet moest of grappen maken over zijn kunstgebit of zijn lelijk ingegroeide teennagels.

Mama zei tegen Peter dat mijn stekeligheid een oorzaak had, en die had altijd iets met papa te maken. Hij was onlangs ontslagen en begon nu 's morgens al te drinken, waarna hij de rest van de dag bleef doorzuipen. Hij had er een gewoonte van gemaakt in mijn kamer te slapen, en ik sliep voortaan bij mama in die van hen. Als ik mijn kamer in moest om bijvoorbeeld mijn kleren te pakken, begon hij meteen tegen me te schreeuwen dat ik de deur achter me dicht moest doen omdat hij hoofdpijn kreeg van het ganglicht. Als hij echt een fikse kater had, joeg hij me zo op dat ik met de verkeerde kleren naar buiten snelde: met twee t-shirts in plaats van met een shirt en een broek. Volgens mama spendeerde hij al zijn geld aan drank en gokken, maar hij zei dat als hij een van de twee zou moeten laten, hij zo wanhopig zou worden dat hij 's morgens niet eens meer de puf zou hebben om zich aan te kleden.

Ik weet niet of het loslaten van de cavia op mijn achtste verjaardag een van mijn streken was. Peter had gezegd dat ik hem boven moest voeren en vers water in zijn flesje doen. En ik moest van hem ook een tijdje met hem spelen omdat Zwartkop er een beetje eenzaam uitzag de laatste tijd. Ik vond het reuze spannend, die gewichtige opdracht. Peter had me nog nooit alleen naar zolder gestuurd. Misschien vertrouwde hij me meer nu we dat pact hadden gesloten om niet meer te liegen. Ik rende de trap op naar boven en struikelde bijna over Ricky's skateboard, dat over de scheve blauwe treden omlaag kletterde. De muren van de zolderkamer waren donkerblauw geverfd. Nu Peter niet bij me was viel me dat pas op, en ook wat een zootje het was hier boven. Kleren, wegwerpbordjes, papieren bekertjes en kaartjes lagen over de hele vloer verspreid. Ik pakte er eentje op: ze waren van de Garbage Pail Kids-strip, met een plaatje van een van die melige poppetjes op een spijkerbed. Ik wist niet dat Miguel en Ricky ze verzamelden en ze daalden prompt in mijn achting. Het mocht dan zo zijn dat jongens van gore dingen hielden, maar er waren grenzen!

In kleermakerszit op de vloer bekeek ik het ene kaartje na het andere; ik walgde van die smerigheid maar kon het toch niet laten om te kijken. Een paar kinderen bij mij op school verzamelden ze ook, en sommige meisjes zongen liedjes die net zo walgelijk waren, en dan klapten ze op de maat mee:

Kom op dan, stoere trut, met je veel te grote bek
Met mijn coole pipa knal ik je hartstikke lek
Ik steek je ogen uit en dan bloed je lekker leeg
Laat ik je creperen in een kouwe natte steeg
Ik ben ook oud genoeg om nu een knul kapot te trappen
Terwijl mijn zussie lachend in haar handen staat te klappen

De zolder deed me denken aan de kamer van de schoolverpleegster. Dat vond ik altijd het knuste plekje ter wereld. Ik kreeg steeds vaker last van mijn maag. In het kantoor van die schoolverpleegster, zuster Mary, was een heel klein kamertje met een wit plafond en witte muren en gesteven lakens op bed en een donzig wit kussen en een klein bruin kruisje met de gekruisigde Jezus, die er heel sereen uitzag met zijn gespreide armen, zijn voeten stevig vastgespijkerd en zijn hoofd zo gebogen dat je de doornenkroon heel goed kon zien. Zuster Mary en ik doorliepen elke keer hetzelfde ritueel: ze pakte mijn hand vast, bracht me naar het witte bed en zei dan dat ik helemaal languit en stil moest gaan liggen en naar de Christusfiguur moest blijven kijken om steun en kalmte te vinden.

Met mijn enkels tegen elkaar en mijn armen langszij lag ik te wachten op de tintelingen die langs mijn benen omhoog zouden trekken en het bloed dat zwaar aanvoelde in mijn voeten. Langzaam strekte ik mijn armen tot aan de rand van het bed: rechterarm, handpalm naar boven; linkerarm, handpalm naar boven. Benen languit, knieën een beetje opgetild en de voeten onbeweeglijk door de denkbeeldige spijkers die hen op hun plaats hielden. Borstholte, ellebogen, enkels, wimpers – alles in de juiste positie. Ik droeg als de dirigent van een orkest mijn ledematen op om stil te blijven liggen; jullie zijn nu volledig aan me overgeleverd, mijn hersens hebben de controle overgenomen. Ik voelde de haartjes onder mijn neusvleugels en op mijn onderarmen en dijen en kuiten luisteren en gehoorzamen. Ik kon de poort naar een fabuleuze hemel horen opengaan en beheerste mijn handpalmen, sproeten, borstkas, ribben, heupen, kaken en genitaliën. Zoals Noach de dieren per paar de reusachtige cederhouten ark in leidde, voerde ik mijn hart en trommelvliezen en navel naar het weidse witte vredesoord. Zodra elk onderdeel van mijn lichaam zich in de ark bevond en de rollende golven waren weggezonden, voelde ik de vrede over me heen spoelen, een vrede die zo loom was als de zon, die het hout van Jezus' kruis en de doornen die zijn voorhoofd doorboorden verwarmde en de spijkers uit zijn handen en voeten lichtte.

Nu was ik alleen en keek ik naar de roze schommel aan de bruine gevlochten touwen, en hij zag er sjofeler uit dan ooit. Ik ging erop zitten en zette me af met mijn voeten, maar ik merkte al snel dat ik nooit hoog zou komen.

Ik liep naar het kooitje van Zwartkop en zag dat hij zich in een hoekje had opgerold. 'Wakker worden!' Ik tikte tegen het glas. 'Wakker worden!'

Toen hij zijn donzige kopje optilde, lichtte ik de deksel van kippengaas van zijn kooi. Ik vroeg me af hoe dat moest zijn, als je dak er opeens wordt afgetrokken en er een hand naar beneden komt om je op te pakken. In gedachten voelde ik me opgetild worden door een heel voorzichtige hand, maar toch joeg het idee me angst aan. Zwartkop was ook bang. Arm Zwartkopje! Ik drukte mijn lippen tegen zijn pels. Ik hield zijn lijfje tegen mijn wang en snoof zijn warme knaagdiergeur op. Arm klein ding, werd hij zomaar uit zijn veilige nestje gehaald! Maar buiten was het veel fijner, daar had hij meer de ruimte. Ik fluisterde zachtjes in zijn roze oor, maar het hartje bleef heftig bonzen in mijn hand.

Mijn ogen gleden terug naar de kooi, met het gele etensbakje voor zijn korrels en een waterfles met een lange metalen staaf. De houtsnippers waar hij op sliep roken zoet en muffig.

Ik zette Zwartkop op de grond. 'Ga maar, Zwartkop!' riep ik en klapte in mijn handen. 'Rennen!' Maar hij wilde niet; hij bleef rondjes lopen en snuffelde aan de vloer. Al wist ik dat ik hem maar beter weer terug kon zetten, ik liep toch naar de trap.

Toen ik beneden kwam, sprongen er overal mensen uit hun verstopplekken tevoorschijn en riepen: 'Surprise!' Er stond een taart op de keukentafel, met kaarsjes erop. Peter stak er eentje aan en hield de kaarsvlam tegen de overige lontjes totdat ze allemaal brandden. Ik keek naar al die gezichten in de gloed van de kaarsen. De vlammen werden weerspiegeld in de ogen van Ricky, Miguel, Inès en mijn moeder.

'Je mag een wens doen,' zei Peter, en ik dacht daarover na.

Ik blies heel hard tot alle vlammen in zwarte lonten waren veranderd, op twee na, die Peter heel lief voor me uitblies.

'Wat was je wens?' vroeg hij zachtjes, en leunde naar me toe zodat ik in zijn oor kon fluisteren.

Normaal zou ik het nooit hardop gezegd hebben, om de wens niet te ontkrachten, maar ik voelde me zo de koning te rijk dat ik daar nu niet meer bang voor was. 'Een tijgerstaart.'

'Acht jaar is de mooiste leeftijd voor een meisje,' zei Peter nadat ik al mijn cadeautjes had uitgepakt. 'Al vind ik het jammer dat je zo snel groot wordt.'

78

Dat vond ik zelf ook best wel. Toen ik nog maar vier of vijf was, kreeg ik altijd te horen dat ik groot zou worden, maar dat geloofde ik nooit. Ik geloofde niet dat er een einde zou komen aan de dingen die je als kind kon doen: wegkruipen onder tafel, mezelf onder een stoel persen of in een klein hoekje verstoppen. Wat genoot ik van die dierlijke vrijheid, van het plezier om me klein te kunnen maken en me door gaten in een hek of in de ruimte tussen een grote boomstam en een stenen muur te wurmen: dat waren mijn momenten van triomf. Net zoals een muisje dat zijn holletje in een spleet in de muur kon maken, of de bruine spin die haar web tegen een houten balk aan het plafond kon weven en van daaruit alles bekijken, of mieren met hun volledige gangenstelsel in het zand, de triomf van Zwartkop...

Zwartkop! Ik barstte in snikken uit en sloeg mijn handen voor mijn gezicht.

'Wat is er, schatje?' Peter knielde neer op het gebarsten zeil en nam mijn handen in de zijne.

'Ik heb de cavia losgelaten.'

Er zat geen riem om Peters rode joggingbroek waarmee hij me kon afranselen, zoals papa zou hebben gedaan. Zijn ogen vonkten niet van woede, ze stonden alleen maar bezorgd en die bezorgdheid vloeide van het ene aquamarijnkleurige oog over naar het andere, zodat zijn gezicht verstrakte op een manier die ik nog niet eerder bij hem had gezien. Toch was zijn eerste impuls om mij gerust te stellen met een 'maak je maar niet druk, we vinden hem wel', en hij sprong overeind met een mannelijke kracht die als een stroomstoot door zijn lichaam leek te gaan, van het grijsblonde haar op zijn onderarmen tot zijn peper-en-zoutkleurige pony met zilveren strepen en de grote, sterke voeten in hun lichte witte sneakers. Hij rende de trap af om Miguel en Ricky te halen, en toen hij terug was kropen we allemaal op handen en voeten door het huis om Zwartkop te zoeken. Eerst onder het stapelbed, toen schoven we de kleren opzij in de kast; we keken in alle hoeken en sloegen de dekens terug. Nadat we overal hadden gezocht, tilden we het stapelbed op, en ja hoor, het arme beestje had zich in het stoffigste, droogste en droevigste hoekje verstopt. Zijn glanzend zwart met bruin en witte pelsje was overdekt met stofdotten en spinrag. Peter veegde hem voorzichtig schoon.

'Die trekt wel weer bij,' zei Peter. 'Gelukkig hebben we hem teruggevonden.'

'En zo niet,' voegde Ricky eraan toe – zijn stem sloeg bijna over van jongensachtige opwinding –, 'dan waren zijn tanden blijven doorgroeien. Hij moet aan hout knagen om ze steeds af te vijlen, anders groeien ze helemaal door over zijn bekje en kan hij niet meer eten.' Hij zweeg even, en zei toen op plechtige toon: 'En dan hadden we over een paar maanden zijn geraamte gevonden.'

'Nou, en dat is dus niet gebeurd,' zei Peter vlug. Hij zette de cavia weer in zijn kooi waar hij gulzig aan zijn waterflesje begon te lurken. 'En die speurtocht was best wel leuk, het leek wel verstoppertje spelen. Het belangrijkste is dat Margaux' verjaardag niet is verpest.'

Vanuit mijn ooghoek zag ik Miguel met zijn ogen rollen. We bleven nog even naar Zwartkopje kijken of alles echt wel in orde was, maar kennelijk ging het goed: hij dronk water, schoof net zo lang tussen de houtsnippers tot hij zijn nestje weer had, en viel in slaap.

'Kijk, dat is nou een lekker leven,' grinnikte Peter, en liep de trap af.

Remesagil Jones, de boerenmarkt waar Peter me op een vrijdag in mei mee naartoe nam, lag aan Bergenline Avenue, aan de overkant van de krantenkiosk waar mijn moeder altijd haar loterijbriefjes kocht. Het was een van de grootste groente- en fruitmarkten in Union City, met producten die exotische namen hadden als Tasty Tom, butternut, ramboetans (die me aan zee-egels deden denken), pastinaak, lychees, shiitake. Ik moest lachen om die gekke namen, en toen Peter groene kolen en rettich in zakken deed die hij bij een kraampje aan de rand van de markt had gekocht, drentelde ik op eigen houtje wat rond. Ik scheurde plastic tasjes met drie tegelijk af, en drukte op weegschalen tot ik de rode tekens op het display als verbaasde tongetjes omhoog zag schieten. Ik vond het een machtig mooie winkel – met die bloeiende kleurenpracht en donkere frisse geuren –, ik keek verrukt naar de gigantische meloenen die me aan een bobbelige zon deden denken en waarvan de schil eruitzag als de maan, en ik vroeg me af of de vliegenzwermen zich als astronauten voelden als ze erop neerstreken, met hun aftastende wimperdunne pootjes.

Peter kwam naar me toe. 'Ik zou het bijna vergeten. Fiver is ziek.' Fiver was ook een konijn, de halfvolwassen zoon van Porridge en Peaches. 'Misschien kun je iets uitzoeken waardoor hij zich beter gaat voelen.'

'O, hij is dol op worteltjes,' zei ik en wilde er meteen naartoe rennen, maar toen viel mijn oog op iets groens in de vorm van een elfenpantoffel. 'Nee, ik wil die!'

Peter wilde eerst weigeren omdat ze aan de prijzige kant waren, maar zoals gewoonlijk gaf hij weer toe. Ik stopte de groene bonen in een zakje dat hij voor me openhield. 'Meer kan ik me echt niet veroorloven,' zei hij en ging in de rij voor de kassa staan. Zijn gezicht stond strak, ongeduldig, terwijl hij normaal altijd glimlachte. Hij had me al een paar keer verteld dat ik hem volmaakt gelukkig maakte en dat mijn liefde het beste was wat hem ooit was overkomen. Hij had ook al gezegd dat hij met me wilde trouwen zodra ik achttien zou worden; ik kon al goed genoeg rekenen om te weten dat dat over tien jaar was, en ik vond het zelf ook heel fijn want mensen die getrouwd waren zagen elkaar elke dag, niet alleen op maandag en vrijdag. Getrouwde mensen konden baby's krijgen en overal wonen waar ze maar wilden. Ik had Peter al laten weten dat ik aan het meer in Westport, Connecticut wilde wonen. Toen ik mijn moeder vertelde dat ik op mijn achttiende met Peter zou trouwen, zei ze: 'In de hemel kun je met hem trouwen.'

Peter zei weer hoe jammer hij het vond dat we niet nu al een baby konden maken, omdat ik nog geen productieve eitjes had. Hij vroeg weleens aan me hoe het met mijn buik was – dat was codetaal waarmee hij bedoelde dat hij zich voorstelde dat ik zwanger was. En als hij neuriede, betekende dat dat hij zich inbeeldde dat ik naakt was. Ik weet niet waarom ik soms woedend werd als hij dat deed en dan zin kreeg om hem te slaan.

Ik was het souterrain nog maar via twee van de drie ingangen binnengekomen: in de winter via de grenenhouten trap, of zoals sinds kort, omdat het nu warmer werd, door de zware groene deuren in de achtertuin. Maar nu pakte Peter mijn hand en nam me mee naar het betonnen talud aan de voorkant van het huis waar zich de smalle, ovaalvormige houten deur bevond. Ik keek nog even naar de sombere roze beer, die nu nog meer overgroeid was met klimop dan vorig jaar; de staart van de zeemeermin was zelfs al helemaal bedekt. Peter nam zich steeds voor om te snoeien voordat de beelden compleet aan het oog waren onttrokken, maar hij was er nog niet aan toegekomen.

'Ben je boos? Ben je boos op me?' vroeg ik toen we het souterrain betraden. Ik kon uit zijn zwijgzame houding opmaken dat hem iets dwarszat. Ik was best wel bang dat hij op papa zou gaan lijken, die steeds van humeur wisselde, en dat ik hem nooit meer zou kunnen aanvoelen, of zelfs mijn macht over hem zou kwijtraken.

Tot mijn verrassing zei Peter dat Fiver in de kelder zat. Hij was nu voortdurend ziek en moest gescheiden van de andere konijnen leven.

'Ach gossie, hij is helemaal alleen!' riep ik uit en liep vlug op het boodschappenwagentje af dat dienstdeed als kooitje. 'Hij voelt zich vast heel eenzaam hier in het donker.'

'Nee hoor, dat is niet zo,' zei Peter vlug. 'Konijnen houden van het donker. In het wild leven ze in ondergrondse holen, en als ze buiten zijn moet hun ren altijd in de schaduw staan. Ze houden van koelte en van vochtige lucht, dus ik denk niet dat Fiver hier heel ongelukkig is: hij kijkt heel vredig.'

Maar zo vredig kwam Fiver niet op me over: hij leek zelfs depressief. Hij zat ineengedoken in een hoek met zijn kopje naar beneden, al was hij wakker. Er lagen kranten op de bodem van zijn kooi en er stond een schaaltje konijnenkorrels en een fles met een lange metalen drinkstaaf. Ik haalde een boon uit mijn zak en stak die door het gaas van zijn kooi, maar wat ik ook probeerde, hij kwam hem niet halen.

'Wordt hij nog beter? Of gaat hij dood?' Ik ging ervan uit dat Peter me de waarheid zou vertellen.

'Nou, volgens mij knapt hij wel weer op,' zei Peter, al leek hij zelf niet heel erg overtuigd. 'Ik heb dure brokjes voor hem gekocht en hem met een pipetje wat medicijnen gegeven. Zoals je ziet, is zijn nest schoon, de kranten worden elke dag verschoond en hij heeft genoeg water. Maak je maar niet te veel zorgen. Schatje,' zei hij toen, draaide zich om en pakte mijn handen vast, 'hou je je wel aan je belofte?'

'Welke?'

'Je zei dat je alles zou doen. Dat heb je beloofd.'

'Ik kan het me niet herinneren.'

'In ruil voor de bonen, weet je nog? Ik zei dat ze te duur waren om gewoon aan de konijnen te voeren; ik stelde worteltjes voor, maar jij had de bonen al vast, een hele hand vol; je zei nee, je wilde die bonen hebben en in ruil daarvoor zou je alles doen. Weet je nog?'

'Misschien wel, ik weet het niet meer zo goed.'

'Nou, je hebt het echt gezegd,' zei hij op zachte toon.

'Goed dan.'

We bleven even zo staan zonder iets te zeggen, en toen begon ik heel snel te praten. 'Ken je het verhaal nog van Sjakie en de Bonenstaak? Denk je dat die zaden magische krachten hebben? Net als tovereieren. Misschien word ik wel zwanger als ik ze opeet.'

Peters gezicht lichtte op toen ik dat zei, zoals ik al verwachtte.

'Kinderen bij mij in de klas zeggen dat je zwanger kunt worden van het slikken van meloenzaadjes.'

'Dwaasheid. Kinderen zeggen van die rare dingen. Ouders zouden niet moeten liegen over hoe baby's gemaakt worden. Kinderen zouden de waarheid moeten horen. Het menselijk lichaam zit heel natuurlijk en heel mooi in elkaar. Ik wou maar dat er niet zoveel schaamte bestond.' Hij leek zich op te winden, zoals altijd als de manier waarop de wereld werkte ter sprake kwam, en zei toen: 'Weet je nog dat ik je vertelde hoe baby's worden gemaakt? Ik heb je mijn babymaker laten zien. Mijn penis.'

Ik kon me niet herinneren die van Peter te hebben gezien. 'Ik heb die van papa gezien. Vroeger gingen we samen onder de douche.'

'En waarom hield hij daarmee op?'

'Hij zei dat ik te oud werd.'

Peter schudde zijn hoofd en zei weer iets over de samenleving en haar gedoe. 'Nou, hoe wordt een baby gemaakt dan?' vroeg ik.

Zo te zien was hij blij dat ik het hem vroeg. 'Mensen hebben organen met magische krachten. Die komen op een heel mooie, fijne manier samen. Weet je helemaal niets meer van wat ik je hierover heb verteld?'

'Ik kan het me niet meer herinneren.'

'Stel je voor: op de lagere school leren ze kinderen allerlei dingen over voortplanting van gewassen, maar niets over de manier waarop baby's worden gemaakt,' zei hij. 'Dat is wat je noemt onderdrukking. Ik begrijp deze maatschappij niet. Onze lichamen zitten zo mooi en natuurlijk in elkaar en we zouden ze in alle vrijheid moeten kunnen laten zien, waar we ook zijn. Ik ben een man, dus ik heb een penis en testikels; jij bent een vrouw dus je hebt een vagina en een clitoris. Dat zijn geen vieze woorden, het is niet verkeerd om erover te praten. Het is niet erg om de dingen bij hun naam te noemen. Ik durf te wedden dat je niet eens de namen van je eigen voortplantingsorganen kende totdat ik ze benoemde.'

'Mijn moeder heeft het altijd over mijn plassertje. En ze heeft me ooit verteld dat niemand me daar mag aanraken. En aan mijn bips mag ook niemand komen. Maar volgens mij ben ik het daar niet mee eens,' voegde ik er haastig aan toe. 'Mijn ouders zijn onderdrukt.'

'Je meent het!' zei Peter, en nu wond hij zich echt op. 'Denk je eens een samenleving in die zo verknipt is dat je lichaamsdelen hebt die je niet mag aanraken terwijl ze je zoveel genot kunnen bezorgen, en iedereen wordt gehersenspoeld met het idee dat een volstrekt natuurlijk iets smerig en verkeerd zou zijn. En dan te bedenken dat deze mensen rustig de broek van hun kinderen naar beneden trekken om ze te slaan, terwijl ze hun vertellen dat nooit iemand ze met hun broek omlaag mag zien.'

'Dat vind ik ook! Ik vind het vreselijk om billenkoek te krijgen. En waarom moet mijn broek dan naar beneden? Ik kan toch ook gewoon een tik krijgen met mijn broek aan?'

Peter schudde zijn hoofd. 'Het zijn allemaal tegenstrijdige berichten. Ik weet zeker dat je vader zich volkomen gerechtvaardigd voelt om je onderbroekje omlaag te trekken en je over de knie te leggen om je er met de riem van langs te geven; maar zodra hij erachter zou komen dat iemand je had gevraagd je broek omlaag te trekken om je te laten weten hoe mooi je bent, of om je een fijn gevoel te geven, dan zou je vader diegene waarschijnlijk ombrengen. Ik twijfel er niet aan of je vader zou me doodschieten als hij ooit ontdekt dat ik je in je blootje heb gezien, terwijl hij zelf een hypocriet is die zijn eigen kind slaat. Nou, wat een grote vent is dat, zeg, om een weerloos kind te mishandelen. Met zijn riem nog wel! Heb je enig idee hoe ziek dat is? Maar hij zal zelf ook wel zo opgevoed zijn, dat is hun cultuur. Hij doet gewoon precies hetzelfde en zo wordt het van de ene generatie aan de andere doorgegeven. Niemand denkt erover na.'

Peter zweeg even. Ik wist dat hij op zijn vraag geen antwoord verwachtte. Hij stak een sigaret op – wat opmerkelijk was want normaal rookte hij nooit in het souterrain –, nam een paar trekjes en drukte hem toen tegen een houten plafondbalk uit. Hij begon te ijsberen.

'Ze vertellen je dat het smerig is, en daarna moet je je voor hun ogen uitkleden. Toen ik nog op de jongensschool zat, ten noorden van New York, werden we altijd in de doucheruimte door de nonnen geslagen. We moesten dan in de rij staan in de douche en daar gaven ze ons ervan langs! Alsof zij er geen kick van kregen om ons daar in ons nakie te zien staan. Weet je waarom die nonnen zo wreed waren? Seksuele onderdrukking. Seksuele onderdrukking en woede. Dat komt ervan met al die onderdrukking in onze samenleving.

Weet je wat ik denk? Ik heb er zelfs boeken over gelezen. Ik weet zeker dat wanneer kinderen worden opgevoed met de gedachte dat seksualiteit normaal en natuurlijk is, en dat is het ook... Als ze plezier en genot mogen beleven aan hun door God gegeven lichaam, zouden we in een veel betere wereld leven.'

'Dat vind ik ook,' zei ik. Ik snapte niet alle moeilijke woorden die hij gebruikte, maar ik begreep zijn punt. Hij had net zo'n hekel aan regeltjes als ik en ik kon het niet uitstaan dat volwassenen altijd meenden dat ze kinderen ver bij belangrijke dingen vandaan moesten houden. Maar toch voelde ik me niet helemaal op mijn gemak bij zijn verhaal.

'In sommige delen van Afrika,' vervolgde Peter, 'masseren moeders de genitaliën van hun kinderen voor ze naar bed gaan, zodat ze rustig in slaap vallen. Er zijn stammen op deze wereld waar de meisjes al op hun achtste of negende worden uitgehuwelijkt. Voor sommige stammen zou jij nu al huwbaar zijn.' Hij zweeg even. 'Ik hou van je. Ik wil jou een fijn gevoel geven en ik wil dat jij mij een fijn gevoel geeft. Daar is niets mis mee. Mag ik het je laten zien? Wat ik je al eerder liet zien? Mijn penis? Je hebt er niet echt naar gekeken. Volgens mij was je bang. Maar ik wil dat je weet dat onze voortplantingsorganen niet lelijk zijn, niet smerig en ook niet zondig. Ze zijn mooi en je hoeft je nergens voor te schamen. Dus, zal ik hem laten zien?'

Ik klom bij Fiver in zijn karretje en zei: 'Kijk eens, ik ben een konijntje!'

Ik begon aan de waterfles te lurken en proefde het zoete metaal en het zoete, warme water. Ik pakte de nu zielige gekrulde boon en hield hem weer voor Fivers neus, maar toen hij hem nog steeds niet wilde begon ik hem zelf maar op te eten. Hij smaakte lekker, zo knapperig en groen. Het winkelwagentje gaf me een prettig gevoel, door die natte, geurige kranten onder mijn handen en knieën, de rechthoekige vorm, de manier waarop de metaaldraden kriskras over elkaar heen liepen en het feit dat er wielen onder zaten. Peter liep naar me toe, tilde me eruit en zette me op de grond, maar ik dook meteen weer in elkaar en kroop op handen en knieën als een baby over de grond, om de koude, harde vloer onder mijn handen te kunnen voelen.

'Nu ben ik een baby, geen konijntje. Nee, wacht, ik ben een babykonijntje! Probeer me maar te vangen!'

'Margaux,' zei hij en keek teleurgesteld. 'Je bent nu acht jaar oud en je weet wel beter.' Ik had er een hekel aan als volwassenen tegen me zeiden dat ik wel beter wist of beter zou moeten weten. Maar Peter had dit nooit eerder gezegd en alweer begon ik bang te worden dat hij aan het veranderen was.

'Oké dan!'

Hij hielp me overeind. 'Sorry, ik hoop niet dat ik net als je vader klonk.'

'Nou, daar leek het anders wel op.'

'Sorry, want dat is wel het laatste wat ik wil. Niettemin, je begint nu echt groot te worden. Niet dat je moet ophouden met kinderspelletjes; ik bedoel, je bent nog altijd een kind en ik hoop dat we altijd van die spelletjes blijven doen. Maar we kunnen ook volwassen dingen met elkaar doen, dingen die jij en ik allebei heel fijn vinden. Je hebt het me beloofd: je zei dat je alles voor me zou doen en ik zou graag willen dat je iets probeert wat heel bijzonder en heel fijn is. Iets wat mensen doen die van elkaar houden, zoals jij en ik.'

Ik stond daar en probeerde me niet te bewegen, en zag hoe hij zijn broek naar beneden deed. Hij had geen ondergoed aan. Deze keer keek ik strak naar zijn penis om hem een plezier te doen. Het hele geval zag eruit als een hotdog zonder broodje met twee half leeggelopen ballonnetjes eronder. De haren rondom zijn penis en testikels zagen er stug uit, net als borstels die ze gebruiken om honden mee te kammen. Ik vond het daar bij mezelf beter: er zat geen haar op en het zag eruit als een make-updoosje, zo een met poeder en een klein zilveren spiegeltje. Maar dat zei ik niet hardop: ik was bang dat ik hem zou beledigen, dus toen hij me vroeg wat ik ervan vond, zei ik: 'Wel leuk. Hij doet me een beetje denken aan...' Ik probeerde een metafoor te bedenken die hem zou bevallen. 'Aan een ijshoorntje. En omdat je sproeten hebt, is het er eentje met strooisel, denk ik.'

'Een ijshoorntje met strooisel. Die heb ik nooit eerder gehoord. Wil je er dan aan likken, net alsof het een ijsje is?'

'Ik heb liever een echt ijsje, Peter.'

'Dat gaan we straks halen. Alles wat je wilt. Maar nu kun je eerst doen alsof dit een ijsje is.'

Ik schudde mijn hoofd. 'Het probleem is, Peter, dat dat ding...'

'Mijn penis.'

'Oké, penis.'

'Je hoeft niet bang te zijn om te zeggen wat dit is.'

'Oké, je penis, daar plas je toch ook mee?'

'Dat klopt. Er zit een klein gaatje in en daar komt mijn plas uit.'

'Ik ga niet aan plas likken. Dat vind ik vies.'

'Waarom geef je er dan geen kusje op? Hier, op het topje. Dat voelt echt fijn.'

'Nee, ik wil niet.'

'Waarom niet?'

'Ik kan het niet.'

'Waarom niet?'

Ik wist dat Peter kwaad zou worden als ik het hem zou zeggen, maar ik was nu zelf ook boos. 'Het is vies, Peter! Hou op! Hou op me te vertellen wat ik moet doen!'

'Je hebt het beloofd. Je hebt me alles beloofd. Nu wil je op je belofte terugkomen.'

'Dat is niet eerlijk!'

'Hoezo niet?'

'Daarom niet!'

'Wat is er oneerlijk aan? Je hebt iets beloofd en daar wil ik je aan houden, en we hebben gezworen om nooit tegen elkaar te liegen.'

'Ik wist niet wat je me zou gaan vragen. Je hebt hier niets over gezegd!'

'Nou, dan had je ook niet moeten zeggen dat je "alles" zou doen. "Alles" betekent alles.'

'Ik kan het niet!' Ik stond op het punt in tranen uit te barsten. 'Echt niet! Dan moet ik overgeven. Als ik van jou een kusje op plas moet geven dan moet ik echt overgeven!'

'Er is nergens plas! Hij is schoon. Je bent gehersenspoeld door de maatschappij met haar regeltjes.'

'Ik haat regels!'

Hij trok zijn broek omhoog. 'Nietwaar, je bent net als al die anderen,' zei hij en deed ondertussen een paar stappen naar achteren. 'Maak je geen zorgen, ik zal je nergens toe dwingen. Deze slechte man zal jou geen kwaad doen. Van mij móét je niets, zo ben ik niet! Wat denk je wel niet van me?'

Hij deed de deur open en maakte aanstalten naar buiten te lopen.

'Nee, Peter, wacht!' Ik greep zijn T-shirt beet.

'Laat me los!'

'Ik kan het misschien wel proberen, nu ik aan het idee gewend ben kan ik het misschien proberen.'

'Laat los. We hebben het er niet meer over.'

'Maar ik ben helemaal niet als alle anderen, Peter. Ik ben mezelf.'

Hij snoof.

'Echt waar, Peter, geloof me.'

Hij draaide zich naar me om toen we voor zijn huis stonden, in het meedogenloze zonlicht, en fluisterde met verstikte stem: 'Je vindt mijn lichaam afstotelijk. Je vindt me niet leuk omdat ik al een oude man ben. Je vindt me lelijk.'

Twee weken later was Fiver dood. Daags daarna stond ik in de rij in de grote blauwe speelkamer op de eerste schoolbel te wachten, in mijn blauwe jurk, enkelsokjes en Buster Brown-schoenen, wiebelend van de ene voet op de andere. Ik voelde mijn knieën week worden en strekte mijn benen; mijn bloed suisde en mijn voeten begonnen te tintelen. Om mezelf af te leiden speelde ik met het capuchonkoordje van mijn lichte zomerjasje, dat ik per se van mijn moeder had moeten aantrekken, al was het er eind mei al te warm voor. Ik wond het koordje om mijn vinger, liet het weer los, zag het tegen mijn gezicht springen, en begon dan weer opnieuw. Toen mijn ene been pijn ging doen, verplaatste ik mijn hele gewicht naar het andere. Zuster Mary stond vlak bij me in haar witte habijt; ik had niet eens door dat ik stond te snikken toen ze haar armen om me heen sloeg.

'Wat scheelt eraan, liefje? Zeg het maar.'

Ik kon mijn tranen niet genoeg wegslikken om te kunnen praten, en bovendien vond ik het prettig als ze me vroeg wat eraan scheelde. Ik wilde dat ze het bleef herhalen zodat ik mijn verdriet kon koesteren. Ze trok zachtjes aan mijn hand en ik wist waar we naartoe gingen. Ondanks mijn verdriet voelde ik toch een sprankje blijdschap omdat ik wist dat ik niet het klaslokaal in hoefde.

In haar witte kamertje bleef zuster Mary maar vragen wat er was, maar op de een of andere rare manier was mijn hoofd helemaal leeg. Ik kon me niet eens herinneren dat Fiver dood was, totdat ze me vroeg om op bed te gaan liggen en me zachtjes over mijn wang streelde.

'Ben je duizelig?'

'Ja.'

'Misselijk?'

'Ook. Volgens mij is er van alles mis.'

'Zit je ergens mee? Of ben je gewoon ziek?'

'Mijn konijn is gisteren doodgegaan.'

'Ach, wat erg nou. Maar je konijn is nu in de hemel. Hij is nu veel gelukkiger dan toen hij nog leefde, want de hemel is heel mooi. Met prachtige tuinen en beekjes en vogels in de mooiste kleuren die je maar kunt bedenken.'

'En zijn eten dan?'

'Worteltjes en sla en gras en al die dingen die konijnen lekker vinden, het is er allemaal.' Ze pakte mijn hand.

'Volgens mij ga ik zelf ook dood.'

Ze kneep even in mijn hand. 'Dat moet je niet zeggen want dat is niet waar. Je bent gewoon verdrietig. We zijn allemaal weleens verdrietig en daarna gaat het weer over.'

'Ik heb uit hetzelfde waterflesje gedronken als het konijn, zuster. En volgens mij is het besmettelijk. Ik heb ook iets verkeerds gegeten. Iets wat niet van mij was en waarvoor ik niet heb betaald. Ik was samen met mijn moeder in de groentewinkel, en... daar heb ik een sperzieboon gestolen. Ik heb hem opgegeten toen er niemand keek. Daarom ben ik vandaag zo ziek.'

'Nou, ik ben blij dat je dit hebt verteld. Je mag straks naar pater John om te biechten. Daarna zul je je een stuk beter voelen. Daar is de biecht voor, om je ziel schoon te wassen van zonden zodat we op een dag naar God kunnen gaan. Stelen is een vergeeflijke zonde. Ik weet zeker dat je van hem niet veel Onzevaders hoeft op te zeggen, een paar maar. En misschien nog een paar Weesgegroetjes. En daarna is het alsof het nooit is gebeurd.'

'Denkt u dat God me heeft laten boeten door mijn konijn dood te maken, zuster? Zou het niet mijn straf kunnen zijn?'

Ze streelde met haar hand over mijn haar. 'Nee hoor, dat zegt je geweten. Ik zal je een geheimpje verklappen. Toen ik nog een klein meisje was, net zo oud als jij nu bent, heb ik een keer iets uit de kwartjeswinkel gestolen. Ik heb het niet meteen opgebiecht, en ik voelde me heel schuldig, net als jij nu. Ik had pijn in mijn buik en heel erge hoofdpijn. Want je moet weten dat we niet altijd doen wat juist is omdat we van nature zondaars zijn. Het is niet onze schuld dat we niet perfect zijn.'

'Ik weet dat ik niet perfect ben, zuster, maar ik voel me echt het allerslechtste meisje in de hele wereld.'

'Maar dat ben je niet, Margaux, echt niet, echt niet.'

7

Karen, mijn zusje, mijn zusje

Toen ik in juni terugkeerde van een drie weken durende vakantie naar Puerto Rico met papa (mama moest naar de kliniek, dus die kon niet mee), kwam ik tot de ontdekking dat mijn status als het enige kleine meisje in Peters huishouding ten einde was. Karen, in haar verschoten roze jurkje en met haar blote babypop en zijn vieze gezicht, werd mijn zusje. Ze miste stukjes in haar voortanden en haar nagels hadden rouwranden. Haar kin was helemaal rood van de ijslolly's en ze wiegde met haar heupen op een manier die ik nooit zou kunnen imiteren. Eén wit sokje was opgetrokken, het andere slobberde om haar enkel en ze had weerbarstige staartjes in haar haar. We stonden elkaar aan te kijken bij het vogelbadje in Peters achtertuin, met een zowel superieure als wantrouwige blik in onze ogen. Karen had de roestige groene gieter in haar hand die ik altijd gebruikte om de tomatenplanten water te geven.

'Kom, geef elkaar eens een knuffel,' zei Peter. 'Dat is de beste manier om elkaar te leren kennen. Ik weet zeker dat jullie goed met elkaar kunnen opschieten.'

Ik kon het niet helpen maar ik was geschokt door Karens gedrag. Ze spuugde op de grond, vloekte en gebruikte scheldwoorden waar ik nog nooit van had gehoord, al was ik al acht en zij nog maar zes. Peter zei dat Karen een moeilijke tijd achter de rug had – haar moeder was een junkie –

en dat ik geduld met haar moest hebben. Dit was al haar vierde pleeggezin. Hij noemde het een gelukkige samenloop van omstandigheden dat Karen net op het moment was gekomen dat hij gedeprimeerd raakte door mijn vakantie op Puerto Rico. 'Ik had geen idee wanneer je weer terug zou komen,' zei hij toen we even met zijn tweeën waren. 'Ik wist niet eens zeker of ik je ooit terug zou zien. Karen betekende een aangename afleiding.' Toen hij mijn gezicht zag betrekken, voegde hij er haastig aan toe: 'Maar natuurlijk kan niemand jou vervangen, lieverdje.'

Ik begreep Peters behoefte aan Karen niet, maar ik wist dat hij me zou dwingen van haar te houden. Ik had Peter al een keer teleurgesteld en ik wilde niet nogmaals bij hem uit de gratie raken. Misschien dat Karen ondanks, of wellicht juist dankzij, haar onbeholpen manier van doen een innemend meisje kon zijn. Peter scheen haar erg leuk te vinden en mijn moeder was meteen weg van haar; ze noemde haar vaak een 'lief kind', al had ze een 'slechte achtergrond'. Mama was tot haar opluchting weer uit de kliniek ontslagen. Ze was ook heel blij dat papa weer een nieuwe baan als edelsmid had gevonden en veel overuren maakte om de financiële klappen die we tijdens zijn werkloosheid hadden opgelopen, weer in te halen. Ik zag dat het haar goeddeed om weer elke maandag en vrijdag bij Peter te zitten; ze klaagde dat het zo saai was geweest in de kliniek en dat ze daar andere medicijnen had gekregen, waarvan ze echt gedeprimeerd en zelfs paranoïde was geraakt. Dit soort dingen gebeurden bijna altijd als ze werd opgenomen. Er kwamen altijd nieuwe medicijnen op de markt en de klinieken ontvingen gratis testmonsters die psychiaters automatisch als de meest recente miraculeuze doorbraak beschouwden. Maar zoals gewoonlijk sloegen ze niet aan, en dan viel mijn moeder weer terug op Zoloft en Thorazine. Peter was buiten zichzelf van woede. 'Die lui gebruiken jou als proefkonijn,' zei hij, 'alsof jij geen enkel recht hebt.' Dan trok mijn moeder haar schouders op en zei dat het systeem nu eenmaal zo in elkaar stak.

Ik merkte dat mijn moeder Karen als een godsgeschenk beschouwde. 'Op school zeggen de leraren dat Margaux erg in zichzelf gekeerd is,' zei mama vrij kort na haar eerste ontmoeting met Karen. 'Misschien dat ze door het spelen met een ander meisje een beetje uit haar schulp zal kruipen.'

Inès was ook al zo dol op Karen, en dat gevoel had ze bij mij nooit gehad. Ze nam zelfs een week vrij in juli en ik weet nog hoe ze samen in de tuin over een bloembed gebogen stonden, onder het witte vogelbadje, waar ze Karen liet zien hoe ze met een metalen schepje een kuiltje maakte en er heel kinderlijk een petuniaplantje in stopte. Soms kwamen uit de omgewoelde aarde een stuk afgesneden worm of zelfs witte larven naar boven, waardoor ik het op een gillen zette, al was ik nooit eerder bang geweest voor kleine beestjes of insecten. Ik was niet zo dol op tuinieren. Karen daarentegen was niet bang voor pieren of larven, ze schepte er gewoon wat aarde overheen.

Peter had me niet meer meegenomen naar het souterrain sinds die ene keer dat ik hem had teleurgesteld, en dat maakte me zowel opgelucht als nerveus: als hij mij niet mee naar beneden nam, betekende dat dan dat hij Karen daar mee naartoe nam en durfde zij misschien meer dan ik? Deed zij wel de dingen waar ik te schijterig voor was? Ik zat er flink over in de rats en hield nauwlettend in de gaten of Peter en Karen niet met z'n tweetjes wegglipten.

Ik lette er vooral op dat Peter niet de neuriecode bij haar gebruikte. Ik wilde niet dat hij aan Karen in haar blootje dacht en kon de gedachte niet uitstaan dat zij iets speciaals zouden hebben samen. Ik hield mezelf voor dat Karen te jong was, Peter zou haar niet moeten. Hij had gezegd dat acht jaar de mooiste leeftijd was, en niet zes. Hij had gewacht tot ik acht was om mij dat ene speciale ding te vragen dat hij zo graag wilde. Bovendien hield hij van mij op een andere manier, het was duidelijk dat hij haar meer zag als een dochter. Ík had de juiste eigenschappen om zijn echtgenote en de moeder van zijn kinderen te zijn, omdat ik al zo volwassen was voor mijn leeftijd. Ik mocht hem dan die ene keer zijn afgevallen, ik was er vrij zeker van dat hij me inmiddels wel had vergeven.

Karens bleke oogwimpers stonden ver uit elkaar, wat haar een verbaasde uitdrukking gaf, maar dat werd door de blik in haar ogen tenietgedaan; je besefte meteen dat dit kleine meisje zich zelden ergens over verbaasde of ergens bang voor zou zijn – dit was een kind met kracht, een eigen willetje, macht.

Op een keer, tijdens een van Peters barbecues, smeet ik een kan met druivenpunch over haar jurk. We hadden ruzie gehad om een pop en de ene na de andere ledemaat losgetrokken. Ze schreeuwde verrukt dat zij het hoofdje had, lekker puh, en zonder hoofdje stelden de armpjes en beentjes niets voor! Ik heb haar nooit een klap gegeven, al had ik er echt wel zin in, maar zij sloeg me gewoon als ze zin had. Ik leerde dat ik vergeleken met haar een engeltje was zolang ik mezelf in toom wist te houden. Peter sleurde de wild om zich heen schoppende Karen dan naar haar kamer en deed de deur op slot, terwijl ik bij hem mocht blijven. 'Ik vind het echt akelig om haar op te moeten sluiten,' zei hij altijd, 'maar ik heb geen andere keus. Ze mag niet zomaar slaan of spullen kapotmaken.'

Karen had een hoekje in de huiskamer gekregen: Peter had een scheidingswandje met een deur gemaakt zodat ze haar eigen kamer zou hebben, wat een vereiste was wilde je een pleegkind in huis nemen. Door het dunne schotje heen hoorden we Karen gillen en tekeergaan en dingen stukgooien, totdat ze uiteindelijk in snikken uitbarstte en onbedaarlijk bleef huilen. Het lukte me altijd om Peter de sleutel van de kamer te ontfutselen omdat ik dat verdriet niet kon verdragen, en dan zei hij dat ik te lief voor haar was en dat ze het zo nooit zou afleren.

En als ik eenmaal in Karens kamer was, deed ik altijd wat nodig was om haar aan het lachen te maken: of het nou een poppenspel was met onthoofde barbies (tijdens haar buien rukte ze altijd hun hoofd eraf) of dat ik haar op haar buik en in haar oksels kietelde. Al snel deden we spelletjes. Soms speelden we Koninginnetje en om haar een plezier te doen was ik altijd de prinses. Dan mocht Karen de kartonnen kroon van Burger King op haar hoofd zetten en met de paars met witte pompon zwaaien en dan moest ik op haar bevel van alles komen brengen. Na een poosje kwam Peter binnen om te zeggen dat Karen wel lang genoeg in haar kamer had gezeten, en dan liepen we weer hand in hand met hem naar buiten. Vaak gaf ze hem de Burger King-kroon, dan moest hij van haar de koning spelen en ons bevelen geven.

Inès' fluorescerend oranje helm was maar net iets te groot voor mijn hoofd. De eerste keer dat ik hem van Peter mocht opzetten, werd Karen jaloers en begon stennis te trappen. Maar Peter hield voet bij stuk en zei dat ze veel te jong was om achter op de motor te mogen, en bovendien was er geen helm die klein genoeg was voor haar hoofd. Ik voelde een golf van triomf door me heen gaan toen hij dat zei. Laat Karen maar in de tuin bij mama, dan kon ik fijn achter op de motor. Laat Karen zich maar eens een keer rot voelen; ik voelde me elke keer rot als ik naar huis moest en zij daar mocht blijven. Ik voelde me rot omdat zij zich helemaal vies mocht maken in de tuin terwijl ik mijn kleren zo netjes moest houden van papa. Ik voelde me rot omdat het net was alsof zij de dochter van Peter en Inès was en de zus van Miguel en Ricky, en ik alleen maar dat ene meisje dat twee keer per week kwam spelen, al had Peter gezegd dat hij meer van mij hield dan van haar maar dat ik dat nooit tegen haar mocht zeggen.

Ik deed altijd heel gewichtig over die helm, dat hij zo mooi was en wel op een kroon leek, met zijn glanzende oranje kleur waarin het licht als suikerkristalletjes werd weerspiegeld en met zijn Pegasus- en regenboogstickers. Maar eerlijk gezegd verafschuwde ik dat ding en reed ik het liefst zonder mee op de motor, zodat ik de wind door mijn haar voelde waaien. Mijn moeder was eerst als de dood dat ik van de motor zou vallen, totdat Peter haar de helm liet zien en haar verzekerde dat mijn hoofd goed beschermd was. Bovendien zou dat nooit gebeuren want hij reed al dertig jaar motor. 'Maar één blokje om, toe,' bleef ik zeggen, en uiteindelijk gaf ze toe. Ze stond op de stoep terwijl ik voor het eerst achter op het zadel van de Suzuki klom, en gaf me allerlei waarschuwingen mee als 'leun niet te ver opzij' en 'hou je steeds heel goed aan Peter vast'.

Peter leerde me hoe ik met hem moest mee overhellen in de bocht terwijl ik mijn armen stijf om zijn middel hield geslagen, en nooit verder opzij te leunen dan hij. Bij dat eerste blokje om hoefde ik natuurlijk nog niets te leren, dat kwam pas later, toen we allerlei ingewikkelde manoeuvres met de motor moesten uithalen in complexere verkeerssituaties. Zo stuurde ik een beetje mee en ik was apetrots als Peter zei dat ik de perfecte passagier was.

Mijn haar groeide en begin augustus hing het al tot enkele centimeters over mijn schouders. Dat betekende dat papa al enige tijd geen aandacht aan me had besteed; jarenlang had hij immers volgehouden dat het niet tot over mijn schouders mocht komen. Telkens als hij zag dat het langer werd, nam hij me meteen mee naar de kapper om het in een korte bob-lijn te laten knippen die volgens hem heel goed bij kleine meisjes paste. Maar dat was een leugen. De meeste meisjes bij mij in de klas hadden haar tot halverwege hun rug. Meisjes konden hun sociale status bevestigen door elke dag met een nieuw kapsel te komen, en mijn warrige, onhandelbare haarbos was het mikpunt van spot voor de meisjes die met fraaie, ingenieuze vlechtjes en krullen naar school kwamen, met schattige hele en halve paardenstaarten of hippe dubbele knotjes. Op een dag deed ik mijn beklag hierover tegen Peter – ik vertelde dat ik het komende schooljaar met afschuw tegemoet zag omdat iedereen me weer zou uitlachen – en hij beloofde me dat hij een kam voor me zou zoeken waarmee hij de klitten zonder een centje pijn uit mijn haar kon krijgen.

De eerste keer dat Peter me die magische paarse kam liet zien, die hij voor een paar kwartjes op de vlooienmarkt op de kop had getikt, was ik gefascineerd. De kam was zo anders dan alle andere kammen die ik ooit had gezien, met twee rijen tanden die naar binnen stonden gebogen. Peter zou aan de puntjes beginnen, zei hij, en dan langzaam naar de haarwortels toewerken. Mijn haar zat zo in de klit dat ik een uur stil moest blijven zitten voor hij het had uitgekamd. Toch was het stukken minder erg dan ik had gedacht omdat we ondertussen over 'Gevaartijger' konden babbelen. We lasten ook kleine pauzes in om volkorenkoekjes met chocola en rozijnen te eten.

Mama keek toe hoe Peter mijn haar kamde en kon er maar niet over uit dat hij erin slaagde mij zo lang stil te laten zitten. Toen hij klaar was, zette hij mijn haar met twee gele klemmetjes vast, aan elke kant een.

'Ga maar in de spiegel kijken, schatje,' zei hij, en ik rende meteen naar de voorkamer om mezelf in de lange passpiegel naast de voordeur te bekijken.

Er zaten gebeeldhouwde vogeltjes in de houten sierlijst. Doordat Peter de lijst met goudverf had bespoten, deed hij nog ouderwetser aan. Ik stond voor de spiegel en voelde aan mijn glanzende haar. Peter kwam achter me staan en legde zijn handen op mijn schouders.

'Ik zal er vlechtjes in maken, net als bij Karen,' zei hij. 'Je haar is er nu lang genoeg voor.'

'Wat vind jij me het mooist staan, Peter, lang of kort haar?'

'Het maakt mij eigenlijk niet echt uit, schat. Maar ik vind bij kleine meisjes lang haar wel het mooiste.'

We bleven elkaar een poosje in de spiegel aankijken, wel een volle minuut; Peter zat op zijn knieën zodat we op gelijke ooghoogte waren.

Een paar dagen later, toen we thuis aan de eettafel zaten, zag ik dat papa me met samengeknepen ogen zat te bekijken. Hij had een vreemde blik in zijn ogen.

'Je haar is gegroeid,' zei hij afgemeten. 'Dat zie ik nu pas.'

Ik schoof onrustig op mijn stoel heen en weer. 'Het was ook al best wel lang in Puerto Rico.'

'Toen heeft mijn zusje er wat aan gedaan, iets wat je moeder nooit zou doen. Maar ik zie dat iemand anders het heeft uitgekamd. Draai je eens om.'

Ik keerde me met tegenzin om. Hij knikte en wendde zich tot mijn moeder. 'Heb jij haar haar gekamd?' Hij nam een slok bier en sneed zijn gevulde paprika doormidden.

Mijn moeder slikte een hapje eten door. 'Nou, ze hebben daar tegenwoordig een nieuw soort kam voor.'

'Een nieuw soort kam?' Hij trok zijn wenkbrauwen op. 'Een of andere nieuwe uitvinding?'

'Op de vlooienmarkt verkopen ze allerlei soorten...'

'Koop jij spullen op die smerige vlooienmarkt?'

'Nou, nee...' zei ze, en klemde haar blikje 7-Up in haar hand zonder ervan te drinken. Ik was opgehouden met eten.

'Ik geef je genoeg geld om goeie spullen te kopen. Dat moet je niet uitgeven aan tweedehands rotzooi. Ik geef je geen geld om kammen te kopen waar een vreemde zijn haar mee heeft gekamd. Misschien heeft mijn dochter nu wel hoofdluis. Neten!' Papa was de enige die nog at; hij at door terwijl hij op antwoord zat te wachten.

'Het was een schone kam, hij was goed gewassen. Bovendien heb ik die kam niet zelf gekocht: Peter heeft hem gevonden. Hij kostte maar een kwartje en dat was een koopje. Hij was schoon en hij was prima in orde en Peter heeft hem nog eens heel goed gewassen voor hij hem gebruikte.'

Ik weet niet waarom, maar ik werd misselijk toen ze zei dat de kam al schoongemaakt was.

'Wie heeft haar haar gekamd? Was het zijn vrouw soms? Wacht, ze zijn niet eens getrouwd. Oké dan, de vrouw met wie hij hokt. Heeft dat hippiemens jouw dochters haar gekamd? Ik vraag dat speciaal omdat jij helemaal niks kan. Je kunt niet eens je dochters haar kammen. Ik moet het wel steeds kort laten knippen omdat ze er anders bij loopt alsof haar haar door de ratten is aangevreten. Ik moet het wel bijhouden want niemand anders doet het. Vertel op: heeft dat hippiemens haar haar gekamd? Vraag haar of ze hier ook een keer kan komen koken. Denk je dat ze hier een avond kan langskomen om een paar karbonaden voor me te bakken?'

'Ik heb een hekel aan sarcasme. Ik wil best wel koken, maar dat mag ik nooit van jou.'

'En het huis in de fik steken? Ik ben hier degene die kookt. Ik ben hier degene die schoonmaakt. Ik doe het hele huishouden. Ik doe alles en jij doet niks. Ik ben jullie huisslaaf.'

'Ik kan dit niet meer hóren,' mompelde mijn moeder.

'Wat zei je daar?'

'Niets. In elk geval heeft Inès haar haar niet gekamd, maar Peter. En dat heeft hij hartstikke goed gedaan: alle klitten zijn eruit.'

'Heb jij die vent aan het haar van je dochter laten zitten?' En toen met luidere stem: 'Heb jij díé vent aan het haar van je dochter laten zitten?'

'Ja, wat is daar mis mee?'

Papa was even stil, en toen zei hij: 'Ik moet die man ontmoeten, die man die zich zo uitslooft!'

'Hij slooft zich niet uit. Margaux brengt de meeste tijd door met de twee jongens en dat kleine meisje.'

'Welk meisje?'

'Ze hebben nu een klein meisje, Karen.'

'Dat hadden ze eerst niet.'

'Het is een pleegkindje. Ik vind het echt fantastisch als mensen zich over kinderen uit probleemgezinnen ontfermen.'

'Hoezo probleemgezin? Wat voor problemen waren er dan?'

'Haar moeder was een drugsverslaafde. De arme ziel.'

'Mijn dochter gaat om met mensen uit probleemgezinnen.'

'Peters gezin is niet problematisch: het is een fijn gezin.'

'Ze zijn niet eens getrouwd!'

'Nou en? Het is nog altijd een heel fijn gezin.'

'Wat voor waarden probeer jij je dochter eigenlijk bij te brengen?' Papa sloeg zijn armen over elkaar.

'Ik heb geen zin om hierop in te gaan.'

'Kijk eens aan...' Papa zweeg even. 'Mag ze daar ook van jou onder de douche? Als ze smerig wordt, laat jij haar daar dan in bad gaan?'

'Nee.'

'Ze kan van alles oplopen.'

'Ik zei toch van niet?'

'Ik wil die man een keer zien, hoor je me? Ik wil graag kennis met hem maken en ook met die vrouw. Zeg maar dat ze naar Benihana moeten komen.'

'Benihana? Dat kunnen ze helemaal niet betalen. Je zult een goedkoper restaurant moeten uitzoeken, iets wat ze zich wel kunnen veroorloven. Het is niet makkelijk om drie kinderen te onderhouden. Ze hebben het niet breed, integendeel.'

'Nou, zeg ze dan maar dat ik ze uitnodig. Ik betaal wel voor hen allebei. Ik kan het me wél veroorloven.'

De volgende dag, donderdag, kwam papa thuis uit zijn werk en zei dat we een eindje gingen wandelen. Ik vroeg waar we heen gingen, en hij zei dat we een ijsje gingen kopen. Na twee straten merkte ik al dat hij had gelogen: ijssalon Carvel zat op de hoek van Thirty-eighth en Bergenline Avenue, en wij zaten al op Thirty-ninth en Hudson Avenue. Papa was normaliter allang een zijstraat in gedoken om Bergenline te vermijden, omdat hij liever in die saaie zijstraatjes wandelde. En hij wilde onder geen beding langs Union Hill High School lopen: volgens hem klonterden alle wilden daar samen.

'Waar gaan we naartoe, papa?'

Hij aarzelde even. 'Naar de kapper.'

Ik bleef stokstijf staan, midden op de stoep, maar hij trok me mee aan mijn arm.

'Kom op.'

'Maar mijn haar zit niet meer in de klit!'

'Gedraag je. Na afloop krijg je een ijsje van me. En een speelgoedje. Kom mee.'

'Nee! Ik wil niet mee!'

Hij trok nog harder aan mijn arm. 'Kom op nou!'

'Nee! Laat ze alsjeblieft mijn haar niet meer afknippen!'

'Je maakt het me expres moeilijk. Je wilt me voor joker zetten,' zei hij met een lage stem. 'Ten overstaan van iedereen zodat ze over me gaan roddelen. Zie je niet dat iedereen al naar ons staat te kijken?'

Ik was inmiddels door het dolle heen, ik huilde en smeekte en stampvoette op het betonnen trottoir.

Hij wees naar een paar tieners die net langs Union Hill High liepen. 'Moet je eens zien hoe ze naar je kijken!'

We stonden voor het gebouw vanaf waar ik het uithangbord van de kapper aan de overkant op Hudson Avenue al kon zien. Ik overwoog even om in papa's hand te bijten en in één ruk door naar Peters huis te rennen, maar ik wist dat papa sneller was dan ik.

'Waarom doe je me dit aan?' schreeuwde ik. 'Waarom? Waarom doe je dit?'

Hij liet mijn hand los en keek me recht aan. 'Jij... Jij... Ik schaam me rot dat mensen ons zo kunnen zien. Laat ze maar praten, het gaat toch over jou. Laat ze maar lachen, jij bent degene die ze uitlachen. Mij niet. Jij zet jezelf voor aap hier midden op straat. Ik zie nu in welke invloed dat gezin op jou heeft. Je komt al een jaar bij die mensen over de vloer en dat doet jouw temperament geen goed. Je begint je tegen me af te zetten. Zeg eens,'– en hij tilde mijn kin op – 'wat gebeurt daar precies? Als je niet eens naar mij, je eigen vader, wilt luisteren, dan zul je daar spijt van krijgen. Ik zorg ervoor dat je er spijt van krijgt. Je zult pas echt reden hebben om te huilen als ik je verbied nog langer naar dat volk toe te gaan. Ik weet dat je er flink om zult grienen want dat gezin is het enige wat jou interesseert. Je bent dus gewaarschuwd.'

Ik begon weer te lopen, en hij pakte mijn hand.

'Goed zo,' zei hij.

Terwijl we op een kapster wachtten, bladerden we geen van beiden door de tijdschriften die slordig over het tafeltje lagen verspreid. Papa hield mijn hand stijf vast, zijn been wipte op en neer. Eerst durfde ik niet tegen hem te praten, maar uiteindelijk vroeg ik heel zacht: 'Papa, hoeft er niet te veel af, alsjeblieft?'

'Ik zeg wel dat ze alleen de puntjes moeten bijknippen. Je hebt gespleten haarpunten, en die moeten er echt af.'

'Alleen maar een heel klein stukje? Beloof je dat?'

'Ik beloof niets. Deze kapsters verstaan hun vak en ze weten precies wat ze moeten doen. Ik ben een man: wat weet ik nou van kapsalons? Ik laat het aan hun eigen beoordelingsvermogen over.'

'Maar je had beloofd te zeggen dat ze maar een heel klein stukje mogen afknippen! Nu zeg je iets heel anders!'

'Begin nou niet weer,' zei hij en kneep in mijn hand. 'Zet me niet voor schut, ik waarschuw je.'

Ik hield mijn mond totdat hij niet meer in mijn hand kneep. 'Oké dan. Maar ik moet je echt iets vertellen: het nieuwe schooljaar begint gauw en alle meisjes hebben lang haar. Ik ben de enige die het kort heeft en daar lachen ze me om uit. Als je zegt dat ze al mijn haar moeten afknippen, dan ga ik, ik bedoel, dan...' Ik schraapte mijn keel en probeerde mijn tranen weg te slikken. 'Ik heb geen zin in een rotjaar, papa. Het is moeilijk als je er zo anders uitziet dan de rest. Ik wil er gewoon net zo uitzien als de andere meisjes. Ik moet wel op ze lijken, anders lachen ze me uit. Dan noemen ze me een freak en een lelijkerd.'

Hij antwoordde niet.

'Heb je gehoord wat ik zei, papa?'

Hij zei nog steeds niets.

'Het wordt een rotjaar, papa.'

'Ik zeg dat ze een klein stukje moeten afknippen. De puntjes dan, als je daar tevreden mee bent, oké?' Hij kneep weer in mijn hand maar deze keer op een lieve manier, en ik was opgelucht.

Een van de kapsters, met lange witte nagels en een opgeklopt permanentje, deed me een schort voor en nam me mee naar de shampooruimte, waar ik in een leren ligstoel moest plaatsnemen zodat mijn haar achterover in de kom met lauwwarm water lag. Na de shampoobeurt werd ik op de grote draaistoel gezet, tegenover een grote schoongezeemde spiegel. Ik zag flesjes haarspray, mooie kammetjes en allerlei borstels en haardrogers. Vidal Sassoon, Aqua Net. Papa sprak in het Spaans met de kapster.

'Wat zei je tegen haar, papa?'

'Alleen de gespleten punten. En blijf nu stilzitten; je kunt maar beter even je ogen dichtdoen. Soms schieten ze uit met de schaar en ik wil niet dat je een verkeerde beweging maakt zodat ze je ogen uitsteken.'

Ik hield mijn ogen open. Maar toen de haartjes van mijn pony in mijn ogen begonnen te vallen, legde hij gewoon zijn hand eroverheen.

Ik voelde het gekriebel van de korte, weerbarstige haartjes op mijn wangen. Ik voelde hoe ze mijn hoofd naar links en naar rechts draaide en dat ze mijn kin vasthield. Ik voelde de randen van haar lange nagels en haar zachte vingertoppen. Ik voelde het kappersschort van stijf weefsel te strak om mijn hals zitten.

'Blijf stilzitten! Wil je soms een prik van die schaar? Alles gaat goed. Zit stil.'

'Oké, klaar.'

Het eerste wat ik zag was mijn pony. En daarna zag ik dat mijn haar tot boven mijn oren was afgeknipt. Ik begon te gillen.

'Ssst. Hou op, gedraag je!' Hij legde zijn hand op mijn mond en mijn tanden drukten tegen zijn vingers. 'Je ziet er prima uit. Ik ben trots op je. Dit kapsel staat je goed. Pixiestijl, noemen ze het, en het is heel erg in de mode. Je hebt het gezicht van een mannequin, je kunt dit echt goed hebben. Heel veel Hollywood-meisjes dragen hun haar zo, en in Parijs lopen alle meisjes er zo bij.'

'Je hebt tegen me gelogen,' zei ik. De kapster hield een spiegel op zodat ik de achterkant kon zien, ging met haar vingers door mijn haar en forceerde een al te opgewekte glimlach.

'Zo, en nu gaan we een ijsje eten. Misschien kunnen we even naar Woolworth's om iets leuks voor je te kopen. Kleurboeken of zo.'

'Je hebt tegen me gelogen! Je hebt haar verteld er veel meer van af te knippen dan je had beloofd!'

'Je zet me voor schut. We hebben het er straks wel over, als we alleen zijn. Kom, we gaan.'

Buiten op straat brandde het zonlicht in mijn nek. Er kriebelden nog steeds afgeknipte haartjes op mijn rug. 'Ik lijk wel een jongetje! Moet je eens kijken hoe ik eruit zie! Geen gezicht!'

'Het is de schuld van die stomme meid. Ik had haar nog gezegd om maar een heel klein stukje af te knippen. Maar die meiden doen toch wat ze zelf willen. Ik heb haar mooi geen fooi gegeven.'

'Je gaf haar drie dollar!'

'Ja, en normaal geef ik er vijf. Eerlijk gezegd ga ik daarom zelf liever naar een echt ervaren kapper. Die jonge meiden rotzooien maar wat aan.'

'Je hebt met haar in het Spaans gesproken zodat ik het niet begreep! Ik ben niet gek!' gilde ik. 'Je doet het erom, zodat ze me op school uitlachen! Je wilt dat ik er net zo stom uitzie als een jongetje! Je wilt mijn leven verpesten! Ik haat je! Ik haat je!'

'Je haat me. Nou, goed dan. Dat moet dan maar. Misschien moet je maar niet meer zo vaak naar die mensen toe gaan. Als je met dat soort wilden omgaat, is het onvermijdelijk dat je daar opstandig van wordt.'

'O nee! Dat moet je echt niet wagen!'

'Je haat me. Zo staan we er dus voor. Jij haat mij, nou, als dat zo is, dan haat ik jou ook. Want dat kan ik ook, hoor! Kom op, we gaan.'

'Het kan me niet schelen of je me haat! Het kan me niet schelen wat jij vindt!'

'Je gedraagt je als een beest. Een wild beest. Je hebt geen greintje beschaving. Geen wonder dat ze je uitlachen! Kom op, we gaan. Het ligt niet aan je haar, het ligt aan jou! Ik was altijd al bang dat het slecht met je zou aflopen omdat je door die zieke vrouw wordt opgevoed, en ik blijk gelijk te krijgen. Je bent een slecht kind. Kom, pak mijn hand.'

'Nee!'

'Pak mijn hand, nu!'

Toen Peter mijn haar zag, kreeg hij tranen in zijn ogen en ik kon zien dat hij verdrietig werd van mijn nieuwe uiterlijk.

Wat later, toen mijn moeder naar het winkelcentrum was gegaan en Karen op de grond zat te spelen met de poppetjes die hij voor haar op de vlooienmarkt had gekocht, zei hij: 'Ik kan niet geloven dat je vader je dit heeft aangedaan. Dit is kindermishandeling!'

Karen keek op. 'Ik heb lang haar,' zei ze.

Peter negeerde haar. 'Hij heeft niet het recht je haar zo kort te laten knippen. Je bent zijn bezit niet! Niemand heeft het recht om over jouw uiterlijk te beslissen.'

8

'Alleen als je zelf ook wilt'

Karen ging nu naar groep drie en ik naar groep vijf. In tegenstelling tot de rest vond ik opstellen maken hartstikke leuk; het leverde me zelfs een ereteken op, dat ik met trots op mijn revers speldde. Aangemoedigd door Peter schreef ik in oktober mijn eerste verhaal in een schrijfblok met lijntjespapier. 'Er waren eens een kat en een hond die beste vriendjes waren. Ze woonden samen in een huis waar een heleboel meubeltjes in stonden. Op een dag maakte de hond er een bende van en haalde alles overhoop. Hij krabde overal aan en beet alles stuk. Maar later die avond kwam Kitty vegen en stoffen en dweilen. Toen alle rommel was opgeruimd, waren ze weer allemaal vrolijk. Einde.'

Ik bleef schrijven, maar nu had ik publiek. Peter verzamelde de losse vellen papier en bewaarde die zorgvuldig in een map die hij *Margaux' Verhalen* noemde. Hij stopte ze in de zwarte doos met de gebroken deksel, tezamen met twee dikke fotoalbums waarop hij *Margaux: foto's* had geschreven en nog een ander album getiteld *Margaux' Kunst*, dat vol zat met tekeningen die ik had gemaakt. Ik was geen uitblinker op tekengebied, maar Peter leek te denken dat alles wat ik maakte een meesterwerk was. Er zat bijvoorbeeld een tekening in die ik voor zijn vaderdag had gemaakt, van een tijger en een arend (Peters favoriete dier) met een groot hart eromheen; onder dat hart had ik hun kinderen getekend, welpjes met vleugels. Op een keer haalde Peter die tekening uit het album, deed er een donkergouden lijst om en hing haar in zijn kamer aan de muur – hij zou daar de komende veertien jaar blijven hangen.

Soms lagen Peter en ik in de grote witte hangmat in de achtertuin, onder de hemelboom. De boom had zo'n dikke stam dat ik er met mama en Karen makkelijk in had gepast. Ik had nog nooit zo'n dikke boomstam gezien. Porridge en Peaches zaten dan in hun houten hok, met hun snoet tegen het kippengaas gedrukt nadat we hun jonge worteltjes en bruine konijnenkorrels hadden gegeven. Aan de andere kant van de tuin bloeiden de zonnebloemen die Inès had geplant, haar lievelingsbloemen volgens Peter. Peters eigen favoriet was de roos: de grote witte noemde hij bourbonrozen, de kleinere aan de voorkant van het huis waren ballerinarozen. Hij teelde ook roze viooltjes; roze was zijn lievelingskleur en volgens hem stonden viooltjes voor hoop.

Ik zei dat roze een meisjeskleur was, om hem te plagen, maar dat scheen hij niet erg te vinden: hij zei dat nooit iemand meisjes plaagde als ze van blauw hielden, dus waarom moest hij zich schamen dat hij roze een mooie kleur vond?

Karen kwam ook weleens bij ons in de hangmat liggen, en dan lieten we hem heen en weer schommelen totdat we bang waren dat hij zou vallen. Af en toe hadden we een gekke bui en dan kietelden we elkaar of probeerden elkaar eruit te duwen. Maar meestal lagen Peter en ik samen in de wiegende hangmat en snoven de geur van de bloemen en de koele donkere aarde op. Paws groef dan vlakbij een gat om in te kruipen. Toen ik Peter een keer vroeg waarom Paws van die kuilen maakte om in te liggen, zei hij dat Paws de koelte onder de warme aardlagen opzocht.

Sinds mijn haar was geknipt, had ik amper een woord met papa gewisseld; als hij even niet keek, spuugde ik stiekem het eten dat hij had gekookt in een papieren servetje om het later weg te kunnen gooien. Papa had kennelijk helemaal geen spijt van wat hij me had aangedaan. Zijn enige reactie was dat hij mij op zijn beurt negeerde en soms in derde persoon enkelvoud iets over mij schreeuwde; dan noemde hij me een beest en een duivel, en als hij geweten had dat ik me tegen hem zou keren, had hij niet zoveel tijd en geld en energie aan mij verspild. Toen hij op een dag weer zo tekeerging tijdens het eten, werd ik zo kwaad dat ik mijn bord stuksloeg en de gele rijst met kip en groene olijven in het rond vloog. Hij greep mijn arm beet en mijn moeder gilde: 'Blijf van haar af! Laat haar met rust!' Hij liet mijn arm los en gaf haar een harde duw tegen haar borst, zodat ze bijna achteroverviel. Toen hij zag dat ik een stap terug deed, zei hij: 'Lafaard die je bent, ren je voor me weg, lafaard?' Hij balde zijn vuisten en kwam op me af. Ik deinsde terug tot ik met mijn rug tegen de muur stond. Hij begon te lachen. 'Denk je dat ik je ga slaan? Ik raak jou niet aan. Je bent een lafaard. Ik ga je heus niet slaan! Kruip maar tegen de muur en ga maar grienen als een klein kindje!' Daarna liep hij naar boven, waar hij zich omkleedde om uit te gaan.

Het kon me niet meer schelen. Ik zou hem gewoon blijven negeren. Het interesseerde me niet eens meer als hij me wakker aantrof om een uur of drie 's nachts en ik beneden in de weer was met de schaar en lijm en met behulp van een balpen gaatjes in papier prikte. Het kon me niet meer schelen als hij me om drie uur 's nachts vuile blikken toewierp vanaf de trap; ik keek net zo vuil terug en dan liep hij zonder iets te zeggen weer naar boven.

Het kostte me twee weken om alle lieveheersbeestjes te tekenen, in te kleuren en papieren kleertjes voor ze te maken: jasjes, broekjes, jurkjes en truitjes. Ik had eerst kleine gaatjes in het papier gemaakt voor de pootjes en ze daarna afgewerkt met details als knopen op hun trui of stipjes op hun jurk. De lieveheersbeestjes hadden een naam en ze pasten allemaal in mijn verhaal. Er was maar één meisjeslieveheersbeestje, dat ik Mime had genoemd. Ik vond haar haar heel moeilijk: ik moest lange, héél dunne rechte strookjes papier knippen en die op haar kopje vastlijmen. En voor de baby's had ik kinderwagentjes gemaakt, die eruitzagen als piepkleine rollerskates met uitgeplozen draadjes die ik uit mijn moeders naaikist had gepakt om de wieltjes mee te versieren. Het tv-toestel had ik van een leeg rozijnendoosje gemaakt.

Toen ik de hele familie Lieveheersbeest aan Peter gaf, zei hij: 'Wauw!'

Nadat hij alles op de keukentafel had uitgestald, legde ik hem uit hoe hij heel voorzichtig de lieveheersbeestjes aan en uit kon kleden zonder dat ze scheurden. 'Wat mooi is dit! Maar liefje, wil je dit niet liever zelf houden om ermee te spelen als je alleen thuis bent? Het is veel te mooi voor mij. Ik ben volwassen en beleef er minder plezier aan dan jij.'

'Wil je ze niet hebben?'

'Nee, dat is het niet, maar gewoon... Misschien speel jij er liever zelf mee. Op jouw leeftijd is dat leuker dan wanneer je zo oud bent als ik.'

'Ze zijn voor jou! Ik heb ze voor jou gemaakt!'

'Nou, goed, ik wil ze heel graag hebben hoor.'

'Als jij ze niet wilt, gooi ik ze weg.'

'Nee, nee, ik zal er graag mee spelen,' zei Peter. 'Als jij er niet bent en ik je heel erg mis, bijvoorbeeld.'

'Weet je het zeker?'

'Ja, dat weet ik heel zeker. Dus leg me maar uit hoe ik het

best voor ze kan zorgen en hoe ze heten. Dan kunnen Karen en ik er samen mee spelen.'

'Nee, niet met Karen! Die doet nooit voorzichtig en maakt alles kapot!'

'Daar heb je gelijk in. Karen bedoelt het niet zo, maar ze maakt ze vast stuk.'

Peter borg de speelset op in de zwarte doos met de kapotte deksel, waarin hij de rest van 'mijn dingetjes' bewaarde. Ze hadden daar voor altijd in kunnen blijven zitten, in die doos, en geel kunnen worden van ouderdom – net als de ingelijste tekening van de tijger en de arend – als Karen niet op een avond in die doos was gedoken en alle lieveheersbeestjes en hun accessoires had verscheurd. Toen Peter het me vertelde, stonden de tranen in zijn ogen.

'Het spijt me echt, liefje. Inès en ik lagen te slapen.'

'Heb je haar straf gegeven?'

'Ja, ik heb haar een pak voor haar broek gegeven. Ik hou er niet van om kinderen te slaan en ik geloof er ook niet in, maar Karen heeft echt een nare streek uitgehaald. Jij hebt zoveel tijd aan die lieveheersbeestjes besteed, dus ik heb haar tikken gegeven en ze moest voor straf de hele dag in haar kamer blijven. Ze heeft daar aan één stuk door zitten huilen, maar ze mocht er niet uit.'

Van mijn moeder mocht ik inmiddels bij Peter achter op de motor helemaal naar Hudson Park. Als we in het bos waren aangekomen dat rondom het grote meer lag, keek Peter eerst of niemand ons in de gaten had, en vroeg dan om een viskusje. Bij een viskusje moest je je lippen tuiten, net als die zoenvissen in de dierenwinkel. Viskusjes waren niet zo vies als die andere kussen, omdat hij daarbij mijn mond nauwelijks aanraakte. Ik was ondertussen wel gewend aan de meeste soorten kussen, en de enige die ik echt niet leuk vond was de kus met de Bazooka Joe-kauwgum. De Bazooka-kus was zeldzaam: we deden het ook nooit en plein public omdat hij zo lang duurde. Peter rekende de Bazooka af, we lazen de cartoon op de wikkel en dan kauwde ik op de harde gom tot hij zacht was. Die gaf ik dan door aan Peter en daarna gaf Peter hem weer aan me terug. Onze tongen raakten elkaar dan altijd aan, wat aanvoelde alsof er een vis in mijn mond zat te spartelen. Elke nieuwe vorm van kussen vond ik eerst vies, maar dat gevoel verdween net zo snel als het was opgekomen. En als dat gevoel verdween, was ik de rest van de dag ook niet in staat veel te voelen, en de daaropvolgende dagen evenmin meer. Papa zei onlangs nog tegen me dat ik koud en harteloos was geworden, net als 'die teef uit Connecticut', en ik vroeg me af of hij daar niet gewoon gelijk in had.

Ik zou dit jaar voor het eerst op communie gaan, vertelde ik tegen Peter toen we door Hudson Park wandelden om de boomkruinen van kleur te zien veranderen. Ik kon niet wachten om het lichaam van Christus te ontvangen en deel van God te worden. Sommige kinderen begrepen niet wat de communie inhoudt; ze vonden het hele idee afstotelijk en ze vroegen zich zelfs af waarom ze niet op de hostie mochten kauwen.

'Stelletje stommelingen,' zei ik en trok een groen-bruin blaadje van een plataan. 'Ze denken dat ze zomaar in een hostie mogen bijten alsof het snoepgoed is of zo. Dat ene vreselijke joch bij mij in de klas heeft zelfs gezegd dat hij er expres in gaat bijten. Maar de meisjes zijn nog stommer dan de jongens. Soms worden er films vertoond waarin Jezus doodgaat aan het kruis en dan zit dat stel stomme meiden al met hun zakdoekjes klaar. En als Jezus aan het kruis wordt vastgespijkerd, gaan ze allemaal in hun ogen wrijven alsof ze er echt om moeten huilen.'

'Je moeder vroeg zich af of ik in een vorig leven Jezus was; dat zei ze laatst tegen me.'

'Dat weet ik, dat zegt ze altijd.'

We gingen onder een treurwilg zitten en Peter sloeg zijn arm om mijn schouders. De lucht was hier zo lekker zoet, heel anders dan in de stad.

'Zeg, ik ben binnenkort jarig. Ik weet dat je geen geld hebt, dus maak je maar geen zorgen dat je een cadeautje moet kopen. Had je al bedacht wat je me wilde geven?'

'Volgens mij is het niet goed om vooraf over cadeautjes te praten,' zei ik, en dacht ondertussen over de nieuwe speelset met lieveheersbeestjes waar ik thuis mee bezig was. 'Dat bederft de verrassing toch?'

'Klopt. Maar zal ik je een hint geven wat ik graag zou willen hebben?'

'Mij best. Maar ik had zelf ook al plannetjes, weet je? Dus als het niet precies is wat je in gedachten had, wees dan niet teleurgesteld.'

'Natuurlijk niet. Hoe zou jij me ooit kunnen teleurstellen, liefje?' Hij stak een sigaret op. Als mijn moeder er niet bij was, rookte hij altijd veel meer. 'Goed, ik geef je een eerste aanwijzing: het kost niets.'

'Oké, gratis. Volgende hint.'

'Nou... het is iets wat ik al een hele tijd wil. Het is heel bijzonder en heel fijn. Het is iets voor mensen die van elkaar houden, zoals jij van mij houdt, mensen die ooit op een dag gaan trouwen, iets wat ze doen om te laten zien dat ze van elkaar houden.'

'Peter, ga je me nu weer dat ene ding vragen?' zei ik. Het leek me makkelijker om het gewoon te zeggen om ervan af te zijn.

'Alleen als jij het zelf ook wilt en als jij er klaar voor bent.'

'Ik moet erover nadenken, Peter, of ik daar wel aan toe ben.'

'Ik forceer niets. Alleen als jij het zelf ook wilt, liefje. Niets moet.'

9

'Er is niets verkeerds aan om van je te houden'

Peter zou de volgende dag jarig zijn. Midden in de nacht scheurde ik per ongeluk een lieveheersbeestje in tweeën toen ik probeerde hem een trui aan te trekken. Ik zou deze nieuwe set nooit meer op tijd klaarkrijgen! Ik maaide al mijn kersvers gecreëerde lieveheersbeestjes met één armzwaai van tafel en sloeg met mijn vuisten op het tafelblad. Opeens voelde ik iets achter me en draaide me om. Daar stond papa, in zijn witte hemd en onderbroek.

'Wat spook jij hier uit? Wat is dat voor lawaai? Moet je die vloer eens zien! Wat is dit voor herrie in het holst van de nacht? Ik moet morgenochtend vroeg naar mijn werk, snap je dat niet? Beest dat je bent. Sta op! Kom die stoel uit!'

'Nee!'

'Sta op zodat ik de boel kan aanvegen! Kijk eens wat je hebt gedaan! Ben je nou tevreden? Sta op!'

'Nee! Laat mijn arm los!'

'Ik moet deze rotzooi opruimen! Moet je eens kijken! Wat is dat allemaal voor papier?'

'Dat zijn mijn lieveheersbeestjes!'

Hij keek naar het lieveheersbeestjeshuisje en toen naar de vloer. 'Waarom liggen ze op de grond? Wat is er gebeurd?'

'Veeg maar op! Toe dan! Veeg maar op, gooi ze weg, het kan me niets meer schelen!'

'Raap ze zelf op! Ik hoef jouw rotzooi niet op te ruimen!

Raap het allemaal op en leg het weer terug!'

'Nee! Doe het zelf maar!'

'Ik moet morgen vroeg mijn bed uit, begrijp je dat niet? Ik moet werken! Ik werk goddomme tien uur per dag! Zes dagen per week! En niemand heeft er waardering voor! Het zijn allemaal bloedzuigers hier in mijn huis! Ze zitten boven op me als een stel parasieten! Ik sloof me uit om een hap eten op tafel te zetten en de rotzooi achter jullie kont op te ruimen! Het kost me mijn rug!' Terwijl hij liep te schreeuwen, pakte hij een stoffer en blik en veegde alle lieveheersbeestjes en hun accessoires op. Toen hij klaar was, plukte hij met een blik van afgrijzen de lieveheersbeestjes een voor een tussen de stofnesten en kruimels vandaan. Hij legde ze weer op tafel.

'Hier heb je je rotzooi. En waag het niet ze weer op de vloer te gooien. Ga eens wat voorzichtiger met je eigen spullen om. Als andermans eigendommen je niets kunnen schelen, pas dan tenminste op die van jezelf. Ik ben altijd heel voorzichtig met mijn eigen dingen, daarom gaan ze zo lang mee! Probeer je de volgende keer eens wat beter te beheersen! En nu ga ik terug naar bed! Ik moet werken, ja? Ik kan al zo moeilijk de slaap vatten. Schaam je je niet dat je mij zo uit mijn slaap houdt? Je bent een egoïstisch kreng en je leeft compleet in je eigen wereldje. Denk ook eens aan anderen in plaats van alleen aan jezelf, al is het maar voor één keer!' Hij liep de trap weer op en bleef me ondertussen strak aanstaren.

Toen hij was verdwenen, stofte ik de lieveheersbeestjes af. Ik zocht naar een ander leeg melkpak om als huisje te kunnen gebruiken, en legde het in mijn speelgoedbox bij de rest van mijn spullen. Peter had gelijk. Ik kon de lieveheersbeestjes maar beter hier houden. Zo kon Karen ze tenminste niet meer stukmaken en bovendien was hij een volwassen man, en ik vroeg me af of hij er überhaupt wel mee zou spelen als ik er niet was.

Omdat Peters verjaardag op een woensdag viel, zouden we niet op onze vaste bezoekdag naar hem toe gaan. Ik zou dus eigenlijk blij moeten zijn dat ik hem deze week drie dagen zou zien en geen twee, maar in plaats daarvan werd ik wakker met verschrikkelijke buikpijn. Mama vond dat ik beter niet naar school kon en bracht me een kom kippensoep en gezouten crackers, en vroeg of we die middag wel naar Peter moesten gaan.

'Als je je niet lekker voelt, kunnen we beter niet gaan. Dat begrijp je toch wel?' zei mama. 'Peter zal het niet erg vinden. We kunnen het ook vrijdag vieren.'

'Volgens mij ben ik niet ziek, eerder heel erg ongerust.'

'Wat is er dan? Waar maak je je zorgen over?'

'Ik wil niet zonder cadeautje bij Peter aankomen. Maar we hebben geen geld. Had je papa niet om wat geld kunnen vragen? Je had toch wel kunnen uitleggen dat het voor Peters verjaardag is?'

'Je weet hoe je vader is. Hij heeft het niet zo op Peter voorzien. Misschien is hij wel een beetje jaloers.'

Ik snoof. 'Waarop?'

'Op de aandacht die Peter van jou krijgt. Je vader is een erg jaloerse man. Hij wil bij iedereen op de eerste plaats komen. Als hij in het café zit, geeft hij steeds rondjes om maar vooral populair te zijn. Zo zit je vader in elkaar.'

'Hij geeft niet om me. Heb je hem vannacht niet tegen me horen schreeuwen?'

'Ik lag te slapen. Door die slaappillen zit ik zo ongeveer in het dodenrijk. Hij heeft je toch niet geslagen?'

'Nee. Maar hij ging wel verschrikkelijk tekeer, en alleen maar omdat ik wat papier op de grond had laten vallen.'

'Papier? Op de grond? Hij zou 's nachts niet zo moeten rondspoken maar in zijn bed liggen, als een normaal mens. Hij zou net als ik iets kalmerends moeten slikken. Dat vind ik echt.' Ze zweeg even. 'Ben je daarom niet lekker? Ben je van streek omdat hij tegen je heeft geschreeuwd?'

'Nee! Hij loopt altijd te gillen. Dat kan me allang niets meer schelen.' Ik draaide me geërgerd om. 'Ik héb je al verteld wat er mis is.'

Even waren we stil, maar toen zei mama: 'Ik heb twintig dollar voor noodgevallen. Dat zou ik nu kunnen gebruiken, en dan verzinnen we straks wel een excuus. Goed?'

Ik aarzelde even. 'Ik weet niet wat Peter voor zijn verjaardag wil,' zei ik uiteindelijk. 'Ik weet niet wat mensen van die leeftijd leuk vinden. Misschien moeten we maar thuisblijven. Je zou hem kunnen bellen om te zeggen dat ik ziek ben.'

'Wil je dat? Ik kan hem nu meteen bellen, hoor.'

'Nee, wacht nog heel even. Kun jij niet iets bedenken? Iets wat hij heel graag zou willen hebben?'

'Wat dacht je van een mooie verjaarstaart? Hij is een echte zoetekauw. Dan gaan we naar patisserie Sugarman voor een mooie chocoladetaart met aardbeienvulling. En dan laten we er "Gefeliciteerd, Peter, veel liefs van ons" op spuiten met rode fondantletters.'

'Roze fondant! Peter houdt van roze.'

Mama schoot in de lach. 'Roze dan.'

Nadat we Peters verjaardag hadden gevierd, wilde Karen *E.T.* kijken, dus we gingen naar de huiskamer, waar Peter de video in het apparaat deed. Inès, Miguel en Ricky keken eerst mee, maar volgens mij alleen uit beleefdheid; ze glipten later een voor een weg. Karen lag op haar buik, met haar enkels gekruist, en ik lag een tijdje naast haar, tot ze een voet over de mijne legde. Mama zat op haar gebruikelijke rood-fluwelen stoel: ze was dol op *E.T.*

Peter gebaarde dat ik bij hem op de bank moest komen zitten, en ik kroop naast hem. Ik merkte dat de gevoelloosheid weer bezit van me nam, maar nu in combinatie met iets anders: een vorm van pure energie. Peter had gezegd dat ik naar hem moest knipogen, wat een code was om naar het souterrain te gaan. Maar ik was het verschil tussen knipogen en met je ogen knipperen vergeten. Ik hoorde een gedempt geneurie en keek naar de roodfluwelen gordijnen. Het geneurie leek daarvandaan te komen, of misschien wel van Peter. Ik moest aan de paarse kam denken, zonder te weten waarom. En daarna aan papa, de kappersschaar en dat hij had gezegd dat hij mij ook kon haten.

'Ik hoef dit gedeelte niet te zien, Peter, waar E.T. in een zak wordt gepropt. Ik weet nog dat ik daar in de bioscoop heel bang van werd.' Ik knipoogde naar hem omdat ik me opeens weer herinnerde hoe ik dat moest doen.

Peter vroeg of mama de film alleen met Karen wilde uitkijken, dan kon hij met mij de katten eten geven en wat met ze spelen.

'Ik wil met jullie mee!' riep Karen meteen, maar Peter zei: 'Ik wil niet dat je de trap af gaat, want jij breekt je nek op die treden.' Hij gaf mama de video van *Lady en de Vagebond*. 'Als ze geen zin meer heeft in *E.T.*, doe dan deze maar in het apparaat.' Karen pruilde maar Peter wierp haar een strenge 'begin nou niet weer'-blik toe, dus ze hield zich in. Het leek wel alsof ze beter luisterde sinds ze van hem een pak op haar broek had gekregen.

Ik liep als eerste de met een rode loper beklede trap af, en hield Peters hand vast. Toen we via het benedenhuis bij de houten deur kwamen, keek hij nogal nerveus. 'Weet je het wel zeker? Je moet alleen maar doen wat je zelf wilt. We kunnen nog teruggaan, hoor. We hoeven niet per se naar beneden.'

'Het is je verjaardag. Dit is mijn cadeau voor jou.'

Voor het eerst was ik niet bang om de grenenhouten trap af te gaan. Het was alsof alle gevoel uit me was verdwenen: alle angst, alle energie, alles. Peter bleef maar vragen of alles in orde was. Ik knikte. Zodra Peter het licht aandeed, sprongen de katten miauwend om eten uit alle hoeken tevoorschijn. Hij schudde wat brokjes uit een grote zak in hun stenen etensbakjes terwijl ik daar roerloos bleef staan, in afwachting van de tintelingen en prikkelingen als signaal dat mijn lichaam door slaap zou worden overmand.

Peter kwam voor me staan. 'Je bent heel mooi, weet je dat?'

Ik knikte, en keek naar de etende katten.

'Hou je van me?'

Ik knikte weer.

'Kun je het hardop zeggen?'

'Ik hou van je.'

'Je hebt het toch niet koud?'

Ik schudde mijn hoofd, al was het een beetje fris in het souterrain.

'Misschien kunnen we maar beter weer naar boven gaan,' zei Peter. 'Volgens mij ben je niet vrolijk. Je lacht helemaal niet.'

Ik trok mijn schouders op.

'Ik bedoel: je hoeft helemaal niets. Hier met jou samen zijn is al genoeg. Je moet niets doen wat je niet wilt.'

Ik zei nog altijd niets. Ik probeerde me te concentreren op vrolijk zijn en me ontspannen voelen.

'Wat ik wil zeggen: is er iets wat je zou willen doen? Iets in het bijzonder?'

'Zeg jij het maar. Ik doe alles wat je wilt. Het is jouw verjaardag en ik doe alles voor je.' Ik zweeg even. 'Gefeliciteerd met je verjaardag.'

Hij sloeg plotseling zijn armen om me heen, zo stevig dat het een beetje knelde. 'Ik hou zoveel van je, Margaux, je hebt geen idee. Margaux, Margaux. Ik ken niemand als jij. Helemaal niemand. Je bent voor mij gemaakt. Je bent mijn engelbewaarder. Mijn grote liefde. Er is niets verkeerds aan om van je te houden, niet als de liefde zo prachtig is. Het is niet verkeerd om van iemand te houden die zo mooi is. We zijn voor elkaar geschapen; trek je niets aan van wat anderen zeggen. Luister niet naar ze; wij zijn de enige twee die ertoe doen, jij en ik.'

Ik kuste hem en stak mijn tong in zijn mond. Zo bleven we een poosje kussend staan. Toen legde ik mijn hand op het kruis van zijn broek.

'Je bent toch niet bang voor me?'

Ik schudde mijn hoofd.

'Ik hou van je. Jij bent de enige voor mij, Margaux. Niemand kan me zo'n gevoel geven als jij. Ik hou onvoorwaardelijk van je. Je hebt heel veel, ongelooflijk veel macht over me en ik vertrouw je. Ik vertrouw je volkomen.'

Ik deed zijn broek naar beneden; hij leek verrast door dat plotselinge gebaar. Zijn penis zag er niet zo angstaanjagend en afstotelijk uit als eerst. Het was gewoon een natuurlijk deel van zijn lichaam, niets om je voor te schamen, dat wist ik inmiddels wel. Ik raakte hem daar aan en hij begon te zwellen. Peter had al gezegd dat ik daar niet van moest schrikken – het was een heel gewone reactie. De huid spande zich, de aderen tekenden zich scherper af; aderen die me aan de planten in het herbarium deden denken, maar dan blauw. De harige zak eronder scheen ook strakker te worden; ik nam die in mijn hand en kneep erin alsof het een puddinkje uit de koelkast was. Maar ik was gebiologeerd door dat andere ding, dat op magische wijze bleef groeien. Ik moest aan *Alice in Wonderland* denken en haar magische flesjes met toverelixers en magische snoepjes en paddenstoelen. Van sommige elixers werd ze groter, van andere weer kleiner. Ze kon krimpen tot ze net zo groot was als mijn pink of net zo groot worden als Godzilla of King Kong. Peters penis werd niet gereguleerd door snoepjes of paddenstoelen: ik begreep dat het door mij kwam. Ik wist inmiddels genoeg om te beseffen dat hij niet zou groeien als ik er niet bij zou zijn.

Ik keek naar het felle gloeilampje. Er kroop een vlieg overheen. 'Wil je dat ik je er een kusje op geef, Peter, als verjaarscadeau?'

'Dat zou ik heel fijn vinden, lieverd.'

Dus kuste ik hem op dat plekje waar dat oog wel op leek genaaid. Er was geen pies daar en er kwam ook geen druppel pies uit. Peter had me al verteld dat er geen pies uit zou komen als hij een stijve had. Er komt geen pies uit, zei ik tegen mezelf toen ik hem daar een paar kusjes gaf; geen pies, geen druppel. Geen bloed, geen druppel. Geen was of viezigheid, geen zweet. Er zou niets uit kunnen komen.

'Kun je er ook aan zuigen, net als aan een lolly?'

Een van de oude boeken uit mijn moeders kindertijd heette *Het grote sprookjesboek*, en ze had het aan mij gegeven. Ik moest denken aan een van de verhaaltjes die erin stonden, 'De eeuwige lolly'; het ging over een jongetje, Johnny, die aan een steeds groter wordende lolly sabbelde tot de lolly nog groter werd dan hijzelf. Toen de reuzenlolly net zo groot was als een verkeersbord werd hij gebruikt om de straat mee te versieren.

Ik zoog aan Peters penis en dacht ondertussen aan de verhaaltjes uit dat boek. Er stond er ook een in dat 'Stout muisje' heette. Stout muisje is het vriendje van het meisje Donnica: hij is lief maar kan het niet helpen dat hij ondeugend is en thuis zoveel dingen kapotmaakt. Daarom wil Donnica's moeder hem doodmaken: eerst door hem proberen te verdrinken in een kartonnen doos gevuld met water, maar de doos gaat stuk en hij zwemt naar buiten. Daarna probeert ze hem weg te laten vliegen op een hangglider. Ze bindt hem ergens buiten vast zodat de uilen hem kunnen opeten. Maar wat ze ook probeert om van hem af te komen, hij keert steeds terug. En na verloop van tijd besluit hij om zich voortaan te gedragen. Hij wordt gehoorzaam. Hij doet de afwas, zegt zijn gebedjes op. Misschien drinkt hij wel net als ik elke avond een glaasje melk voor het slapengaan voor de vitamine D, zoals mijn moeder me altijd liet doen. Ik wist niet zeker of ik een muis was die melk dronk uit het poezenkommetje op de vloer van het souterrain. Of dat ik een baby was die de fles kreeg of dat ik misschien wel boven met Karen een beker melk dronk met een paar Oreo's erbij. Was ik boven of beneden? Dat was het belangrijkste waar ik me op moest concentreren. Of ik boven was of beneden. Of ik in het appartement op Thirty-second Street woonde of in papa's nieuwe huis. Hoe oud ik was en welke dag van de week het was. Of ik Karen was die boven een glas melk dronk of Margaux in het souterrain die uit de poezenkom dronk. Opeens voelde ik me zo klein als een duimnagel. Toen besefte ik dat ik naar een duimnagel zat te kijken. Peters duimnagel. En toen merkte ik dat ik opkeek om Peters gezicht te kunnen zien. Zodra ik omhoogkeek, gaf hij me zacht een klopje op mijn hoofd.

'Ik hou van je,' zei hij. 'Ik hou zoveel van je, liefje, zoveel. Je moet nu stoppen, schat, echt.' Zijn stem klonk vreemd verstikt. 'Je bent zo mooi. Zo mooi en zo liefdevol; het was zo'n mooie avond. Dank je, dank je, schatje, dank je dat je zoveel van me houdt. Dank je dat je me neemt zoals ik ben.'

Hij glimlachte breed en trok snel zijn broek op. 'Dit is de mooiste verjaardag van mijn leven!'

'Nou, en nu moet je ook iets voor mij doen, Peter!' zei ik. Er klonk opeens veel branie door in mijn stem, net als bij die getapte meiden bij mij in de klas. 'Als ik jarig ben, wil ik een heel groot feest. Bij Burger King!' Ik sloeg mijn ogen neer en mompelde: 'Papa zegt altijd...'

'Laten we weer naar boven gaan,' zei Peter opeens nerveus. 'Voordat ze een zoekactie ondernemen! Maar vertel eens, wat zei je vader?'

'Dat ik nooit bij Burger King moest eten omdat ze hun hamburgers van koeienogen, tongen en botten maken die ze allemaal in een grote maalmachine gooien...'

Peter schudde zijn hoofd. 'Hij is gek.' We liepen naar de houten trap. 'Hou mijn hand vast, liefje, de trap is een beetje wankel.'

'Papa liegt sowieso,' zei ik met die andere stem.

'Zeg, over je vader en moeder gesproken...' Peter bleef staan, draaide zich op de trap om en keek me aan. Ik stond een trede onder hem. 'Je weet toch wel dat je hier nooit met hen over mag praten, hè?'

Ik rolde met mijn ogen en zwaaide met mijn vinger. 'Hoe vaak moet ik het je nog vertellen, Peter? Ik kan heel goed geheimpjes bewaren!'

'Het spijt me, liefje, alleen... niemand zal begrijpen op welke manier wij van elkaar houden. Ze zouden het ons verwijten. Ze zouden ons uit elkaar halen. Zeggen dat we ons walgelijk gedragen omdat we van elkaar houden.'

'Ik weet het, Peter, echt.'

'Ik zal je eens laten zien hoe ik mijn geheimen bewaar.' Hij nam mijn hand weer in de zijne. 'Ik maak een klein slotje, kijk.' Hij legde zijn pink op mijn mond alsof hij een slot dichtmaakte. 'En dan krijg jij de sleutel, zie je?' Hij legde de denkbeeldige sleutel in mijn linkerhand. 'En,' voegde hij eraan toe terwijl hij die hand pakte, 'zo berg je het geheim op. Zo, en nu doe ik de sleutel aan een kettinkje om je hals.' Hij deed net alsof hij het kettinkje dichtmaakte. 'Zolang je altijd die sleutel bij je houdt en ervoor zorgt dat niemand hem kan stelen, hoef je je nergens zorgen over te maken.'

Hij drukte een kus op mijn voorhoofd en zei: 'Ik verdedig die sleutel met mijn leven.'

Ik wreef met mijn neus tegen de zijne. 'Eskimokusje!' Hij lachte.

'Viskusje,' fluisterde ik en we tuitten onze lippen als de zoenvis voor een kus.

'Oké,' zei hij. 'We gaan nu naar boven, Vlindermeisje.'

'Waarom noem je me zo? Je hebt me nog nooit Vlindermeisje genoemd.'

'Omdat je als een vlindertje bent, je fladdert altijd heen en weer en je bent zo broos dat ik je nooit kwaad zou kunnen doen; ik zou je nooit pijn doen, zoals je vader. En ik zal nooit tegen je liegen of je het gevoel geven dat je je ergens voor moet schamen. Ik weet je cadeau op de juiste waarde te schatten, ik zal het koesteren. Soms word ik er gek van dat ik niet meteen met je kan trouwen, maar ik zal proberen geduld te hebben. Maar ooit zullen we trouwen, dat weet ik zeker; dat wordt geen grote bruiloft, denk ik, of je moet nog eens heel rijk worden. Ik weet namelijk zeker dat je vader het niet zal betalen,' grinnikte hij. 'Die vent is zo gierig. Kijk me eens aan. Kijk naar me. Laten we elkaar diep in de ogen kijken, heel even.' Ik keek naar hem en toen bekeek ik hem eens goed, onder het licht van het ene gloeilampje. Ik keek naar zijn lange, spitse neus waarvan hij ooit had gezegd dat hij hem niet mooi vond; naar zijn ogen die volgens hem babyblauw waren toen hij nog klein was maar die nu donkerder van kleur waren, meer aquamarijn; en naar zijn haar, ooit hoogblond, nu meer peper-en-zoutkleurig met zilveren strepen omdat hij tweeënvijftig was geworden.

Ik besefte alleen maar dat ik rende.

Toen ik bij de deur van het schuurtje kwam, de deur naar het konijnenhol, met de jager pal op mijn hielen, de deur naar het huisje van melkkarton, de deur waar het roodborstje uit Hudson Park in zat te pikken, was ik niet langer het konijn. Misschien was dat het moment waarop ik mijn gymschoen kwijtraakte en op mijn sok door de witte sneeuw sjokte. Misschien was dat het moment waarop zijn handen onder tafel naar me graaiden en ik met mijn voeten naar zijn handen trapte, naar hem gromde, hem haatte. Ik haatte hem om zijn geneurie. Omdat die blauwe muts hem stom stond en ik die muts haatte. Omdat hij joggingbroeken droeg en geen spijkerbroek. Omdat ik nu een tijger was en geen konijn.

'Ga weg, ga weg, jager, of ik vermoord je!'

'Je kunt nergens heen, konijntje, nergens... zonder je magische sneeuwschoen.'

En hij haalde mijn gymschoen van achter zijn rug tevoorschijn, en toen hield ik weer van hem, en barstte in tranen uit.

'Wees niet bang. Ik ga wel weg, goed?' zei hij.

'Nee, blijf bij me!' Ik kroop snel onder de tafel vandaan, stootte alweer mijn hoofd – deze keer deed het nog meer pijn – en klauwde naar zijn kleren. 'Laat me nóóit in de steek!'

Hij hield me vast. 'Waarom huil je, liefje? Het is maar een spel, schatje.'

Ik huilde omdat. Omdat ik hem haatte. Het deed me zoveel pijn dat ik net nog dacht dat ik hem had willen vermoorden. Ik had hem uiteen willen zien spatten in miljoenen blauwe mutsstukjes. Ik kon het hem niet vertellen, dat ik hem vanuit het diepst van mijn ziel haatte.

'Ik huil omdat ik net mijn hoofd heb gestoten. Dat deed zeer. En ik ben mijn schoen kwijtgeraakt en mijn ene voet is ijskoud. Kijk maar, het doet pijn.'

'Ach, schatje toch... Ik weet dat je pijn hebt. En ik zal je beter maken, ik ben de enige die dat kan. Hier heb ik je sok. Hij is nat, maar ik heb hem. Ik heb de schoen ook, er zit maar een klein beetje sneeuw in. Kijk, ik schud het er zo uit. Er is niets aan de hand, schatje, mijn liefste, mijn kleine meisje.'

'Het gaat niet weg. Dat droevige gevoel gaat niet weg.' En toen kwamen de kusjes. Op mijn haar. Op mijn gezicht.

Hij drukte een kus op elke teen van mijn natte, steenkoude voet. Toen trok hij de natte, glibberige sok eroverheen. Daarna stopte hij die zielige voet in de schoen en trok hem stevig dicht met het roze klittenband.

10

'Er is iets goed mis met die man'

Ik moest er de laatste tijd vaak aan denken dat ik tot mijn vijfde altijd met papa onder de douche ging. Dan hadden we de grootste lol: we gooiden washandjes in de douchebak en deden alsof het kakkerlakken waren: we trapten erop en zongen uit volle borst 'La Cucaracha', een heel gek liedje. Als we onder de douche stonden, zag ik wel dat onze lichamen anders waren, maar ik stond daar verder nooit bij stil. Ik kon me dus niet herinneren of papa's 'babymaker' anders was dan die van Peter, dus toen mama op een zaterdag naar een therapiesessie met dokter Gurney was, vroeg ik papa of we weer een keer net als vroeger samen onder de douche konden.

Eerst bromde hij dat ik daar nu te oud voor was, maar ik bleef doorzeuren en uiteindelijk stemde hij toe. En daar, in de stomende, tropisch hete doucheruimte, bleef ik strak naar papa's penis staren. Toen hij me zag kijken, bedekte hij zich met zijn handen. Het douchewater plensde lawaaierig in de stilte neer. Ik had het gevoel dat ik iets moest zeggen maar ik wist niet wat. Toen vond ik een manier om te praten. Wat mijn woorden inhielden wist ik niet, ik wist alleen wat ik moest zeggen. En toen ik ze uitsprak, was het met de stem van zo'n meisje dat heel populair was.

'Is dat speelgoed, papa? Mag ik hem even vasthouden, alsje-alsjeblieft? Mag ik met dat speelgoed spelen?' Ik wist niet eens waar ik die woorden had opgepikt, maar het was alsof ik precies wist wat ze inhielden.

Papa draaide zich om op zijn magere, kromme benen. 'Nee,' mompelde hij nauwelijks hoorbaar. 'Dat mag niet.'

Maar ik strekte evengoed mijn hand ernaar uit, om hem een fijn gevoel te geven. Papa mocht me het niet weigeren, want dat speciale lichaamsdeel van hem behoorde ook mij toe. Hij was mijn vader. Hij sloeg mijn hand weg en draaide de badkraan dicht. Daarna stapte hij de douche uit, droogde zich af, kleedde zich aan en zei ondertussen geen woord. Hij legde voor mij een droge handdoek op de vloer naast het bad neer en haastte zich de deur uit.

Ergens in die winter, na het incident in de badkamer, vond het drama van restaurant Benihana plaats. We gingen er met zijn vieren naartoe. Papa trakteerde, zoals hij had beloofd.

Inès was er niet bij. Peter leek er ook weinig zin in te hebben, maar hij wist dat hij er niet onderuit kwam. Al een week voor de avond waarop we hadden afgesproken, bereidde hij zich voor op zijn ontmoeting met papa en probeerde een oud pak uit, dat hij zijn bruilofts- en begrafenispak noemde. Hij zag er maar raar uit in dat colbertjasje en met die stropdas. Ook sprenkelde hij een beetje eau de cologne over zich heen, maar ik waarschuwde dat hij dat maar beter kon laten: hij had het flesje in de knakenwinkel gekocht en ik wist dat hij voorgoed bij papa uit de gratie zou raken als die ook maar één keer dat goedkope luchtje zou opsnuiven.

'Beter geen eau de cologne dan een slechte,' las ik hem de les. 'En snij je niet bij het scheren. Papa zegt altijd dat hij mannen die zich niet kunnen scheren, niet vertrouwt. Volgens hem zijn die mannen heel nerveus van aard.'

'Ik gebruik het scheerapparaat wel,' zei Peter, die voor de passpiegel stond.

Mama riep naar hem vanuit de huiskamer. 'Als je je niet heel glad scheert, Peter, dan zal hij je niet respecteren. Je kunt niet met een stoppelbaard bij Louie aankomen. Dat vindt hij slonzig.'

'Slonzig.' Peter schudde zijn hoofd. 'Slonzig en slecht geschoren. Hooligans zijn het. Barbaren. Wilden.'

Ik giechelde.

'O, en zorg ervoor dat je genoeg gespreksstof hebt,' voegde ik eraan toe. 'Dat is wel het allerbelangrijkste. We gingen een keertje eten met een vriendin van mama en haar man. Die man zei weinig omdat hij zo verlegen was. Eenmaal thuis heeft papa grappen over hem lopen maken. Hij noemde hem "De stomme". Papa blijft liever thuis met wat gezouten crackers en een schijfje ham dan in een restaurant te zitten met iemand die nog geen twee woorden kan uitbrengen. Dus praat vooral honderduit!'

Op onze grote avond had mama een truitje van glansstof aan, met een print van een sneeuwluipaard op een boomtak tegen een donkerblauwe achtergrond. Ik had het zelf voor haar uitgekozen. Ze had ook lippenstift opgedaan en een vleugje rouge op haar jukbeenderen aangebracht. Zelf droeg ik mijn gloednieuwe schoenen van Mary Jane, een witte maillot, een kanariegele Orlon-sweater met grote zwarte bloemen en een zwart minirokje. Ik had ook een beetje roze lipgloss opgedaan en mijn nagels roze gelakt, al vond Peter het niet mooi als ik me opmaakte. Alleen schilferende nagellak kon hij waarderen. Ik vond dat maar raar. Mijn haar was alweer een beetje aangegroeid, dus ik was niet meer zo lelijk als eerst, maar toch vroeg ik me wanhopig af of ik ooit nog mooi zou worden: papa had al gezegd dat ik weer nodig naar de kapper moest. Inès had gezien dat ik bedrukt in de spiegel had gekeken terwijl ik aan mijn haar frunnikte en me twee metalen haarspeldjes aangeboden met gele vlindertjes erop. Maar ik wist dat ik ze maar beter niet kon aannemen. Papa zou weten dat ze niet van mij waren en eisen dat ik ze uitdeed voordat ik hoofdluis zou oplopen.

We waren ruim twintig minuten eerder dan afgesproken in de foyer van het restaurant. 'Louies haar begint dun te worden en dat vindt hij vreselijk. Hij laat het van achteren lang groeien en kamt het dan naar voren,' zei mama. 'Het lijkt precies op zo'n eendenkont uit de jaren vijftig, dat zul je zo wel zien.'

Papa kwam zelf vijf minuten voor de afgesproken tijd binnen, in een piekfijn zwart pak en gepoetste schoenen, compleet opgetuigd met zijn ketting met een enorm gouden kruis, ingelegd met kostbare edelsteentjes, en zijn dikke gouden polshorloge. Hij rook sterk naar eau de cologne. Hij gaf Peter direct een ferme handdruk; ik kon aan zijn gezicht zien dat hij zich die avond flink ging uitsloven.

Het eerste wat papa deed toen de serveerster naar ons toe kwam was sake bestellen. Het werd geserveerd in een witmarmeren kruikje dat de vorm had van een zandloper en werd in popperig kleine, ronde bakjes uitgeschonken. Papa bood er meteen een aan Peter aan, en ik zag dat Peter bang was om te weigeren.

'Misschien strakjes,' zei hij na een korte pauze. 'Nadat ik wat heb gegeten. Sake is nogal aan de pittige kant, vind je ook niet? Dat dronken de kamikazepiloten altijd, dus het moet een sterk drankje zijn.'

'Hartstikke sterk!' zei papa verguld. 'Japanse rijstwijn! Ik ben er dol op!' Hij vouwde een servetje open en bond dat om mijn moeders hals. Bij Benihana zaten altijd tussen de acht en tien gasten aan een lange hibachitafel met een metalen blad in het midden waarop de gerechten werden bereid. Papa vond het nooit erg om met onbekenden aan tafel te zitten; meestal knoopte hij met iedereen een praatje aan. Vanavond concentreerde hij zich echter helemaal op Peter. 'Ik hoorde dat je in de Koreaanse oorlog hebt gevochten?'

'Niet echt aan de frontlinie. De luchtmacht heeft me ingezet als timmerman. Dat was vast omdat ik twee rechterhanden heb. Volgens mij hebben wij dat gemeen. Jij bent toch edelsmid? Ik was slotenmaker voordat ik door mijn rug ging.'

'Heb je daar nog een speciale opleiding voor gevolgd?'

'Ik ben autodidact. Ik heb me ergens naar binnen gebluft, en heb zelf leerboeken aangeschaft en praktijkervaring opgedaan. Ik was altijd wel goed in bluffen, denk ik. Ik kwebbelde me overal naar binnen.'

Papa knikte. 'Een prima eigenschap. Ik heb op de ambachtsschool gezeten. Ik heb zelf onze verlovingsringen gemaakt. En zie je die oorbellen van mijn dochter? Dat is ook eigen fabricaat. Net als dit kruis.' Hij klopte erop.

De serveerster kwam onze bestellingen opnemen. Papa zei dat Peter kon bestellen wat hij wilde van het menu: hij trakteerde. Peter keek ongemakkelijk, en koos uiteindelijk de kip teriyaki. Papa bestelde voor zichzelf de Benihana Special, en ook eentje voor mama en mij samen. De Benihana Special bestond uit steak teriyaki en kreeft.

Papa stond op om naar het toilet te gaan, en zodra hij zich buiten gehoorsafstand bevond gaf mama Peter een klopje op zijn hand. 'Het gaat je prima af,' zei ze.

'Ik hoop het,' zei Peter.

'Heb je gezien hoeveel sake hij drinkt? En volgens mij had hij al het nodige op toen hij van huis wegging...'

'Waarschijnlijk...' zei Peter aarzelend, te nerveus om mijn vader ook maar af te vallen.

Ik boog me naar voren om hem een kus op zijn wang te geven. 'Hier, voor een beetje moed.'

'Ach, wat lief,' zei mama. 'Precies wat hij nodig had.'

Tegen de tijd dat papa terugkwam, zette de serveerster het voorgerecht op tafel: de uiensoep. Papa bedankte haar voor de snelle service, en zei toen verbaasd: 'Zeg, Peter, ik zie dat je geen horloge om hebt! Misschien kan ik er wel eentje voor je maken. Ik heb er zelf altijd een hekel aan om ergens te laat te komen.' Hij glimlachte en nam nog een slokje. Hij had zijn eigen soep naar mijn moeder toe geschoven zodat zij die kon opeten. 'Is er een bepaalde reden waarom je er geen draagt? En ook geen andere sieraden?'

'Ik hou niet van dingen om mijn polsen, en ik heb nooit echt iets met sieraden gehad. Wat betreft te laat komen: ik ben eigenlijk altijd overal te vroeg. Ik vertelde een keer tegen Sandy dat ik als tiener een keer een telefoontje kreeg uit het ziekenhuis waar mijn moeder op sterven lag en ik als de wie-deweerga moest komen. Ik heb het net gehaald: een kwartier later was ze al overleden. Maar sindsdien heb ik er een hekel aan om me te haasten. Op een bepaalde manier denk ik dat God haar genadig was om haar uit haar lijden te verlossen. Ze had een beroerte gehad, waarna haar hele linkerkant vier jaar was verlamd. Eeuwig zonde van zo'n mooie vrouw. Toen ze nog jong was, was ze model voor Barbizon.'

'Echt?' zei papa. De Japanse chef met zijn hoge witte koksmuts was inmiddels de metalen plaat aan het besprenkelen met hete olie. Het maakte een sissend geluid. 'En je vader?'

'Mijn vader was jurist. Hij had zoveel geld dat hij zich een privévliegtuig kon veroorloven. Toen hij een keer hoog in de lucht achter de stuurknuppel zat, kreeg hij een hartaanval. Hij was nog maar vierenveertig.'

'Het is sneu als mensen zo jong moeten sterven,' zei papa met zijn blik op de chef, die nu gember-mosterdsaus in achthoekige bakjes goot. 'Maar je vader is wel gestorven als een kerel, dat dan weer wel. In volle glorie terwijl hij bezig was met wat hij het liefst deed, nietwaar?'

'Mijn vader was een klootzak, sorry dat ik het zo zeg. Eerlijk gezegd vond ik het niet erg dat hij doodging. Maar ik hield zielsveel van mijn moeder.'

'Het is niet ongebruikelijk dat zonen hun vader heimelijk verachten, en hem zelfs dood wensen. Het is ook niet noodzakelijk dat een zoon een speciale band heeft met zijn vader: hij hoeft hem alleen maar te respecteren als gezinshoofd. Ik heb nooit issues met mijn vader gehad of hem ook maar de geringste problemen bezorgd. Tot aan zijn dood. Mijn broers waren al het huis uit, en ik werd op mijn tiende de man in huis. Als de vader sterft, moet de zoon volledig bereid zijn om zijn plek in te nemen, zijn nagedachtenis in ere houden maar nooit een traan laten. Ik respecteerde mijn vader, al hield ik denk ik niet van hem... In elk geval, met een moeder is het anders: zonen moeten hoe dan ook hun moeder op handen dragen.'

De serveerster haalde de soepkommen van tafel en zette er houten schaaltjes met salade en gemberdressing voor in de plaats. Papa had mijn moeder en mij met stokjes leren eten, dus Peter was de enige die om een vork vroeg – wat mijn vader, zo wist ik, maar niks vond.

'Neem Hitler – ik heb er iets over gelezen, het is goed gedocumenteerd. Hitler adoreerde zijn moeder. Je mag alles van die man zeggen: hij was een maniak, een tiran en zette aan tot afschuwelijke wreedheden zoals genocide en oorlog, maar hij was wel gek op zijn moeder. Daarom denk ik dat zelfs Hitler toch nog een geweten had. Omdat hij van zijn moeder hield.'

'O Louie, kom op,' zei mama. 'Er zijn andere mensen bij.'

'Nou en? Ik spreek toch de waarheid? Die man was door en door slecht maar hij hield wel van zijn moeder.'

Mama wierp Peter een blik toe.

'Wat is dat eigenlijk, goed en kwaad?' vervolgde papa. 'Kan iemand met zekerheid zeggen dat Hitler een duivelse man was? Kunnen we daar absoluut zeker van zijn?'

'Ik heb ook het een en ander over Hitler gelezen,' zei Peter. 'Stond Duitsland voor hem niet gelijk aan de moederfiguur? Was dat niet de reden voor alle gruwelen die hij heeft begaan?'

'Jazeker!' zei papa, en zijn gouden kruis zwiepte mee met zijn heftige gebaren. 'Juist! Dat is psychologie! Hitler was bijvoorbeeld verzot op Duitse kinderen. Hij aaide die blonde jongetjes en meisjes altijd over hun haar!'

'Kunnen we het alsjeblieft ergens anders over hebben?' vroeg mama.

'Heb je haar weer,' zei papa, en gaf Peter een por.

We keken hoe de chef zijn kunstje met de peper- en zoutbussen deed. We zagen hem olie op de plaat gooien zodat de vlammen hoog oplaaiden en alle gasten aan tafel geïmponeerd toekeken. Iedereen klapte.

'Hij is geweldig,' zei Peter. 'Ik ben dol op goochelshows. Ik beheers zelf een paar trucs met kaarten, maar niks om over naar huis te schrijven.'

'Ik heb ze beter gezien. Zag je hoe hij bijna de strooibus uit zijn handen liet vallen? Hij heeft nog niet zoveel ervaring,' zei papa met gedempte stem zodat de kok hem niet kon horen. 'Ik ben hier al zo vaak geweest dat ik elke chef ken, en ik heb alle foefjes al gezien. Maar voor jou is dit vast heel bijzonder.' Papa glimlachte. 'Als je hier net zo regelmatig over de vloer komt als ik, ben je niet meer zo onder de indruk. Ik heb hier al zo vaak gegeten dat ik wel dertig doosjes lucifers van de zaak thuis heb liggen; ik heb ze nog lang niet allemaal gebruikt. Jij had ze er al allemaal doorheen gejakkerd. Je rookt nogal veel, hè? Zelf ben ik gematigder... Ik rook voor de ontspanning, niet omdat ik verslaafd ben. Maar voor een man in jouw positie... De hele dag thuis en veel vrije tijd, dan zou ik ook zulke gewoontes ontwikkelen.' Papa zweeg even om een slokje sake te nemen. 'In elk geval, zoals ik net al zei, niemand op deze aarde is echt puur slecht. Zelfs Hitler niet. Puur slecht zijn is onmogelijk. Het bestaat gewoon niet.'

'Dat ben ik met je eens, Louie,' zei Peter. 'Het is te vergelijken met een rechte lijn in de natuur. In de natuur kun je geen perfect rechte lijnen hebben, onmogelijk.'

Mama keek ontsteld. 'Hitler was een puur slechte man!'

Papa gaf niet direct antwoord. Hij concentreerde zich op een kleverig hompje witte rijst tussen zijn eetstokjes. Het was een extreem lastige opgave, maar papa slaagde er altijd in om niet één korrel te laten vallen. 'Je begrijpt de essentie niet. Je snapt sowieso niet waar dit gesprek over gaat. Denk je soms dat ik onwetendheid toejuich? Denk je dat ik het nieuws niet volg? Denk je dat ik criminelen een warm hart toedraag? Ik word misselijk van misdaden als de moordpartij van Charles Manson. Het enige wat ik over Hitler zeg, is dat die man van zijn moeder hield...'

'Ik wil geen woord meer over Hitler horen,' siste mijn moeder op roep-fluistertoon. 'Dit is ziek. Hitler brandt in de hel, net goed, en ik wil niet dat er nog langer over hem wordt gepraat waar Margaux bij is.'

Papa porde Peter weer met zijn elleboog. 'Zie je nou waar ik mee moet leven? Dag in dag uit? Dat mens heeft me toch een simplistische kijk op de wereld! Ik wil daarentegen de zaken graag ontleden. Ik ben een denker. Maar zij heeft haar mening al klaar voordat het gesprek goed en wel is begonnen.'

Peter schoof heen en weer op zijn stoel. 'Het enige wat ik kan zeggen, is dat jullie een pracht van een dochter hebben samen.' Hij glimlachte en keek hen toen allebei aan. Mama at met gefronste wenkbrauwen haar noedels met courgette, papa was bezig zijn sigaar aan te steken. 'Ik zit me af te vragen op wie van jullie tweeën ze het meest lijkt,' zei hij, en maakte aanstalten een sigaret uit zijn pakje King 100 te halen. 'Op allebei evenveel?'

'Iedereen zegt dat ze op mij lijkt,' zei papa en gaf Peter vuur. 'Ze zeggen allemaal dat ze mijn neus heeft. Haar nichtjes lijken ook allemaal op haar. Het is een familietrek. Maar qua persoonlijkheid lijkt ze meer op mijn zus Nilda. Koppig en roekeloos. Nilda was drie jaar ouder dan ik. Ze daagde me altijd uit om te vechten en dan rende ze snel naar pappie om haar beklag te doen. En dan kreeg ik een pak slaag, omdat zij vervelend was!' Papa schudde zijn hoofd en zat even in gedachten verzonken te eten. 'Mijn oudste zus heeft nooit van haar leven een tik gekregen, al had een stevig pak rammel haar misschien van haar probleem afgeholpen. Ze was net zo geslepen als dat portret hier. Margaux heeft mijn zusters karakter. Ze weet de zaken altijd om te draaien. Ik doe mijn best om die eigenschap eruit te krijgen voor het de spuigaten uit loopt.'

Peter nam een lange, bedachtzame trek van zijn sigaret. 'Je kent je dochter natuurlijk veel beter dan ik, Louie, maar misschien ben je nu iets te streng in je oordeel. Margaux is erg lief en betrouwbaar. Ze zorgt voor mijn pleegkind Karen alsof het haar eigen zus is. Ze doet de afwas en helpt mee in de tuin.'

'Ik geloof je direct,' zei papa. 'Kijk, stel je eens voor dat Judas Iskariot bij ons aan tafel zit. Wil je het over het kwaad hebben? Verraad, dat is het kwaad in zijn ergste vorm. Als dat op iemand in onze geschiedenis van toepassing is, dan is het wel op Judas Iskariot. Niet op Hitler en ook niet op Charles Manson. Die waren gewoon gestoord. Maar Judas gaf Jezus een kus. Op zijn wang, alsof het zijn broer was! Nou moet je mij eens vertellen: is iemand verraden niet het ergste wat je een ander kunt aandoen?'

'Daar zou ik eens over na moeten denken,' zei Peter, en zette zijn vork in zijn kip.

'Heel goed! Jij denkt tenminste na! Mannen die nadenken voor ze iets zeggen, die mag ik wel. Je komt ze zelden tegen.' Hij klopte Peter op zijn rug. 'Je bent goed gezelschap. Ik zou je graag willen uitnodigen voor de races in juni. Mijn vrouw en dochter vermaken zich wel in de speeltuin terwijl jij en ik een wedje leggen. Heb je een bookie?'

Peter schudde zijn hoofd.

Papa draaide zich om naar mama, streek haar slabbetje glad en bestelde zijn dessert: schijfjes ananas. Ik wilde chocolade-ijs. Mijn moeder zei dat ze op haar figuur moest letten. Papa wenkte de Japanse serveerster. 'Nog meer sake, alsjeblieft. Ik heb het echt naar mijn zin. Ik heb een uitstekend diner gehad. En ik werd bediend door een schattig meisje: je bent nog mooier dan Cleopatra. Maar dat zul je wel vaker te horen krijgen.'

De serveerster liep giechelend weg.

'Ik kan prima met de vrouwtjes overweg,' zei papa tegen Peter. 'Het is een gave. Ze worden altijd verliefd op me zonder te weten waarom.' Hij lachte. 'Ik weet ze altijd te bespelen, en toch ben ik niet zo veel knapper dan de eerste de beste. Het is gewoon een gave. Kom, Peter, laten we proosten. Mijn vrouw mag niet drinken maar jij en ik kunnen proosten. Op een goede maaltijd en op goed gezelschap.'

Papa schonk nog meer sake in en hield Peter het kruikje voor, maar die maakte geen aanstalten het aan te nemen.

'Wat is er?' zei papa terwijl hij hem een duwtje gaf. 'Een

betere wijn bestaat er niet, geloof mij maar. Je wordt nergens zo dronken van als van deze sake. Daarom hou ik er zo van!' Hij barstte in lachen uit.

'Ik drink niet. Ik drink eigenlijk nooit, Louie. We kunnen best proosten, maar voor mij dan zonder sake.'

'Je kunt toch wel een uitzondering maken?' Papa lachte, maar zijn ogen stonden nu kil. 'We hebben het net zo gezellig. Je zult er vast van ontspannen.' Hij zweeg even. 'Maak je geen zorgen: als je in mijn auto moet overgeven, zal ik je dat niet kwalijk nemen! Ik kan nog altijd de stoelhoezen laten reinigen. Ze zijn namelijk niet van leer. Ik zou graag een Rolls-Royce willen hebben, maar ik zal genoegen moeten nemen met mijn Chevy. Een model uit '79, net als mijn dochter!'

Peter schudde weer zijn hoofd. 'Het spijt me, maar ik drink niet. Mijn vader was een vreselijke alcoholist.'

'Je gaat me toch niet vertellen dat je nooit een druppel drinkt? Niet eens een biertje? Ik geloof mijn oren niet.'

'Niet iedereen houdt ervan, Louie, dat weet je best,' zei mama. 'Zo vreemd is het nou ook weer niet. Sommige mensen worden totaal anders als er een slok in zit. Mijn vader was dezelfde man niet meer als hij een borrel ophad.'

Peter knikte. 'Mijn vader was altijd dronken. Mijn broer en ik kregen elke avond slaag, om niets. Hij geselde ons met een kat met negen staarten. Later stuurde hij ons naar een internaat waar we door de nonnen werden afgeranseld. Als we wegliepen, stuurden ze ons weer terug naar huis, waar hij ons afranselde omdat we waren weggelopen, en dan stuurde hij ons weer naar dat internaat. Weglopers werden door de broeders en zusters gestraft door ze alle hoeken van de kamer te laten zien, maar ze pasten ook zwaardere straffen toe. Een van de kinderen werd kaalgeschoren nadat hij voor de tiende keer was weggelopen. Dus wat mijn broer en ik ook deden, we trokken altijd aan het kortste eind.'

Papa staarde in zijn sakekommetje. Toen hij de serveerster zag, zwaaide hij snel voor de rekening. Peter en mijn moeder bleven ondertussen doorpraten.

Onderweg naar huis in de Chevy sneden papa en Peter een nieuw onderwerp aan: nu hadden ze het over kunst. Maar ik merkte dat papa's stemming was omgeslagen en werd er zenuwachtig van. Toen we Peter thuis afzetten, nam papa afscheid van hem met een handdruk en zei dat we dit beslist vaker moesten doen. Maar zodra hij weer achter het stuur zat, zei hij: 'Wat een vreemde vent. Ik wist niet wat ik van deze avond moest verwachten, maar ik kan je wel vertellen dat ik hem niet meer hoef te zien. Wat voor man weigert een kommetje prima sake bij een fantastisch maaltje dat een ander voor hem betaalt? Wat zijn dat voor manieren? Hij heeft me gebruikt. Die man heeft me gewoon gebruikt voor een gratis diner.'

'Louie, je drong er zelf op aan om te betalen.'

'Hij bood niet eens aan mee te betalen toen de rekening kwam.'

'Je had de hele tijd gezegd dat je zou trakteren.'

'Niettemin had hij moeten aanbieden om zijn deel te betalen toen er afgerekend moest worden. Of aanbieden om ons te trakteren, of minstens de fooi voor zijn rekening te nemen!'

'Hij kan zich dat niet veroorloven, Louie. Zo simpel is het. Ze hebben het niet breed, maar volgens mij heb je dat niet door.'

'Dat weet ik maar al te goed, dat is geen geheim! Ik vind het niet erg om te betalen, maar als je door iemand wordt uitgenodigd heb je je aan bepaalde regels te houden. Natuurlijk heb ik betaald. Ik ben geen vrek.'

'Je bent alleen maar nijdig omdat hij niet wilde meedrinken.'

'Ik vertrouw ze niet, mannen die nooit een glaasje nemen. Goed, hij wil geen dronkenlap worden, en ik hoef ook geen kotspartijen in mijn auto. Dat is allemaal best, maar nog niet één drankje!'

'Misschien is hij bang om de controle te verliezen,' zei mama. 'Mensen kunnen heel erg veranderen zodra er wat alcohol in zit. Ik heb er wel respect voor dat hij geen druppel drinkt.'

'Ah, jij hebt weer respect voor hem! Peter de Heilige!' riep papa uit. Hij was op zoek naar een parkeerplek, al deed hij niet erg zijn best er eentje te vinden. Hij was nu al drie keer om hetzelfde blok heen gereden en bij de tweede keer had hij een vrije parkeerplek gemist. Ik zag dat die inmiddels was ingenomen. 'Geef die man een trofee!'

'Je hebt te veel gedronken, Louie! Je zou niet eens achter het stuur mogen zitten. Je reed bijna tegen die geparkeerde wagen aan.'

'De straat is gewoon te smal! Rij jij of rij ik? Ik zet hem stil en dan mag jij, hoor.'

'Je weet best dat ik niet kan rijden. Let gewoon op, wil je? Ik wil niet dat je Margaux doodrijdt omdat jij niet uitkijkt.'

'Waarom heb je niet gezegd dat het zo'n vreemde snuiter was? Dan had ik je al veel eerder verboden om naar die man toe te gaan. Maar goed, het is nog niet te laat. Ik wil dat je het contact met die man en zijn gezin verbreekt.'

Ik zat rechtop op de achterbank, met bonzend hart. Ik was te bang om iets te zeggen en ik was te bang om stil te zijn.

Mama wierp hem een ongelovige blik toe. 'Wil jij nou echt je dochter straffen omdat jij beledigd bent? Althans, wat jij als belediging hebt ervaren? Moet Margaux er de dupe van worden dat jij een appeltje met hem hebt te schillen?'

Papa schoot in de lach. 'O ja hoor, daar gaat het om: zij is weer de dupe. Ik bescherm haar juist! Er is iets goed mis met die man, dat kan ik zo zien. Hij kan jou om de tuin leiden omdat hij zo'n gladde babbel heeft. Hij heeft charisma, laat ik het zo stellen. Ik was eerst ook van hem onder de indruk. Ik dacht nog: wat een slimme kerel. Deze man heeft een eigen mening. Hij weet hoe de wereld in elkaar zit. Hij weet bijvoorbeeld ook veel van kunst. Je hoorde hem net nog Renoir citeren voor hij uitstapte. "Er zijn maar al te veel kerels die liever met een mooie vrouw naar bed gaan dan haar te schilderen." Mooie quote. Ik heb er smakelijk om gelachen.' Hij zweeg even. 'Maar dan vertelt hij me dat Renoir een van zijn favorieten is. Meer dan de grote Matisse of Picasso. Maar Renoir was niet vernieuwend: hij schilderde bloemen en baby'tjes. Ik hou niet van de impressionisten.' Hij laste weer even een pauze in. 'Norman Rockwell. Hij houdt van Norman Rockwell. Dat is geen echte kunstenaar. Hij schilderde het interieur van de wachtkamer van een dokter. Die Peter van jullie heeft een vlotte babbel, maar je kunt merken dat hij niet echt is geschoold. Hij manipuleert. Daarom mag ik die man niet. Hij is net zo echt als zijn kunstgebit, om het zo te zeggen.' Papa lachte. 'Wie laat er nou op zijn vijftigste zijn tanden trekken?'

'Nu ben je gemeen,' zei mama. 'Je hebt gezopen en je bent vals. Misschien dat Peter daarom wel niet drinkt. Alcohol haalt het slechtste in een mens naar boven.'

'De waarheid is wreed, wen er maar aan,' zei papa, die eindelijk drie straten van huis een parkeerplek had gevonden en probeerde in te parkeren. 'Je kunt een man heel goed beoordelen op zijn voorkomen. Een man die weet dat hij het bij het rechte eind heeft en die een schoon geweten heeft, zo'n man verzorgt zijn tanden en zijn nagels. Hij heeft respect voor zichzelf en wil zijn lichaam goed conserveren. Hij steekt bij tijd en wijle een sigaar of sigaret op, maar is geen kettingroker, zoals deze kerel. Die man is zelfdestructief. Zoals hij zat te eten! Hij raakte zijn courgette of kervel niet aan en hij at maar heel weinig van zijn kip en de noedels. In plaats van zijn gebit te onderhouden verwaarloost hij zijn tanden en kiezen. Hij is een veteraan. Het veteranenziekenhuis betaalt alles wat je nodig hebt, wortelkanaalbehandelingen, de hele santenkraam. Deze man is over tien jaar dood, let op mijn woorden. Zijn moeder is gestorven aan een beroerte en zijn vader aan een hartaanval. Toch laat hij de sigaretten niet liggen. Ik kon zo zien dat hij niet gezond is; hij heeft vast ook een hoog cholesterolgehalte.'

Hij zette de motor uit en vouwde zijn handen in zijn schoot.

'Nou, dan mag je hem toch niet?' zei mama. 'Best. Nodig hem gewoon niet meer uit.'

'Dat ga ik ook nooit meer doen. Wil je het over geschiedenis hebben? De grootste schurken uit de geschiedenis waren degenen die pertinent de kurk op de fles hielden. En de grootste leiders, noem Roosevelt en Churchill, mochten graag een goed glas drinken – door de eeuwen heen waren het juist de tirannen die altijd broodnuchter wilden blijven. Zoals Hitler...'

'O nee, laten we niet wéér beginnen.'

Hij verhief zijn stem. 'Hitler dronk nooit. Hij leefde een "clean" leven. Sla er de boeken maar op na.'

'Ik kan nauwelijks geloven dat je Hitler met Peter wilt vergelijken.'

'Zoals gewoonlijk snap je de essentie weer eens niet.' Hij lachte. 'Ik vertrouw die man niet. Echt niet. Hou je dochter in de gaten als je daarheen gaat. Hij en zijn gezin hebben een slechte invloed op haar. Als het aan mij lag, zou ik jou ook het liefst verbieden om erheen te gaan. Zo eenvoudig is het. Maar je doet toch wat je zelf wilt. Ik trek mijn handen hiervan af. Dat is alles wat ik er nog over wil zeggen: ik trek mijn handen hiervan af.'

11

Cirkel, cirkel met een punt

'Goeie grutten' zei Peter altijd als hij zich ergens over verbaasde. Hij zuchtte ook niet: hij zei dan hardop 'zucht'. Hij verfde de muren van de keuken lavendelblauw. Hij maakte een houten poppenhuis voor me. Op een middag (het moet ergens in de zomer zijn geweest) vroeg hij aan mij en Karen om ons uit te kleden tot op ons onderbroekje. Daarna maakte hij diverse foto's van ons terwijl wij elkaar omhelsden en onze armen over elkaars schouders sloegen. Mama moet toen naar Terrace Market zijn geweest voor een sorbet of een bekertje roomijs, of naar het winkelcentrum om een pakje sigaretten te kopen. Of zat mama daar gewoon in haar tuinstoel en wist Peter, met al zijn prietpraat over onze natuur en nudistenkolonies en hoe God ons heeft geschapen, haar instemming te verkrijgen om dat soort foto's van ons te maken? Wellicht dat mama in eerste instantie haar twijfels had, maar we hebben het hier wel over 'Peter' – thuis rende ik altijd rond in mijn onderbroek met papa in de buurt, en Peter had net zo goed mijn vader kunnen zijn. Ik kan me niet meer herinneren of hij probeerde ons ertoe over te halen onze kleren uit te trekken. Hoe hard ik ook mijn best doe, ik weet nog maar weinig van de tijd die ik bij Peter doorbracht in de zeven maanden na ons etentje bij Benihana.

In de zomer van 1988 was ik nog maar negen, maar ik begon wel al borstjes te ontwikkelen. Ik kreeg schaamhaar en vond dat zo vreselijk dat ik mijn vaders scheermes pakte, me met hennashampoo inzeepte en het afschoor. Ik keek te pas en te onpas in de spiegel, niet uit ijdelheid, maar omdat ik bang was dat ik op een dag zou kijken en dan niets meer zou zien.

Ik wist dat het allemaal de schuld was van mijn moeder.

Een paar weken nadat ik te horen had gekregen dat ik Peter niet meer mocht zien, zaten we in mijn slaapkamer en ik schopte weer eens stennis. Ik trok de lakens van mijn bed, smeet de kussens op de vloer en maaide mijn knuffeldieren van het mahoniehouten bureau. Ik bleef maar vragen waarom ik niet meer naar Peter mocht, en ze bleef herhalen dat ze een keer had gezien dat Peter Karen een klap had gegeven.

'Nietes! Je liegt! Ik heb jou en papa wel gehoord. Het ging over een kusje! Jij zei dat hij me had gekust. Dáár gaat dit over! Lieg niet tegen me!' Ik liep op haar af, zwaaiend met mijn gebalde vuisten, en ze deinsde terug. 'Zeg eens eerlijk!'

'Peter heeft je gekust, bij het zwembad.' Mama begon te huilen. 'Hij kuste je op je mond.'

'Nou en?'

'Peter heeft je op je mond gekust!'

'Nou en, vraag ik je! Nou en? Nou en?'

'En een paar badmeesters hebben gezien...'

'Wat?' Ik schaamde me dat iedereen de geheime wereld van mij en Peter scheen te kennen.

'Jullie waren en plein public bezig, iedereen heeft het gezien. Een van de badmeesters heeft me erop aangesproken. Hij vroeg wie Peter was. "Is dat soms haar vader?" vroeg hij. Ik zei van niet, dat hij geen familie van ons was. Toen keek hij me aan alsof ik iets heel erg verkeerd had gedaan.

Alsof ik een slechte moeder was. Ik probeerde nog uit te leggen dat wij als gezin goed bevriend waren met Peter, maar hij schudde zijn hoofd en beweerde dat het een ernstige zaak was. Hij zei dat hij Peter er niet op aan had willen spreken omdat hij technisch gezien niets onwettelijks deed. Maar hij zei wel dat hij hem in de gaten zou houden. Hij zei dat ik degene was die hier iets aan moest doen. En toen hij dat zei, wist ik er eigenlijk niet goed raad mee. Maar ik wist dat ik íéts moest ondernemen.'

'Je had het niet tegen papa moeten zeggen!'

'Ik moest wel,' antwoordde mama. 'Hij is je vader en uiteindelijk had hij het toch wel gehoord. Iemand uit de kroeg zou het hem wel verteld hebben. En dan was hij pas écht nijdig geweest. Dokter Gurney zei dat het ongehoord was dat een volwassen man een nog zo jong meisje op de lippen kuste. Hij zei dat Peter heel erg ziek was, dat je vader en ik de politie moesten bellen. Maar je vader vond dat niet nodig. Dus Peter heeft mazzel gehad.'

'Papa heeft me ook een keer op mijn mond gezoend. Hij kwam thuis uit zijn werk, zei hallo en kuste me gewoon op mijn mond.'

'Dat is wat anders! Hij is je vader!'

'Peter is veel meer mijn vader dan hij! Hoe kun je me dit aandoen! Waarom? Waarom krijg ik straf? Je probeert me kapot te maken! Wil je me soms dood hebben?'

Ze hield beschermend haar handen voor haar ogen en haar stem trilde. 'Het moet van de psychiater. En van papa. Ik moet wel doen wat zij zeggen. Ik moet doen wat nodig is. Een man zou een klein meisje niet zomaar op haar mond moeten zoenen in een openbaar zwembad. Je vader maakt zich zorgen dat iedereen over ons gaat roddelen en dat mensen hem schuin aankijken omdat hij iets verkeerds heeft gedaan, omdat hij al die tijd al zou hebben geweten dat Peter een slechte man is, al sinds dat etentje bij Benihana. En hou er nu over op, toe. Laten we Peter vergeten: we praten niet meer over hem of over wat hij heeft gedaan. Laten we het nooit meer over die man hebben.'

'Jij zegt nu ook al "die man", net als papa! Je noemt hem "die man"!'

'Hou er nu over op. Ik wil het er niet meer over hebben, anders word ik weer ziek. En ik wil nooit meer terug naar de kliniek. Kunnen we hier alsjeblieft over ophouden? Het is klaar, en daarmee uit!'

De hele pantry stond vol met dozen ontbijtgranen, pakken toilet- en keukenpapier en ingeblikte groenten. En een heleboel junkfood. Ik at zelden avondeten, hoe ze ook smeekten of dreigden. Papa maakte steeds vaker mijn favoriete kostje: spaghetti met oestersaus, gebraden kip, empanada's met kikkererwten. Dat wilde ik nog wel eten, maar ik braakte het later allemaal weer uit. Ik deed dat niet met opzet: het ging gewoon vanzelf. Ik kon letterlijk niets binnenhouden behalve ontbijtgranen en junkfood, die ik de hele dag door at. In de schoolkantine at ik maar één keer per week mee, als mijn favoriete gerecht op het menu stond: kipnuggets. De rest van de week kocht ik repen chocola of donuts met poedersuiker. Dan liep ik met mijn dienblad naar een tafel waaraan ik in mijn eentje zat terwijl de rest van de kinderen zat te gniffelen. Ze vonden me maar een volslagen malloot omdat ik overal black-outs kreeg: als we koekjes bakten ten bate van het goede doel, tijdens de pauze, als we ergens in de rij moesten staan, in de bibliotheek, op repetities voor het kerstfeest. Ik kon op zulke momenten nooit de aanwijzingen volgen en daarom moest ik altijd ergens achteraan gaan staan zodat het publiek me niet in de gaten had. Ik kon het niet helpen dat ik steeds wegviel. Ik had er al een jaar last van, maar tot dusver had ik mijn stoornis weten te verdoezelen omdat ik mezelf weer wakker kon schudden als dat nodig was.

Nu kon ik het niet meer opbrengen om naar mensen te luisteren, zelfs niet naar leraren of naar het schoolhoofd. Mijn klasgenoten begonnen me te porren en noemden me 'idioot' en 'achterlijk'. Het gebeurde weleens als ik op de wc zat of mijn handen stond te wassen voor de spiegel, en dan floepte ik opeens weer terug naar de werkelijkheid en wist ik niet eens meer hoe lang ik daar had gestaan. Soms stuurde zuster Lenore, een van onze schooljuffrouwen, een meisje naar me toe om me terug te halen naar de klas. Elke avond liet ik me op mijn knieën vallen, biddend dat ik weer beter zou worden, dat ik weer een normaal meisje werd dat zich kon concentreren en zonder te spieken haar proefwerken voor wis- en aardrijkskunde kon maken, en dat vriendinnen had om mee te lunchen. Dat niet stiekem een trap in haar knieholtes kreeg als er niemand keek. Dat niet op het schoolplein achterna werd gezeten, tegen de grond geduwd en geslagen door de drie onderknuppels van de ene populaire jongen om wie ze heen hingen. Dat geen gemene liedjes naar haar hoofd kreeg geslingerd als ze midden in een kring van scholieren gevangenzat. 'Cirkel, cirkel met een punt, Margaux is een heel stom rund.'

Ik wist dat ik het niet verdiende om te leven. Daarom haatte iedereen me. Het zou nooit beter worden. Ik had mijn bewustzijn niet onder controle; ik kon het niet helpen dat mijn omgeving soms wegviel en dan weer tevoorschijn kwam. God hielp me niet. Jezus kon het niets schelen.

We hadden Peter nu al een maand of zeven, acht niet meer gezien en ik was zoveel afgevallen dat mijn ouders zich zorgen begonnen te maken. Toen mijn moeder met me naar de kinderarts ging, zei ze dat ik acht kilo was afgevallen maar dat het niet zo erg was; waarschijnlijk waren het groeistuipen. Mijn slechte eetgewoontes waren van voorbijgaande aard. De beroerde cijfers die ik op school haalde hadden waarschijnlijk met mijn gezichtsvermogen te maken; ze zei dat ik de hele tijd mijn ogen toekneep en vast een bril nodig had. De kinderarts stelde vast dat ik heel vroeg in de puberteit was gekomen en dat die overgangsperiode naar jonge volwassenheid altijd veel stress met zich meebracht. Ze was het wel gewend dat mijn moeder altijd veel drukte maakte om mijn ziektes, kwetsuren of eigenaardigheden. 'Maar dan nog iets,' zei mijn moeder aan het eind van het bezoek, toen de kinderarts ons zo snel mogelijk de behandelkamer uit probeerde te krijgen. 'Ze huppelt af en toe. Dat deed ze vroeger nooit.' Als ik naast mijn moeder liep of op school in de rij moest lopen, maakte ik altijd om de zoveel stappen onverwachts een spastisch sprongetje, of een 'huppelpasje', zoals Peter het altijd noemde. Het gebeurde zonder dat ik het wilde, net als de hik. Voor mij nog meer bewijs dat er iets aan mijn hersens mankeerde. De kinderarts zag het echter niet als een probleem. Ze zei dat mama een oogje in het zeil moest houden en toen was de volgende patiënt aan de beurt.

Ik voerde de duiven op Thirty-second Street nu al een paar maanden de oudbakken ontbijtvlokken die we aan mijn moeders chronische overschotaankopen te danken hadden: Fruit Loops, Lucky Charms en Cheerio's. De vogels vertrouwden me al. Een voor een landden ze boven op me: op mijn schouders, op mijn benen, er ging er zelfs eentje op mijn hoofd zitten. Ik voelde hun rubberachtige pootjes langs mijn korstige knieën schampen, hun snavels tegen de krassen op mijn arm, hun strottenhoofd in mijn haar als ze op mijn schouders zaten. Ze hielden van me. Mijn duiven hielden van me. Ze aten uit mijn hand en pikten cornflakes van mijn benen.

Ik schreef verhaaltjes over duiven en besloot ze te bundelen in een boek, getiteld *De kommer en kwel van duiven* – wat ik heel indrukwekkend vond klinken. Ik wist zeker dat het boek op een dag zou worden uitgegeven.

Niettemin zag ik de vogels soms ook als één grote grijze machine. Als er eentje bang was, vlogen ze allemaal tegelijk weg. Als er eentje ergens besloot te gaan zitten, dan kwam de rest binnen de kortste keren ook en begonnen ze zo maar wat te pikken, zelfs als er niets te eten was.

Ergens in november, op een loodgrijze dag, bekroop me een onaangename gedachte. Deze duiven mochten dan liefdevol en aanhankelijk doen, als ik dood zou gaan zou het ze niets kunnen schelen. Er kwamen wel weer andere mensen om ze te voeren. Hoe vaker ik hierover nadacht, des te verweesder ik me voelde. Op een dag gooide ik de ontbijtvlokken gewoon op de grond, zonder enig gevoel voor mijn vogels. Ze deden altijd hetzelfde, keer op keer. Opeens schoten mijn handen naar voren en ik greep de eerste de beste duif beet. De rest fladderde gelijktijdig omhoog; al die klapwiekende vleugels maakten een kabaal vanjewelste. De vogel in mijn handen probeerde zich uit alle macht te bevrijden.

'Laat los! Laat dat vieze beest meteen wegvliegen!' zei mijn moeder.

Ik liet niet los.

'Margaux, als je niet uitkijkt loop je nog een smerige ziekte op. Laat dat beest meteen los of ik vertel het tegen je vader!'

Maar ik liet hem niet gaan, hoe hard ze ook tegen me schreeuwde. Het ergste vond ik dat ze mijn naam hardop uitsprak. Margaux. Ik haatte het om haar mijn naam te horen roepen, meer dan wat dan ook ter wereld.

Opeens besefte ik wat ik aan het doen was en hoe bang de

vogel was. Ik deed meteen mijn handen open en zag hem als een grijze flits in de lucht verdwijnen, en kleiner en kleiner worden.

In onze huiskamer had papa reproducties van Picasso's *Petite Fleurs* en Van Goghs *Sterrennacht* opgehangen. Vooral de reproducties van Matisse vond ik angstaanjagend: mijn vader had gezegd dat *Creoolse danseres* en *Blauw naakt I* vrouwen waren, maar in de eerste zag ik alleen maar een marsmannetje en op de tweede slechts klodders blauwe verf die willekeurig door elkaar waren gehusseld. Na verloop van tijd kon ik bij de *Creoolse danseres* in dat schepsel met de gevederde groene hoed nog wel iets van een vrouwenfiguur ontdekken, maar door de jaren heen heb ik heel wat uurtjes met toegeknepen ogen voor *Blauw naakt I* doorgebracht in de hoop een glimp op te vangen van die lieftallige vrouw die mijn vader en Matisse zo moeiteloos herkenden. Dat hele jaar bleef ik er intens naar kijken, en uiteindelijk zag ik een opgetrokken linkerdijbeen en een gestrekt rechterbeen, als een geplette lipstick, evenals haar broodmagere bovenlichaam, haar loszittende voeten en een hand die achter haar hoofd lag gevouwen als in een wanhopige pose. Toen ik haar eenmaal had ontdekt, probeerde ik wanhopig de willekeurige verfstreken van weleer terug te vinden, maar tevergeefs. Op de middelste muur, rechts van dat schilderij, hing een reusachtig olieverfschilderij van een naakte vrouw. Ze lag languit op een purperen renaissancebed en hield een witte, wielvormige bloem vast. Haar borsten waren duidelijk te zien maar ze hield haar been zo gebogen dat haar schaamstreek aan het zicht werd onttrokken. Ik wou maar dat ik haar vagina kon zien om te kijken of er net als bij mij haartjes op zaten. Een van de dingen die Peter over mijn vagina had gezegd, was dat die zo mooi was en zo 'haarloos'. Ik maakte me zorgen over die haargroei, en schoor het steeds af met het scheermes van mijn vader.

Ik zat vaak op de met een plastic hoes overtrokken bank, slechts gekleed in mijn hemdje en onderbroek, naar de huizen aan de overkant van de straat te kijken. Op een dag zag ik dat bij een van die huizen een man op zijn veranda naar me stond te staren. Ik nam bepaalde houdingen aan waarvan ik vermoedde dat ze hem zouden bevallen. Ik stak één been hoog in de lucht en schudde mijn bruine haar uit (dat nu in een boblijn tot over mijn oren was aangegroeid). Of ik trok mijn hemdje omhoog om naar mijn navel te kijken. Ik deed het telkens als ik hem naar me zag kijken. Mama zat altijd boven, waar ze met vrienden of gratis nummers belde.

Ik voelde me net als die naakte vrouw op papa's schilderij: mooi, verleidelijk en met donkere ogen. Ik schaamde me niet langer. Mijn veel te schonkige lichaam voelde als dat van een soepel gevormd catwalkmodel. Het was de enige keer dat ik het gevoel had dat ik iets voorstelde, dat iemand me niet als een freak beschouwde.

Op een dag zwaaide ik naar hem. Hij zwaaide terug, en zonder te begrijpen waarom maakte die directheid van hem me furieus. Ik wilde helemaal niet dat hij terugzwaaide, of dat hij überhaupt reageerde.

Ik rende de trap op en stormde de slaapkamer in die ik met mama deelde. Ze zat aan de telefoon. Ik hoorde mijn naam vallen en nam aan dat ze weer met iemand aan de lijn zat om advies over mij in te winnen.

'Mama, er staat een man aan de overkant naar me te gluren terwijl ik alleen mijn ondergoed aanheb!'

Ze verbrak snel de verbinding. 'Kijkt hij naar ons huis? Naar binnen?' vroeg ze hoofdschuddend. 'Daarom moet je je ook altijd aankleden; je bent echt te oud om nog halfnaakt rond te paraderen. Dat zegt je vader en ik zeg het ook. Ik zal die perverse kerel eens flink de oren wassen!'

Mijn moeder rende de trap af en schreeuwde vanaf de veranda: 'Zeg! Jij daar! Durf je wel, naar mijn negenjarige dochter gluren? De volgende keer bel ik de politie!'

Ze sloeg de deur dicht. 'We hoeven dit niet aan je vader te vertellen – althans, als het hiermee is afgelopen. We hebben twee stevige sloten op de deur, dus ik maak me geen zorgen. Ik wil niet dat papa zich op jou afreageert door bijvoorbeeld je haar weer af te knippen. Hij maakt zich al genoeg zorgen over je.'

Dat was waar. De avond ervoor was papa dronken en had me apart genomen in de keuken om te vragen of ik wist wat verkrachting was. Dat wist ik wel. Ik had het woord op school gehoord, toen een paar meisjes bij mij uit de klas me een briefje hadden gegeven waarop stond dat ze iemand hadden ingehuurd om me te verkrachten. Volgens papa was ik een potentieel slachtoffer nu ik ouder werd, en hij zei dat ik moest oppassen. Onder de tl-buis in de keuken had hij mijn kin opgetild, en me recht in de ogen gekeken toen hij zei: 'Weet je wat? Als zo'n wild beest je ooit te pakken krijgt en je voor de keuze stelt om verkracht te worden of vermoord, dan moet je voor de dood kiezen. Zo behoud je tenminste je eer. Je zult strijdend ten onder gaan, als een echte vrouw. Begrijp je me? Je zegt tegen zo'n stuk stront dat je nog liever hebt dat hij je de keel afsnijdt. Dat je nog liever doodgeschoten wordt! Spuug hem in zijn smoel. Scheld hem de huid vol en vervloek hem, hoor je me? Begrijp je? Je moet nooit toestaan dat iemand je de vernieling in helpt!' Hij schreeuwde bijna en ik was bang, dus ik vertelde hem alleen maar wat hij wilde horen. Ik kon hem niet vertellen dat het al te laat was, dat ik al min of meer in de vernieling lag. Het enige wat ik nog kon doen was mijn hoofd zo lang mogelijk onder water houden in de badkuip, in een poging mezelf te verdrinken zodat ik op die manier nog de eer van de familie kon redden omdat het zo belangrijk was voor papa.

Als het donker was, was ik echter geen klein meisje aan wie van alles mankeerde. Om drie uur 's nachts liep ik heel zachtjes de trap af om te leren als een echte kat op mijn pootjes terecht te komen. Ik oefende voor de grote televisie. Ik was dan midden in de nacht wakker geworden of ik had weer eens niet de slaap kunnen vatten. Dus deed ik mijn oefeningen. Ik grauwde en gromde heel zachtjes. Ik dook keer op keer op het gladde linoleum. Soms ging ik op de tweede traptrede van onderen staan en sprong dan naar beneden, waarbij ik heel elegant op alle vier mijn tijgerpoten tegelijk probeerde neer te komen.

12

De gebloemde nachtpon

Het werd winter. Papa zette de verwarming nooit hoog, zodat we binnen vaak onze jassen aanhielden. Hij wilde ook dat we niet meer zo lang onder de douche stonden, en begon de gesprekken die mijn moeder aan de telefoon voerde af te luisteren; hij maakte de brieven van tante Bonnie uit Ohio open en liep vaak onverwachts mijn kamer in. Ik sliep nog altijd in de ouderlijke slaapkamer; mama had haar intrek genomen in de uitbouw die hij voor haar aan de keuken had geconstrueerd, waarna hij niet de grote slaapkamer voor zichzelf claimde maar blijkbaar genoegen nam met de kleine kamer ernaast, die voorheen mijn slaapkamer was. Helaas hadden we nog altijd het probleem dat hij mijn kamer in moest om zijn kleren te pakken en ik in zijn kamer moest wezen voor de mijne.

Normaliter keek ik alleen tv als hij op zijn werk was of in het café zat. De rest van de tijd lag ik, als ik mijn huiswerk af had, te lezen, diep weggedoken onder de quiltdeken omdat het in de kamer altijd ijskoud was. Ik las veel liefdesverhalen voor volwassenen, fantasy en horrorboeken omdat de meeste tienerboeken me verveelden. Ik trapte er gewoon niet in dat Judy Blumes *Deenie* zo naïef was dat ze niet eens besefte dat ze 'een speciaal plekje' tussen haar benen had totdat ze twaalf werd. Ik las dat jaar tweemaal *Waterschapsheuvel*, en Stephen Kings *Firestarter* en *Carrie*. Op een dag besloot ik zelfs mijn complete in roze leer gebonden kinderbijbel van het boek Genesis tot de Openbaring van Johannes te lezen. Omdat ik maar een paar uur per nacht sliep en niet meer in slaap kon komen als ik uit een nachtmerrie was ontwaakt, was ik er al in een paar dagen doorheen. Papa was soms ook wakker, en als hij me betrapte terwijl ik onder de dekens met behulp van een klein lampje lag te lezen, werd hij pisnijdig; hij zei altijd dat hij er bloednerveus van werd als mensen wakker waren terwijl ze eigenlijk moesten slapen. Mijn moeder kon ook heel vaak de slaap niet vatten, en lag regelmatig de halve nacht naar de radio te luisteren.

Mama en ik beklaagden ons dat papa's huisregels zo oneerlijk waren, en dat hij bijvoorbeeld als enige op mocht blijven. 'Wat denkt hij wel niet?' grapte ze een keer tegen een vriendin. 'Dat we soms midden in de nacht zijn keel afsnijden?' En we mochten pas de badkamer in als hij al de deur uit was omdat hij zich klaar moest maken voor zijn werkdag.

Hij had ook steeds meer commentaar op mijn uiterlijk. Vroeger beweerde hij altijd dat ik het soort schoonheid bezat dat Spaanse dichters had geïnspireerd, maar nu mopperde hij dat ik er niet op vooruit was gegaan, deels omdat ik zo bleek en zo mager was geworden, en deels omdat mijn huid steeds slechter werd. Met kerst had hij me abonnementen gegeven op allerlei meisjesglossy's omdat ik volgens hem van de fotomodellen allerlei tips kon opsteken over hoe ik moest lopen, mijn haar verzorgen, make-up gebruiken en – vooral – acne bestrijden. Ik was nu bijna tien en begon al echt puistjes te krijgen. Papa maakte er een hele toestand van en ging zelfs zover om chocola uit ons huis te verbannen, ervan overtuigd dat mijn geliefde chocoladedonuts de oorzaak waren. Bijna elke avond moest ik onder het felle keukenlicht staan voor een huidinspectie met behulp van een juweliersvergrootglas. Zodra hij nieuwe ongerechtigheden had ontdekt, wilde hij die per se te lijf gaan met een naald die hij in het waakvlammetje van de geiser had ontsmet en in alcohol gedrenkte proppen katoen. Hij prees me uitvoerig dat ik me dan zo gedeisd hield, zo netjes stil bleef staan en nooit een kik gaf. Maar gek genoeg waren de avonden waarop hij zo met mijn huid bezig was de enige keren dat er sprake was van enige intimiteit tussen ons, en al keek ik niet bepaald uit naar de prik met die naald of de bijtende alcoholdotten, ik leerde ze te verdragen omdat hij dan tenminste niet tegen mij of mijn moeder liep te schreeuwen. Het was prettig om zijn voorzichtige en zorgzame handen op mijn gezicht te voelen en dat hij zelfs af en toe even een speels tikje op mijn neus gaf als de beproeving er weer op zat.

Ik werd een keer wakker toen er 's nachts werd geschreeuwd. Ik kroop mijn kamer uit, sloeg rillend van de kou mijn armen om me heen terwijl ik me op de overloop een weg zocht naar de balustrade om naar hen te kunnen kijken. Het nachtlampje op de gang verspreidde een onaardse gloed over de gezichten van mijn ouders, die daar onder aan de trap stonden te bekvechten. Mama probeerde zich langs papa heen te wurmen, maar hij versperde haar de weg. Elke keer als ze hem wilde passeren, lachte hij en hief zijn arm omhoog alsof hij haar ging slaan. Zij had haar lange gebloemde nachtpon aan, hij was in zijn witte hemd en onderbroek.

'Laat me erlangs! Nu!'

'Met wie bel je allemaal? Ik heb hier een telefoonrekening van driehonderd dollar, dus vertel op!' schreeuwde papa. 'Zeg op, goddomme! Wie behalve die teef die ons nog nooit voor een kerstmaal heeft uitgenodigd, die snol, dat kreng dat wijdbeens bij ons aan tafel zat, die vuile hoer, en me gewoon zat te versieren...'

'Hou je kop!' zei mama. 'Je maakt Margaux nog wakker met je schuttingtaal.'

Papa was zo dronken dat hij met dubbele tong praatte – dat had ik nooit eerder bij hem gehoord. 'Ze heeft vast alles kunnen horen, dankzij jou. Dankzij jou is ze naar dat huis geweest, die smeerboel met losgeslagen jongens en die goorlap, die perverse hufter, die vent waar jij zo weg van bent! Bel je hem soms? De gesprekken zijn lokaal, dus staan niet apart op de telefoonrekening vermeld. Maar als ik erachter kom dat jij hem belt... Als jij of zij hem waagt te bellen, dan kom ik dat echt wel te weten. Ik heb daar mijn eigen methodes voor...'

'Volgens mij was het een misverstand. Totaal uit zijn proporties getrokken. Er is geen enkele aanleiding om Margaux zo te straffen.'

'Dus je belt hem wel degelijk? Heb je soms zijn kant van het verhaal willen horen? Weet je dan niets van mannen? Snap je dan helemaal niet hoe mannen denken?' Hij sprak op zachte, spottende toon. 'Heb je dan niets van je vader geleerd? Heeft hij je nooit apart genomen om je de dingen te vertellen die een meisje beslist moet weten? Die pa van jou liet jou en je zussen de hele dag als wilden rondrennen in het bos bij jullie huis. Je moeder lag de hele dag op de bank Franse werkwoorden te leren. Zo ben jij opgegroeid. Zo dus. Je vader gaf geen moer om je. Je praat over hem alsof hij God zelf is, maar heeft hij jou of je zussen ooit iets bijgebracht? Goede raad gegeven? Je vader was een...'

'Hou op over mijn vader!' Mama drukte haar handen tegen haar oren. 'Ik luister niet meer naar je. Ik weiger nog langer je scheldpartijen aan te horen! Je kunt alleen maar aan vuiligheid denken en je bent een zieke vent. Jij bent degene die de rekening op laat lopen, met al je telefoontjes naar je vriendinnetje in Cuba. Hádden ze me maar iets verteld! Hadden mijn ouders me maar goede raad gegeven! Mijn ouders zijn onschuldige mensen, in tegenstelling tot jou. Mijn vader had me voor mannen als jij moeten waarschuwen, met al die vriendinnen die jij erop na houdt. Je hebt mijn hele erfenis afgepakt, de vijftigduizend dollar die ik van mijn arme overleden vader heb gekregen. Jij durft wel zeg, mij hier zo de les te lezen!'

'Ik heb dat geld gebruikt als aanbetaling op dit huis! Als ik er niet was geweest, had je nu in een of ander gekkenhuis gezeten en had de overheid beslag gelegd op je erfenis. Ik heb die man eigenlijk een plezier gedaan door me over jou te ontfermen!'

'Hoor eens, ik weet echt wel dat je met me bent getrouwd om mijn geld, dat heb ik je een keer tegen iemand horen zeggen. Je hebt mijn hele leven gestolen, jij met je verdomde leugens. Moet je me nu eens zien!'

'Ja, kijk jij eens in de spiegel!' Papa barstte in een bulderend gelach uit. 'Kijk er maar eens in, dan weet je meteen waar ik elke dag tegenaan moet kijken. Een vette zeug waar niemand naar wil kijken! Vind je het gek dat ik vriendinnen heb? Ik ga het niet eens ontkennen! Ik heb vriendinnen, ja. En wat wou je eraan doen? Nou?' Mijn moeder snikte. 'Vertel eens wat er zo perfect is aan de wereld. Die man wilde gewoon een speeltje, een klein nimfje in zijn tuin. Ik ben echt niet gek, hoor. Mensen kunnen me behandelen alsof ik niet goed wijs ben of niks voorstel, alsof ik alleen maar goed ben om de rekeningen te betalen en te koken en te poetsen en te zweten als een boerenknecht op de akker! Zijn ze ooit alleen samen geweest, vertel eens? Waren ze ooit alleen met zijn tweeën?'

'Nooit!' schreeuwde mama. 'En al waren ze ooit samen

geweest, zonder mij erbij, dan weet ik zeker dat zijn bedoelingen nog altijd een stuk zuiverder waren dan de jouwe met jouw vriendinnetjes. Hij is niet zo'n zuiplap als jij. Hij houdt van zijn vriendin. Hij is haar trouw. Hij heeft een goed hart. Hij heeft een goed hart en daarom kun jij hem niet uitstaan, omdat jouw ziel zo verrot is!'

'Pas op je woorden, ik waarschuw je...'

'Jij kunt maar beter oppassen, klootzak die je bent.' Zo had ik haar nog nooit meegemaakt, de manier waarop ze hem nu aankeek. 'Margaux, kom die trap af! Ik wil dat je weet wat voor man je vader is! Hoeveel broers en zussen je hebt zonder dat je er iets van weet. Bel de politie! Nu meteen! Bel het alarmnummer!'

In paniek bleef ik boven aan de trap staan. Papa keek op en zag me daar staan. En terwijl hij me aan bleef kijken, stak hij zijn hand als een klauw omhoog en zette zijn nagels in mijn moeders voorhoofd. Ik rende schreeuwend de trap af. 'Papa, niet doen! Doe haar geen pijn!' Halverwege struikelde ik en tuimelde tegen hen aan. Mijn moeder gilde. Toen mijn vader zijn hand terugtrok, droop het bloed van zijn vingers.

'Je vecht als een vrouw!' schreeuwde mama tegen hem. 'Met je nagels! Kun je wel?'

Papa bleef onthutst een poosje zo staan. Toen liep hij naar het telefoontoestel en trok de stekker uit de muur. 'Jullie moeten allebei eerst maar eens rustig worden,' zei hij. 'Ik heb iets te veel gedronken vanavond, en dan worden er dingen gezegd die men niet moet zeggen. Woorden hebben op zulke momenten geen waarde. Op mijn werk sta ik onder druk, misschien word ik wel ontslagen, het hangt allemaal aan een zijden draadje en het ziet er slecht uit. Je moeder is al een tijdje ziek. Ik wil dat jullie nu allebei tot jezelf komen. Als de politie wordt ingeschakeld, dan zul jij...' hij wees naar mijn moeder, '... worden opgenomen en jij...' hij wees nu naar mij, '... wordt in een tehuis geplaatst. Waar het altijd hommeles is. Hele oorlogen worden daar uitgevochten, dus kijk niet naar me alsof ik een slechte kerel ben! Kijk niet naar me alsof je me niet kunt uitstaan! Ik heb voor jullie gezorgd, voor jullie allebei! Als ik er niet was geweest, hadden jullie nu allebei op straat geleefd.'

'Mis je hem weleens?' vroeg ik aan mama.

Het was zaterdagavond en papa zat in het café. Mama en ik speelden een potje dammen aan de eiken keukentafel. Er zat een groot verband op haar voorhoofd waar papa haar had gekrabd. Van papa moesten we zeggen dat ze een ontsnapte parkiet uit de kaken van een zwerfkat had gered. Al was het een bespottelijk excuus – niemand zette er vraagtekens bij. De nonnen op school niet toen mijn moeder me afzette, de eigenaar van bodega La Popular niet, noch de kennissen van mama die bij J&J, Jelly Bean, Carvel of kruidenier Sugarman werkten. Zelfs de postbode, die altijd een praatje met mama maakte, zei niets.

'Mis. Je. Hem. Wel. Eens.' Ik vroeg het haar nogmaals.

'Huh?' Ze knipperde met haar ogen en trok aan het verband. 'Wat jeukt dat ding, zeg, ik word er gek van. Wie?'

'Je weet wel. Peter. Dubbele sprong.' Ik sloeg twee van haar damschijven.

'Oei, die zag ik niet aankomen.'

'Ik heb je mooi gefopt.'

Mama zuchtte. 'Ik mis onze bezoekjes aan Peter. Ik mis de tuin, het is daar zo heerlijk. En dat leuke kleine meisje, Karen. Ik mis Paws, de hond – wat was hij ook alweer: deels retriever, deels...'

'Collie. Een dam voor mij.'

'Wie heeft jou zo goed leren spelen?'

'Peter. Hij heeft me ook leren schaken.'

'Schaken? Toe maar. Wanneer dan? Was ik er soms niet bij?'

'Je was er niet altijd bij, nee.'

Mama werd weer ziek. Wij wisten het. Zij wist het.

'Ik wil niet meer naar de kliniek,' zei ze. 'Ik ga gewoon niet.'

Ze stonden voor het grote tv-scherm in de huiskamer. Papa probeerde haar in haar jas te krijgen.

'De taxi is al gebeld. Hij kan hier elk moment zijn, Cassandra.' Tot mijn grote schrik sprak hij haar bij haar naam aan. 'Luister eens, we hebben allemaal onder zware druk gestaan, ons kind incluis. Het lijkt wel alsof iemand een vloek over ons heeft uitgesproken dat we het maar flink moeilijk moesten krijgen. Ik krijg onderhand het gevoel alsof ik het tegen de hele wereld moet opnemen. Mijn hoofd voelt als een snelkookpan, begrijp je wat ik bedoel? En soms ben ik niet tegen al die druk bestand, daarvoor heb ik niet voldoende middelen. Dit is ook zo'n moment. Nog even en mijn hoofd explodeert. Kun je me volgen? Ik moet weer helder kunnen denken, net als jij. Daarom is dit de beste oplossing.'

'Maar Margaux dan? Wie gaat er voor haar zorgen? Neem je soms vrij?' Ze legde haar handen op zijn schouders.

'Dat heb ik je al verteld. Ik bel Rosa wel, die hier verderop in de straat woont. Ze is niet duur.'

'Ze heeft moeite met mensen die ze nog niet goed kent.'

'Dat weet ik, ik ken dat van haar. Ik wou dat ik het zelf kon doen, maar ik ben momenteel aan handen en voeten gebonden. Ik kan niet eens een paar dagen vrij nemen, dat kost me zeker mijn baan. Ze mogen me niet op mijn werk. In Sanford ging het allemaal een stuk beter, al is het in feite overal hetzelfde. Altijd hetzelfde liedje. Mijn baas vindt dat ik veel sneller moet werken, maar dat lukt me niet! Begrijpen die mensen niet dat ik voor kwaliteit ga en niet voor snelheid? Zij willen alleen maar spullen, spullen! Maar ik ben een kunstenaar. Ik kan niet snel werken, ik heb er de tijd voor nodig. Ik wil alles heel precies doen. Van het minste of geringste foutje lig ik 's nachts wakker, terwijl zij daar totaal geen oog voor hebben. Ze begrijpen niet dat ik hun beste werknemer ben. Niemand waardeert me; ze behandelen me als een hond...'

'Ik kan beter thuisblijven om voor Margaux te zorgen, Louie. Toe, bel die taxi nou af.'

'Nee.' Hij schudde zijn hoofd. 'Een vriend van me zag jullie laatst op Bergenline oversteken zonder links of rechts te kijken. Hij zei dat jullie bijna werden overreden!'

'Dat kan ik me niet herinneren. Ik pas altijd zo goed op.'

'Dat doe je altijd, dat weet ik, en daarom begrijp ik dat je nu niet jezelf bent. Maar er zijn nog meer dingen. Je ligt naar het plafondlicht te staren terwijl je keer op keer die ene plaat draait.' Hij grimaste. 'Dan lig je daar zonder één enkele uitdrukking op je gezicht, met een volkomen lege blik. Je dochter wordt er helemaal bang van. En ik ook. Ik ben bang dat er iets flink gaat ontsporen hier. Ik doe geen oog meer dicht. En als ik niet kan slapen, kan ik ook niet meer werken.'

Daar was geen woord van gelogen. Mama kon soms zomaar ineens in lachen uitbarsten. Ze belde om de vijf minuten iemand op. Ze sliep geen minuut meer en omdat papa en ik ook niet al te best sliepen, hoorden we haar allerlei gratis nummers bellen of de hele nacht de *Sunshine*-plaat draaien.

Toen mama was weggereden met de taxi en papa de voordeur had dichtgedaan, knielde hij voor me neer en nam mijn handen in de zijne. 'Ik moet even met je praten. Ik moet met je praten alsof je een volwassene bent, mijn gelijke. Ten eerste heb je niet goed op haar gepast. Dat was een grove fout. Je hebt daarmee ook je eigen leven in gevaar gebracht. Suïcidale neigingen zijn al erg genoeg, maar het is verkeerd om je omgeving daar zo onder te laten lijden. Ik kan jouw leven niet aan die vrouw toevertrouwen. Noch het mijne. Ik zag laatst dat ze mijn pistool in haar hand hield! Misschien wil ze me wel dood; misschien neem ik haar dat niet eens kwalijk, maar als ze jou ook in gevaar brengt, een onschuldig kind, dan is dat een onvergeeflijke zonde!' Hij zweeg even. 'Enfin, we zijn geen van allen zonder zonden maar we moeten vergeven en vergeten en doorgaan. En waarom? Omdat wij sterk genoeg zijn en omdat we het kunnen, en als we het niet doen zullen we door het leven zelf als een paar eierschalen worden verbrijzeld. Luister goed: jij werd verzorgd door een heel zieke vrouw. Ze is geestesziek. Je kunt niet met je problemen bij haar terecht zoals bij een gewone moeder. De problemen die normale mensen als een peulenschilletje beschouwen, drukken op haar als molenstenen. Zij wordt ziek van jouw problemen. Je bent een stoorzender in dit gezin, maar ik kan je aan; ik kan zelfs heel goed met je meeleven omdat ik ruggengraat heb. Zij gaat eraan kapot, al is dat niet je bedoeling. Meisje, je moet echt eens ophouden met al die heisa. Je kunt jezelf niet doodhongeren en steeds maar in je kamer liggen huilen. Je denkt dat niemand je hoort, maar ik hoor je wel degelijk.'

Ik wendde beschaamd mijn blik af.

Hij tilde mijn kin op. 'Kijk niet weg, kom. Heb de moed om je fouten te erkennen. Ik ben je vader en ik heb geen andere keus dan jou te vertellen welk negatief effect je op ons hebt. Je bent steeds misselijk en geeft minstens tweemaal per week over, terwijl niemand weet waarom! Je hebt de eetlust van een zieke kip en je ziet eruit alsof je wegkwijnt! Vroeger was je de beste van de klas, nu zak je voor wiskunde! Je stelt ons steeds teleur. En ik had zulke hoge verwachtingen van je. Mensen nemen kinderen omdat ze vreugde in hun leven willen brengen, niet alleen maar pijn en verdriet. Nee, niet huilen nu, slik je tranen weg. Je bent een sterk meisje. Je overleeft dit wel. Ik beloof het je, Keesy, geloof me maar.' Hij legde zijn hoofd even tegen mijn borst, en keek toen glimlachend naar me op. 'Nu ze weg is, kunnen we eindelijk een beetje van het leven gaan genieten, toch? Ik voel me schuldig dat we niet met haar mee konden en ze nu in haar eentje in de wachtkamer moet blijven zitten, maar jij zou er niet tegen opgewassen zijn, Keesy. Al die uren in die felverlichte ruimte waarin ze wel een zombie lijkt, dat snijdt door je ziel. Soms krijg je in je leven dingen te zien die niet meer zijn uit te wissen. Ik zal haar gezicht, zo zonder enige uitdrukking, nooit meer vergeten; dat beeld zal me in mijn dromen blijven achtervolgen. Maar we kunnen niet non-stop verdrietig zijn; we moeten voor elke seconde dat we niet meer leven een extra seconde leven! Kom, meis, pak je jas, dan gaan we met zijn tweetjes de stad in, jij en ik. Net als vroeger, oké?'

'Oké.'

Papa stond op. Hij keek op zijn horloge. Hij had nog steeds zijn werkkleding aan: een keurig overhemd en een gestreken broek. 'Ik heb geen tijd om sieraden om te doen. Nou, dan gaan we morgenavond maar de stad in. Dan is het vrijdagavond en ben ik helemaal vrij! Dan blijven we vandaag gewoon in de buurt. Maar morgen neem ik je mee naar een café met een flippermachine. Help me eraan herinneren genoeg kwartjes mee te nemen. En dan trek jij een mooie jurk en schoenen aan, en doe je mooie linten in je haar en armbandjes om, een beetje parfum. Dan gaan we overal heen en laat ik je aan mijn vrienden zien en dan zal iedereen zeggen wat voor mooie dochter ik heb! Dan zullen ze vast zeggen dat mijn dochter nog mooier is dan de maan! Nu blijven we even in de buurt, ik bestel een Shirley Temple voor je maar dan zonder rum. En als je een beetje tipsy wilt worden, neem je maar een slokje uit mijn glas. Kom, ga je jas pakken.'

Ik was blij dat papa me weer mooi vond. Ik hield ondanks alles weer van hem nu mama weg was. Hij was de enige die ik nog had. Ik pakte mijn jas van de kapstok en trok hem aan. Toen ik de ritssluiting omhoog wilde trekken, herinnerde ik me dat die stuk was. Daar werd ik zo nijdig van dat ik er een ruk aan gaf en het lipje stukging. Papa liep op me af en gaf me een draai om mijn oren.

'Hoe vaak moet ik je nog vertellen niet zo ruw met je spullen om te gaan? Je moet gewoon voorzichtig zijn, altijd! Je kunt niet alles kapotmaken wat geld kost. Ik kan me geen nieuwe jas veroorloven! Niet nu zij weer in de kliniek zit!'

'Het spijt me dat ik hem kapot heb gemaakt.'

'Luister naar me, luister heel goed. Je moet je nooit verontschuldigen.'

'Wat moet ik dan zeggen?'

'Niet dat je spijt hebt. Spijt, spijt, spijt... wat heb je eraan? Je kunt het niet ongedaan maken!'

De volgende avond hield hij zich aan zijn afspraak. We gingen van de ene bar naar de andere, ook naar die ene met een ouderwetse flipperkast in de stijl van het Wilde Westen: paarden in galop en schietende pistolen. Ik rende elke keer terug naar papa om nieuwe kwartjes te vragen en struikelde bijna in mijn Mary Jane-schoenen. Ik was helemaal mooi opgedoft in mijn maillot en blauwe jurk van kreukvelours. Papa had een jonge vrouw op schoot getrokken. Ze had wijd uitwaaierend geföhnd haar en haar zwaar opgemaakte gezicht was een carnaval van kleuren. Ze lachte om alles wat papa zei en hij bleef maar drankjes voor haar bestellen.

Maar ze bleef niet lang, en toen ze wegliep gingen wij naar een andere bar en daarna naar weer een andere. Ik nam stiekem slokjes uit papa's bierglas als niemand keek.

Ergens achter in een duistere kroeg zaten we aan een ronde tafel van kersenhout. Papa had voor zichzelf een Grey Goose-wodka met ijs besteld en voor mij cola met een schijfje sinaasappel. Hij had goed onthouden dat ik niet van kersen hield.

Het barmeisje kwam onze drankjes brengen. Papa gaf haar een fooi en toen hij die in haar hand legde gaf hij haar een complimentje over haar kunstnagels.

'Eet je sinaasappelschijfje, Keesy,' zei papa toen ze weg was.

'Mag ik je iets vertellen, papa? Een paar dagen geleden sneed mama voor mij sinaasappels in schijfjes. Maar ze sneed zichzelf in haar vingers en toen droop het bloed helemaal over de sinaasappels.'

Papa bleef even stil. 'Ik ben blij dat ik haar heb laten opnemen,' zei hij na een poosje. 'Ik heb de juiste beslissing genomen.' Hij pakte een sigaret uit zijn pakje Marlboro's en stak hem aan. 'Ik heb je al eens verteld dat ik vroeger, toen ik een jaar of negentien was, met de stieren in Spanje heb meegerend. Naast me struikelde een man en viel op de grond. Ik wilde hem overeind helpen, maar ik moest wel blijven doorrennen. Begrijp je mijn punt, Keesy? Ik moest voor mezelf zorgen en kon niet blijven stilstaan, anders zou ik ook vertrapt worden.' Hij zweeg even. 'Dit is Bijbels. In de Bijbel kijkt Lots vrouw om en verandert in een zoutpilaar. Achteromkijken is zout. Achteromkijken betekent waterlanders. Naar het verleden kijken betekent de dood.' Hij schraapte zijn keel. 'Ander onderwerp. Soms denk ik gewoon te veel na, net als jij.' Hij wees nogmaals naar het schijfje sinaasappel, en toen ik geen aanstalten maakte het op te eten, stak hij het zelf in zijn mond. 'Ik zal je eens wat vertellen over sinaasappels. Ze komen oorspronkelijk uit China. Iedereen denkt dat ze uit Florida komen, maar nee. Sinaasappels zijn Chinees. Net als pasta. Die komt helemaal niet uit Italië. Weet je waar ik dat heb geleerd?'

'Nee,' zei ik en zoog mijn cola door een rietje. Mijn wangen gloeiden en ik was een beetje misselijk, maar verder voelde ik geen spoor van mijn gebruikelijke onrust en afkeer. Ik wist niet of het door de alcohol kwam of omdat we ons op een heel nieuwe plek bevonden. 'Waar dan?'

'Ik heb het uit je moeders Feitenboek. Dat kleine boekje met rampen dat ze overal mee naartoe neemt, haar gidsje dat haar door het leven loodst, maar niet heus. Niet heus.' Papa nam een slok en vervolgde zijn betoog. 'Je moet weer leren lachen. Niemand zit te wachten op een sikkeneur. Ik heb mezelf leren lachen, ook als het me tegenzit. Dat moet jij je ook aanleren. Dus vertel maar, wat mankeert je precies, Keesy? Vertel eens waarom je zo bedroefd bent. En zeg niet dat het door je moeder komt: aan haar moet je inmiddels wel gewend zijn.'

Mijn hart begon te bonzen. 'Ik wil zo graag weer naar Peter,' flapte ik eruit. 'Niet vanwege hem. Hij was altijd ergens anders mee bezig. Maar ik vond zijn zoon zo leuk, Ricky. We speelden altijd samen. Hij is zo knap. Ik wilde altijd met hem trouwen. Ik mis hem, papa. Ik mis hoe het voelde als ik met hem in een kamer was.'

Papa knikte. 'Daar kan ik in komen. Je moeder heeft een keer een foto van hem laten zien. Knappe jongen, al zag hij er een beetje onverzorgd uit. Je begint nu de leeftijd te krijgen dat jongens belangrijk worden. Maar luister: liefde is wat ze fantoompijn noemen. Dichters schrijven erover, je ziet het overal terug in de schone kunsten, muzikanten worden erdoor geïnspireerd, maar het bestaat niet echt.' Hij nam een stevige haal van zijn sigaret. 'Net zoals je denkt een maagzweer te hebben, maar als de chirurg je opensnijdt is er niets van terug te vinden. Het is een chemische reactie, Keesy. Het zijn hormonen. Genoeg mensen zijn eraan doodgegaan maar niemand heeft ooit het bestaan ervan kunnen bewijzen.'

Ik dronk mijn cola op, excuseerde me en ging naar het toilet. Zodra ik binnen was, viel ik op mijn knieën op de smerige vloer, die bezaaid lag met toiletpapier. Ik boog me over de kleine pot met de bruine vlekken aan de zijkant en braakte tot mijn maag leeg was.

13

Ons geheimpje

Peter stuurde me voor Pasen een ansichtkaart, en mama, die net uit de kliniek was ontslagen, vond dat ik hem moest bellen om hem te bedanken. Ik had Peter nu al bijna een jaar niet gezien. Toen ik hem belde, gaf hij me zoveel complimentjes en maakte zoveel grapjes dat ik helemaal straalde toen ik weer ophing. 'Ik wíst dat je vader de plank missloeg met Peter,' zei mama. 'Iemand die niet deugt kan toch niet zo'n lieve kaart sturen?' Ze zweeg even. 'Je vader wil te veel de baas spelen, heeft dokter Gurney gezegd, maar weet je wat? Wat niet weet, wat niet deert. En hij is er toch de helft van de tijd niet.' We giechelden als twee zusjes en gingen meteen bekokstoven hoe we papa om de tuin konden leiden: ik zou Peter alleen bellen als papa in de kroeg zat. Voor het eerst sinds een jaar voelde ik weer enige verwantschap met mama. We deelden nu een geheimpje, iets wat alleen van ons was en waar papa helemaal buiten stond.

Het eerste signaal dat papa de deur uit ging was de wolk eau de cologne die zich door het huis verspreidde. Ik hoorde zijn voetstappen de trap op en af dreunen: hij liep altijd een paar keer de grote slaapkamer in en uit, waar zijn garderobekast stond, en dan zong hij vaak Spaanse liedjes. Hij zat altijd de kraag van zijn overhemd te fatsoeneren tot er geen kreukje meer in viel te bekennen. Hij had een hekel aan gekreukelde kleding; zijn beste kleren bracht hij altijd naar de stomerij, en hij haalde ze pas uit de plastic beschermhoezen als hij ze wilde dragen. Zijn schoenen poetste hij met zwarte schoensmeer tot ze glommen en hij verfde zelfs zijn witte sneakers om de zoveel jaar opnieuw wit.

Hij verzamelde ringen en deed ze in diepe stilte om – als er ook maar eentje niet genoeg glansde, doopte hij hem in een eigengemaakt goedje en wreef hem op met een speciale juwelierskwast –, en zijn gouden hanger in de vorm van een kruis werd onder het lamplicht gehouden om te kijken of hij wel voldoende schitterde. Het was pas veilig om Peter te bellen als het tuinhekje achter papa was dichtgevallen. Kreeg ik het antwoordapparaat na vijf keer overgaan, dan hing ik meteen op; ik bleef bellen tot er iemand opnam. Ik ging ervan uit dat mijn aanhoudende gebel niemand ergerde, want als Inès of de jongens opnamen waren ze altijd heel beleefd.

In groep zeven raakte ik bevriend met een Dominicaans meisje, Winnie Hernandez. Winnie werd vaak uitgelachen omdat ze graag boeken las en omdat haar huidskleur te donker zou zijn – net zoals de blonde Barbara Howard weer te blank was. Winnie was ook een beetje van de wereld, net als ik. Tijdens schoolpauzes liep ze weleens rondjes om een blauwe paal. Op een gegeven moment ging ik haar in de gaten houden en maakten we daar een spelletje van. Een week later bitste Stacey Gomez na de muziekles dat 'Winnie niet wilde dat ik haar overal achternaliep'. De volgende dag stond ik eenzaam en alleen naar die blauwe paal te staren. Winnie wenkte me dichterbij maar Stacey zei: 'Je moet niet met haar spelen. Je wilt toch niet net zo worden als zij?'

Enkele weken later liet Winnie een briefje voor me op de grond vallen. 'Kom morgen na de Bake Sale achter het podium in de aula,' stond erop. Ik ging erheen en we hebben daar een hele tijd zitten praten. Ze zei dat ze Carlos Cruz, de knapste jongen van de klas, had horen zeggen: 'Margaux is niet lelijk, ze is gewoon een beetje raar.' En toen zei ze: 'We kunnen wel vriendinnetjes zijn, maar ik kan me nooit in het openbaar met jou vertonen. We kunnen niet samen lunchen en als er andere kinderen bij zijn moet je maar niets tegen me zeggen.' Ik ging hiermee akkoord en toen werd ze een belvriendje, net als Peter. Door de telefoon durfde ik haar wel toe te vertrouwen dat een volwassen man verliefd op me was geworden en een vrouw van me had gemaakt.

'Je mag het tegen niemand vertellen. Hij houdt nog steeds van me, en als mijn vader niet thuis is zitten we aan de telefoon.'

Winnie begreep het niet helemaal. 'Je kunt geen verkering hebben met een volwassen man. Dat is tegen de wet.'

'Hij vindt de wet maar stom. Hij is rebels.'

'O, zo. Vind je Carlos wel nog steeds leuk?' Alle meisjes waren verliefd op Carlos.

'Nou ja, weet je... Carlos is...' Ik schaamde me een beetje.

Winnie leek me te begrijpen. 'Hij kan stiekem je vriendje zijn. Misschien moet je hem zeggen dat je aan zijn ballen gaat zuigen.' Ze hield maar niet op met giechelen. Ze bedoelde 'penis' maar ze zei 'ballen'.

En toen begon ze weer te preken. 'Je bent een knap meisje maar je moet gewoon wat meer je best doen. Je verknalt je eigen reputatie.' Alles wat je zei of deed, met wie je lunchte of hoe je haar zat, kon je reputatie op Holy Cross maken of breken. 'Weet je wat de meisjes over je zeggen?'

'Nou?'

'Dat je een keer in de klas met je benen wijd zat zodat alle jongens zagen dat je inkijk had. Waarom doe je zoiets?'

'Ik kan het me niet meer herinneren,' zei ik en voelde een steen in mijn maag. 'Ik herinner me niet alles wat ik doe.'

Winnie zuchtte. 'Dat is nou precies waarom ze zeggen dat je niet goed snik bent.' En ze klonk droevig toen ze dat zei.

Het Sprookje, de fantasiewereld die Peter en ik tijdens onze telefoongesprekken betraden, ging over mensen die in tijgers veranderden. Hoewel ik al wat ouder was, wist de tijger nog altijd mijn verbeeldingskracht aan te jagen. Het hoofdpersonage heette Margaux. Ze was niet altijd een tijgerfiguur geweest; ooit was ze een normaal, gelukkig meisje dat verliefd was op Peter, de eigenaar van de dierenwinkel. Maar toen ontmoette ze Carlos, de knappe rockster annex tijgerman die haar behekste met de weerkatvloek door met haar naar bed te gaan, waarna zij ook een tijger werd. Ze werd zwanger van zijn weerkatdochter, Desiree. Ze trouwde met Carlos en het stel betrok een huis in Connecticut. Peter kon het niet verdragen zonder Margaux te moeten leven, dus huurde ze hem in als babysitter voor Desiree en kon hij bij haar en Carlos in huis komen wonen. Carlos en Peter werden vrienden, al waren ze allebei verliefd op Margaux. Peter was veel slimmer dan Carlos en als enige niet-tijgerachtige zorgde hij voor hen allemaal. Het Sprookje was deels ontstaan door mijn levendige herinnering aan de bloederige horrorfilm *Cat People* uit 1982, die ik samen met papa had gezien toen ik vijf was.

Zodra ik Het Sprookje betrad, was ik niet meer de Margaux uit groep zeven, die met de puisten en de boblijn, de zwarte ogen en de beurse knieën van het oefenen op haar poezensprong, de Margaux die nooit voor feestjes of logeerpartijtjes werd uitgenodigd en die de jongens links lieten liggen – die Margaux was dan verdwenen. Het enige wat die Margaux met deze Margaux verbond was haar naam. De Margaux in Het Sprookje was een schrijfster. Ze had een fortuin verdiend met haar romans, haar echtgenoot was een rockster en ze had er nog een man bij die zoveel van haar hield dat het hem niet eens kon schelen dat ze met een ander was getrouwd. Ze was zo mooi dat hij wel van haar móést houden. Ik zag deze Margaux glashelder voor me: ze leek op Cindy Crawford. In Het Sprookje stond ze bij het kanten keukengordijntje terwijl Peter spiegeleieren bakte en baby Desiree kraaiend van pret in de kinderstoel zat. Haar lange, golvende lokken met blonde highlights had ze opgestoken in een wrong (die je heel makkelijk kon vastzetten met een mooie haarklem), er was niet één haartje op haar armen en benen te bekennen en om haar hals zat een fluwelen lintje. Margaux had ook soms modellenopdrachten, en meteen na het ontbijt zou ze weer naar een fotoshoot gaan. En daar was Margaux die zich in de slaapkamer uitkleedde voor de spiegel waarin ze zichzelf in de volle lengte kon zien; daar stond ze samen met Carlos onder de douche en waste hij haar lange haar; daar reed ze in haar convertible; daar bereed ze haar paard, een prachtige, gespierde palomino. Daar transformeerde ze van mens tot dier: een schitterende vacht schoot als vlammend vuur uit haar poriën, de kleur van haar ogen veranderde van bruin in groen, haar jurk scheurde open. Als ze haar tijgerzelf werd, legde Peter haar in het souterrain aan de ketting zodat ze niemand kon aanvallen. Hij bracht haar vlees en water en wreef haar zacht over haar buik totdat ze weer haar menselijke gedaante had aangenomen.

Op vrijdag en zaterdag hingen we vaak in de ban van ons sprookje van negen uur 's avonds tot twee uur 's nachts aan de telefoon terwijl mijn moeder naar de radio luisterde of een van haar lp's draaide. Ik werd nooit moe van deze verhalen, ik vergat mijn hele omgeving en dat ik honger of dorst had: het enige wat ik zag waren die beelden in mijn hoofd. De enige geluiden die ik hoorde waren de stemmen van Peter en mij.

Al vond ik het heerlijk om met Peter te praten, toen ik hem een keer met Inès en de jongens in Hudson Park tegen het lijf liep, waar ik met mijn moeder was gaan wandelen, reageerde ik merkwaardig. Peter begroette ons met een brede grijns en een armzwaai, maar ik zette het direct op een lopen. De eerstvolgende keer dat ik hem belde en hij me vroeg waarom ik me uit de voeten had gemaakt, moest ik hem het antwoord schuldig blijven. Ik zei maar dat zijn onverwachte verschijning me eraan herinnerde dat ik hem nooit meer mocht opzoeken.

Tijdens een van onze telefonische Sprookjesmarathons hoorde ik op de achtergrond gegiechel.

'Wie was dat?' Ik was gepikeerd dat ons Sprookje werd onderbroken.

'Jenny en Renee. O, had ik dat nog niet verteld? Het zijn pleegkinderen. Ze zijn bij ons ondergebracht nadat Karen is weggehaald.'

'Wie heeft Karen weggehaald?'

'Haar moeder. Karen wilde niet weg. Zelf willen ze altijd hier blijven. Ze klemde zich aan me vast alsof haar leven ervan afhing. De sociaal werker heeft haar vingers echt moeten loswrikken.'

'O jee.' Ik vond het een zielig verhaal.

'Wil je Renee even spreken? Ze is maar een jaar ouder dan jij.'

Ik had er niet veel zin in, maar hij gaf haar toch aan de telefoon. Ik vond haar maar een domme giebel met een nasale lach. Ze verzamelde plastic trollen, vertelde ze me. Zelf vond ik dat heel lelijke dingen, maar ik deed net alsof ik ze leuk vond. Het viel me op dat ze Peter 'papa' noemde. Blijkbaar hield ze net zoveel van hem als ik, en Karen was ook altijd zo dol op hem geweest. Daarna had ik Renee nog maar

180

één keer aan de telefoon. Later vertelde Peter dat zij en Jenny, net als Karen, weer terug waren bij hun moeder. Het ging hem te zeer aangrijpen om pleegkinderen in huis te nemen en hij kon het niet meer opbrengen.

Eén keer gedurende onze lange periode van scheiding overkwam het me per ongeluk dat ik Peter belde toen papa thuis was. Ik hoorde hem beneden de telefoon oppakken, een paar toetsen indrukken en daarna doen alsof hij had opgehangen, maar hij bleef luisteren. Ik legde de hoorn op de haak en hoorde geschreeuw beneden, maar papa heeft me er nooit direct op aangesproken.

DEEL TWEE

14

De hereniging

Winnie hield ons contact geheim tot op het moment dat ik aan het eind van groep zeven nog een tweede vriendinnetje had weten te bemachtigen: Irene Palozzi. Irene had me eerst lopen pesten tijdens gymles, maar ik verraste haar door van me af te bijten. Ik kon het me later niet eens meer herinneren. Toch moet het een ontwapenende actie zijn geweest, want we werden daarna vriendinnen en toen kon ook Winnie zich eindelijk in het openbaar met me vertonen. Irene, met haar wijd geföhnde kapsel en een politieagent als vader, wierp zich vanaf dat moment op als mijn beschermer. Ze dreigde zelfs een jongen in elkaar te slaan die het waagde te zeggen dat ik beestjes in mijn haar had. Aan het begin van groep acht werd ons drietal verrijkt met een vierde meisje: Grace Sanchez. Grace was zo knap als de meisjes op de covers van tijdschriften als *Seventeen*, maar veel te bescheiden om mee te kunnen draaien met de vier populairste meiden, die haar eerst in hun kliekje hadden willen opnemen. Ze bekende dat ze die 'popiclub' zo overdonderend vond dat ze tijdens de lunch niet eens iets hardop durfde te zeggen. Irene spoorde haar altijd aan om te zeggen wat ze op haar hart had, en mij ging ze graag te lijf met haar make-uptasje, dat uitpuilde van de doosjes rouge, oogschaduw, lippenstiften en meeneemflesjes haarlak. Onze muziekleraar, meneer Conroy – die zoveel op Patrick Swayze leek dat alle meisjes met hem dweepten –, scheen mij kennelijk te prefereren boven Grace, ondanks haar Cleopatra-coupe. Daarvoor had Irene haar uitleg alweer klaar. 'Dat komt omdat Margaux de mannen om haar vinger weet te winden,' zei ze tegen ons groepje, de draak stekend met mijn onbewuste gewoonte om mijn blik op de grond gericht te houden, en als ik dan naar een man opkeek ging ik stralen zodra hij me in de ogen keek.

Soms stak een eigenschap de kop op die ik nog niet van mezelf kende: dan moest ik me verzetten tegen dat wat ik als onrecht beschouwde. Ik stelde me bijvoorbeeld zeer beschermend naar Winnie op, en als iemand ook maar naar haar wees, dan sprong ik voor haar in de bres. Winnie vertelde dat ze had gezien hoe het populairste meisje een keer glasscherven in haar frisdrankje gooide, en prompt zocht ik in de gang die meid op, die mij ook jarenlang had lopen jennen. Met mijn borst bijna tegen de hare snauwde ik: 'Wat heeft Winnie jou ooit misdaan?' Het meisje keek me verbaasd aan en bleef over haar schouder naar me kijken terwijl ze haar klaslokaal in liep.

Dankzij mijn nieuwe vriendinnen voelde ik me soms als een gewoon meisje van elf, net als de anderen. Maar diep in mijn hart wist ik dat ik anders was. Ik zat nog steeds één keer per week met Peter aan de telefoon – een geheim dat ik niet met hen kon delen. Ik was het dikst bevriend met Winnie, maar zelfs zij kon me niet helemaal doorgronden. Bovendien was ze niet half zo aan me verknocht als hij. Ik had haar de helft van mijn vriendjes-voor-altijdmedaillon gegeven, maar na een paar dagen droeg ze die al niet meer. Ze zei dat het niet mocht van haar moeder, maar volgens mij was het omdat ze me ergens toch nog een freak vond.

Papa was niet blij dat ik nu vrienden had, integendeel.

'Hou je kop! Ik kan die stem van jou niet meer horen!' schreeuwde hij als ik met Winnie aan de telefoon zat te lachen of te praten. Als mama hem een van mijn betere rapporten voorlegde, kon er nauwelijks meer af dan een chagrijnig 'nou, mooi'. Soms leek het wel alsof hij wilde dat ik ophield met bestaan.

Onze deur was stevig vergrendeld met twee sloten: een voordeurslot met buitencilinder en een Yale 3000-pennenslot. Papa mocht graag opscheppen dat elke inbreker, verkrachter of seriemoordenaar die bij ons binnen probeerde te komen zoveel herrie zou moeten maken dat hij nog makkelijk zijn pistool kon pakken, dat altijd geladen was.

Ergens in het najaar, toen ik met mama terugkwam van Holy Cross, doorzocht ze het vakje in haar tas waarin ze altijd haar sleutels bewaarde, en kwam tot de ontdekking dat ze weg waren. We stapten uit bij onze vaste bushalte tegenover Washington School en liepen naar de telefooncel die voor bar La Popular stond. Mama vroeg me naar het nummer van Peter omdat ze wist dat ik het uit mijn hoofd kende. Toen ze mijn paniek zag, voegde ze er snel aan toe: 'Volgens mij heb ik mijn sleutels op de keukentafel laten liggen. Peter is slotenmaker. Als hij nou gewoon even de deur openmaakt, dan hoeft je vader er nooit achter te komen dat ik ze ben vergeten.'

Er werd niet opgenomen bij Peter, dus toen liepen we maar naar zijn huis, zwijgend en allebei diep in gedachten verzonken. Ik was zo nerveus om hem weer te zien dat ik een pakje roze veterdrop uit mijn boekentas haalde, en die alleen maar liep af te wikkelen zonder erop te kauwen. Ik had nog steeds mijn schooluniform aan: een marineblauwe schoolblazer over mijn lichtblauwe bloes en marineblauwe sokken met instapschoenen. Ik keek even naar de grillige, vormloze

187

wolken hoog in de lucht, die precies leken op de wolken op de schilderijen bij ons thuis aan de muur. 'O! Volgens mij zie ik zijn huis al!' jubelde ik met een vreemde hoge stem. 'We zijn er weer!' zei mama met een brede glimlach.

De voordeur stond wijd open, en toen we zagen dat de bel nog steeds stuk was liepen we maar gewoon naar binnen. Peter kwam net de trap af toen wij naar boven wilden gaan. Zijn haar was inmiddels meer zilvergrijs dan peper-en-zout. Hij droeg een grijze overall vol verfspatten en een zwart Harley Davidson-shirt, en zijn krachtige, knappe gezicht kreeg een kleur van blije verrassing.

Hij sloeg zijn armen zo stevig om me heen dat ik op dat moment alleen maar zijn omhelzing kon voelen, en net als vroeger drukte ik mijn gezicht stijf tegen zijn borst. Hij rook naar stopverf en hondenvacht, en toen ik naar zijn mond keek, zag ik dat zijn lippen net zo verrukt gekruld waren als die van een posterboy in een tijdschrift. Het was alsof we in een romantische komedie waren beland waarin hij de hoofdrol speelde.

'Wat heb ik jou gemist, zeg,' zei hij.

Toen we naar boven liepen om wat te eten en bij te praten, begonnen allerlei opdringerige herinneringen aan de randen van mijn geheugen te knagen. Zoals dat Peter me twee jaar geleden was gaan slaan als ik me misdroeg; dat gebeurde vlak voor papa me verbood hem nog langer te zien. Als we alleen waren, gaf Peter me weleens een tik op mijn wang of op mijn vingers. Het was niet te vergelijken met de manier waarop mijn vader mijn moeder sloeg, maar ik keek er niet-temin van op. Het was net alsof hij vond dat hij me sinds die ene keer in het souterrain, waar ik hem zijn verjaarscadeau had gegeven, meer als zijn vrouw moest behandelen.

Zodra mijn moeder even naar het toilet was, zei hij: 'Je

moet er echt bij je vader op aandringen dat je weer bij me langs mag komen. Ik weet dat ik niet meer zonder jou kan leven. Heb jij niet hetzelfde gevoel?'

'Ja,' hoorde ik mezelf zeggen, en hield van hem alsof we nooit uit elkaar waren geweest.

'Ik was mijn handen in onschuld,' zei papa. Hij was eindelijk gekalmeerd na zijn tirade en zat nu aan de keukentafel aan een gouden armband te werken, met een mond die strakgespannen stond van de concentratie. De bovenkant van zijn gezicht ging schuil achter het juweliersvergrootglas. Ik zat op een stoel tegenover hem, zogenaamd erg druk bezig met mijn staartdelingen. 'Dat zei Pilatus tegen de menigte: "Ik was mijn handen in onschuld." Het volk had de laatste stem. De meerderheid beslist. Jullie zijn met zijn tweeën en ik ben alleen. Ik delf het onderspit bij deze stemming.'

Mama stond op dat moment een meter bij hem vandaan, in haar kamerjas en op slippers, bij het fornuis. Ze had haar armen over elkaar geslagen. 'Nou, daar ben ik dan blij om. Want het gaat helemaal niet goed met Margaux en dat weet je best. Je kunt niet langer zo egoïstisch zijn en baasje blijven spelen. De twee zonen van Peter krijgen altijd vriendjes over de vloer. 's Zomers komen alle kinderen uit de buurt bij hen in de tuin onder de sproeiers staan, zei hij een keer. Ik weet dat jij er heel anders over denkt, maar het is echt een fijn gezin. Ze hebben het niet breed, maar ze zijn wel hartstikke aardig!'

Papa schudde zijn hoofd. 'Net als die teef en haar bankier, weet je nog? Maar die teef in Connecticut heeft een mooi huis in Westport. Toen de bankier haar in de steek liet, hoefde ze zich dankzij de vorstelijke alimentatiecheques nergens zorgen over te maken. Sommige mensen worden nu eenmaal rijk van andermans bloed: ze voeden zich als parasieten maar geven er niets voor terug! Maar kan een bescheiden lening aan haar zwager eraf? Ho maar! En ik had haar echt wel terugbetaald, hoor! De lef dat ze durfde te veronderstellen dat ik dat nooit zou kunnen. Ik hou me altijd aan mijn woord!'

'O, begin daar niet wéér over. Margaux hoeft jouw gebulder niet aan te horen. We hebben dit uit-en-te-na besproken.'

'Ik had een aanbetaling kunnen doe voor dat huis in Nutley! Dan had ze dat stelletje wilden niet eens hoeven ontmoeten! Alles was anders geweest. Die teef heeft mijn leven verwoest!'

'Noem mijn zusje geen teef.'

'Ach gut, je zusje. Je zusje! Alsof je die teef familie kunt noemen! Ik denk dat die Peter van jullie evenmin als jouw zus een keer zal bellen om ons allemaal uit te nodigen. Ook niet op een mooie zonnige zaterdag als het lekker weer is en we op ons gemak ernaartoe kunnen rijden. Zo weinig vertrouwen heb ik in die man.'

Mama zuchtte. 'Het was gewoon een misverstand. Die ene kus, bedoel ik. Ik zeg niet dat ik hem compleet vertrouw want mannen zijn nooit helemaal te vertrouwen. Ik vertrouw hem niet alleen met Margaux. Maar ik geloof hem wel, hen allebei: zij heeft hem compleet overvallen met dat kusje. Het was een heleboel heisa om niks.'

Papa hield de armband in het licht om zijn werk te inspecteren. 'Deze is voor Paula, een meisje dat ik ken. Ik doe graag dingen voor mensen. Ik repareer gratis hun spullen. Het geeft me een goed gevoel om iets voor anderen te kunnen doen. Ik ben geen egoïst, in tegenstelling tot die teef uit Connecticut.'

'Nou, Peter wilde ons anders ook graag helpen, hoor. Hij kon alleen niet binnenkomen omdat hij het juiste gereedschap niet had. Hij heeft ons ook nog wat te eten gegeven.'

'Wat dan?' Papa liep naar het dressoir om de armband en zijn loep op te bergen.

Mama aarzelde even. 'Hij had wat restjes KFC over. Dat is goed voor Margaux. Proteïne. Ik vind het niet erg dat het fastfood is. Ze heeft tenminste iets gegeten.'

'Veel?'

'Twee drumsticks en een bak aardappelpuree met jus,' loog mama. Want ik had maar een halve drumstick en een hapje biscuit op. Papa trok de koelkast open, pakte er een avocado uit en sneed de schil eraf. 'Jouw zus en die kerel. Wat zijn ze toch dol op je. Iedereen is o zo dol op jou en je dochter. Gelukkig dat die vent niet bij mij naar binnen kon komen! Goed zo! Hij had vast geprobeerd mijn juwelen te stelen. Doe me een lol, zeg. Breng haar maar daar naartoe, maar neem die man nooit mee naar mijn huis. Dat is alles wat ik van je vraag.'

'Je bent een snob. Echt.'

'Oké, dan ben ik een snob. Omdat ik mijn kleren strijk? Omdat ik mijn schoenen poets? Maakt me dat tot een snob? Prima! Ga jij maar naar die varkensstal. Dan kun je je als een wild beest gedragen zonder dat iemand er iets van zegt. Ga je gang, gedraag je maar als een varken in die janboel daar. Jullie allebei. Ik hoef niets te weten van wat jullie daar uitspoken! En het kan me ook niets schelen!'

Het spek lag met gloeiend hete, opspattende vetdruppels in de koekenpan te sissen. Peter, gekleed in een wit T-shirt en grijze overall vol vegen witte verf, keerde het met een bakspaan om. Paws dribbelde kwispelstaartend de keuken in. Hij leek een beetje dikker en zijn vacht zag er mottig uit, alsof hij wel een flinke borstelbeurt kon gebruiken. Vroeger leek hij op zo'n glanzende showhond in reclames voor hondenvoer, maar het kan ook best dat hij er altijd al zo verfomfaaid uit had gezien. Hij was nog steeds de liefste hond van de wereld. Met zijn tong uit zijn bek ging hij op het zeil zitten en gaf Peter een pootje.

'Bedelkont,' zei Peter en gaf hem een kluifje. 'Je bent hopeloos.' Hij klopte even op zijn kopje en kriebelde hem achter zijn oor.

'Je geeft hem altijd zijn zin, Peter.' Mama zat ontspannen op een van de keukenstoelen. Ik was veel te opgewonden om stil te kunnen zitten. Ik hopte van het keukenkastje met de glazen deuren rechts naast het fornuis naar het houten pannenrek met de ovenwanten met koeienprint aan de andere kant. Mijn haar zat in een paardenstaart boven op mijn hoofd, bijeengehouden door een wollig zwart elastiekje, en ik droeg superstrakke jeans met zwart leer op de zakken en een grijs sportjackje met metalen ritsje. De rits stond open zodat ik een beetje decolleté had, en voor een elfjarige had ik volgens mij best wel veel. Ik had cup B terwijl Irene en Grace het nog met cup A moesten stellen. Peter zei dat ik me aardig begon te 'ontwikkelen'. Nog even en ik moest de jongens met een stok wegmeppen, zei hij. We zagen elkaar sinds enkele maanden weer, maar volgens mijn moeder was ik echt al een beetje aangekomen. Zelfs mijn huid zag er al beter uit, al had Peter mijn moeder ertoe over weten te halen haar noodpotje aan te spreken voor een dekkende foundation van L'Oréal en compactpoeder van Revlon. Het was een mirakel zoals ik met die twee producten mijn acne kon verdoezelen.

'Weet je wel zeker dat ik al het spek moet bakken?' Peter liet me het pakje zien met het roze vlees met witte zwoerdjes. 'Die witte randen hier zijn puur vet, dus vraag mij niet hoe gezond dit is. Wil je dit echt allemaal opeten?'

Ik knikte. We waren met Peter naar het winkelcentrum

geweest, waar ik alles mocht uitkiezen wat ik lustte, en dan zou hij het klaarmaken. Na wat wikken en wegen had ik uiteindelijk de diepvriespizza's laten liggen en de bacon van Oscar Meyer uitgekozen. Het spek had uiteindelijk gewonnen omdat ik wist dat ik het anders nooit zou krijgen.

'En je gaat het meeste zelf opeten?'

'Ja!'

Ik hoorde iets rammelen. Ricky's kettingen. Hij kwam net de keuken in met zijn spijkerbroek die vol hing met kettingen. Het leek wel zilverbeslag. Er zaten scheuren bij zijn knieën en hij liep op zwarte Doc Martens. Zijn hanenkam accentueerde zijn hoge jukbeenderen en de scherpe lijnen van zijn kin, neus en voorhoofd.

'Hallo Ricky, wil jij soms ook wat van dit spek?' vroeg Peter.

'Nee, dank je,' zei Ricky en liep naar de koelkast. Hij was nu veertien; hij was altijd beleefd maar wel koeltjes. Hij zei niet veel en als hij zijn mond opendeed kwam er alleen wat gemompel uit. Hij liep altijd zo vlug de kamer in en uit dat je alleen aan de kettingen aan zijn spijkerbroek kon horen dat hij binnen was geweest. Hij was mager en in één keer uitgeschoten tot iets van een meter zeventig of vijfenzeventig. Peter noemde hem 'punkrocker'. Miguel had zijn haar laten groeien en psychedelisch blauw geverfd. Hij wilde een motor, net als Peter. Boven op zolder hoorden we altijd het geschetter van punkmuziek of heavy metal. Een paar van hun vrienden zaten in een beroerde thuissituatie, daarom bleven ze vaak weken of zelfs maanden op zolder hangen en sliepen al die tijd op de vloer. Het enige wat Peter echt stoorde, was dat ze alle kasten leeg aten. Volgens hem nam Inès altijd zwerfgevallen op die haar gebruikten zonder dat ze er erg in had. Hoe de zolder er tegenwoordig uitzag wist ik niet precies, maar toen de jongens een keer de deur open lieten staan, kon ik zien dat de muur boven bij de trap feloranje was geverfd. Een van hun logés had met een bus zwarte verfspray op wel vijf plaatsen 'Oy!' op de muur gespoten, wat volgens Peter een punkslogan was. Als ik bij de trap stond en boven die deur open zag staan, kwam ik altijd in de verleiding even te gaan kijken. Maar ik wist dat ik niet tot het besloten clubje behoorde van meisjes met vinylminirokjes, rijglaarzen en hondenhalsbanden, of jongens in leren jacks met sierspijkers die allerlei gitaarkisten naar boven sjouwden. Ricky had met zijn vriend Vaughn een bandje opgericht, Rigor Mortis, wat ze later veranderden in War Dogs, totdat ze eindelijk definitief kozen voor Prehistoric Defilement. Ze oefenden bijna elke dag, en als Peter en ik ons tijdens zo'n sessie in de buurt van de zolder waagden, schudde hij zijn hoofd en mompelde iets van: 'Dat noemen ze muziek, die teringherrie.'

Prehistoric Defilement kreeg warempel een paar boekingen in lokale hang-outs en ze hadden twee groupies. Amber was een knap meisje van zestien met een hondenband om haar nek en altijd een smurf aan de ceintuur van haar ultrakorte rokje. Ze had streepwenkbrauwen en sprak elke oudere man die ze tegenkwam aan met 'pappie'. En dan had je nog Vanessa, een beeldschoon meisje dat weleens een zwart rokje van echt leer droeg. Ze had spierwit geblondeerd haar en een gebruinde huid omdat ze altijd in haar bikini op het dakterras zat. Amber pochte graag dat ze al twee baby's had, die allebei met de keizersnede ter wereld waren gebracht. Vanessa werkte ergens in een bar in Manhattan, dankzij haar neef die haar een zeer kundig vervalste identiteitskaart had bezorgd. Ik vond haar bloedmooi, en stond helemaal paf toen Peter me vertelde dat Ricky haar hand had weggeduwd toen ze hem door zijn hanenkam had gewoeld; hij had zich omgedraaid en haar toegebeten: 'Hou goddomme je poten thuis!' Dat kon ik maar moeilijk met zijn karakter rijmen. 'Hij is humeurig,' reageerde Peter schouderophalend.

Peter wist dat ik zoals alle andere meisjes verliefd was op Ricky. We waren weer net zo eerlijk tegen elkaar als vroeger. Ik had hem zelfs verteld dat ik mijn hele schoolagenda en mijn grote roze vlakgum had volgekalkt met 'ik hou van Ricky'-teksten. Ricky slenterde een keer de kamer in en ik kon zijn kettingen horen zwiepen. Hij was een en al lange mooie slungeligheid met gescheurde jeans en lange smalle handen, en ik was zo dol op hem dat ik in Peters oor fluisterde: 'Ik wil nu dood.' Peter schudde alleen maar met zijn hoofd.

Helaas gaf Ricky nauwelijks sjoege maar Richard, het nieuwe vriendje van Inès, keek elke keer op als ik langs hem liep. Richard was negenentwintig en zag er leuk uit met zijn baret en schouderlange bruine haar. Hij leek een beetje intellectueel, met zijn beduimelde sciencefictionpaperbacks, middeleeuwse fantasyromans en hoornen bril. Richard was altijd stoned van de wiet of high van de coke, althans, dat beweerde Peter. Maar hij was wel charmant en dat was zijn geluk, want hij gedroeg zich als een klein kind en werd overal ontslagen. Het enige waar hij goed in was, was lezen, roken en eten. Volgens Peter gooide hij ook zijn peuken in de toiletpot en vrat hij alle spaghettisaus en het brood op zonder eraan te denken of er nog meer mensen honger hadden. Anderzijds was hij wel een prima schaakpartner en kon hij Inès gelukkig maken op een manier waar Peter niet aan kon tippen. Toen ik vroeg waarom, zei hij dat hij Inès drie jaar geleden had verteld dat hij niet meer met haar naar bed kon. Dat was kort nadat hij en ik samen intiem werden, zei hij, en hij wilde mij niet ontrouw zijn. Omdat hij katholiek was opgevoed, kon hij geen seks meer met haar hebben want dan voelde hij zich schuldig. In eerste instantie had Inès gezegd dat hij dan maar beter kon vertrekken, want ze was er nog niet klaar voor om nu al haar leven als vrouw op te geven. Maar Peter was huilend op zijn knieën voor haar neergevallen en smeekte hem alsjeblieft niet de deur uit te zetten. Niet alleen mocht ze van hem met andere mannen omgaan, had hij gezegd, maar hij stond er zelfs op; ze kon hem dan gewoon als een huisvriend beschouwen. Kort daarna kreeg ze een relatie met Richard.

Peter zei dat ik bij Richard uit de buurt moest blijven, maar als mama en Peter er niet bij waren vond ik het leuk om vlak langs hem heen te lopen en hem dingen te horen zeggen als: 'Dag snoes' of 'Knap kindvrouwtje'. Ook zei hij dat hij nooit volwassen had willen worden als alle meisjes er in groep acht net zo uit hadden gezien als ik. Ricky daarentegen zag me niet staan. Zelfs niet als ik mijn rode bodystocking droeg met het kanten keurslijfje, een fluwelen halslint, mijn haar in de krul had gezet en me had opgemaakt met glanzende lippenstift, zwart oogpotlood en mijn nagels zilver had gelakt, zoals die ene dag in de keuken. Ik hoopte maar dat hij me niet lelijk vond. Al was ik van voren goed ontwikkeld, ik was wel heel tenger en had erg smalle heupen in vergelijking met de veel weelderiger gevormde Cubaanse en Dominicaanse meisjes, zoals Winnie, of de meisjes die niet half maar helemaal Puerto Ricaans waren. Ik was in tegenstelling tot Winnie en Grace ook nog niet ongesteld geworden, maar mama bleef volhouden dat dit pas zou veranderen als ik wat vlees op mijn botten kreeg. Hierin viel Peter haar bij. En daarom zat ik daar aan de keukentafel terwijl Peter stapels gebakken bacon op mijn bord schepte en me 'spekkoningin' noemde. Ricky had inmiddels een enorme schaal spaghetti in de magnetron opgewarmd en verdween ermee naar zolder: ongetwijfeld zou iedereen daar boven mee-eten. Toen hij weg was, kon ik zelf ook aanvallen. Het lekkerste vond ik de stukjes spek die het kortst in de pan hadden gelegen: die waren roze en dik en dropen van het zoute vet.

'Eet niet zo snel, straks moet je nog overgeven,' zei Peter. Hij deed net alsof hij over me heen kotste, met allerlei geluidseffecten erbij. 'Doe niet zo kinderachtig,' zei ik eerst, maar toen moest ik lachen en deed mijn mond wijd open om hem een blik te gunnen op die half vermalen berg spek daarbinnen. Hij stak zijn tong naar me uit en schoot in de lach.

Die winter vroeg Peter wat voor vriendinnen ik eigenlijk had, en ik vertelde hem van alles over de slimme Winnie, de beschermende Irene en de beeldschone Grace. 'En wat ben jij dan?' vroeg hij. Ik was de nar, legde ik uit. Ik vertelde verhalen en deed mensen na die ik op tv had gezien. Ik was degene die hele plannen beraamde waar nooit iets van kwam, zoals weglopen van huis en stiekem meerijden in goederenwagons, of plannen waar iets van terechtkwam, zoals het oprichten van de Animal Love Club, een kortstondig project waarvoor we protestbrieven naar bontdragers en dierproeflaboratoria stuurden. Ook imiteerde ik heel vaak mijn vader als hij weer een van zijn woedeaanvallen had, tot groot vermaak van mijn vriendinnen (al waren die uitbarstingen verre van grappig als ik ze daadwerkelijk over me kreeg uitgestort). Peter wilde mijn vriendinnen graag ontmoeten, maar ik vroeg me af of dat wel zo'n goed idee was. Ik wilde hem geen deel laten uitmaken van de wereld die ik met hen deelde. Helaas had hij dezelfde eigenschap als ik toen ik nog klein was, en bleef hij net zo lang doordrammen tot ik hem zijn zin gaf.

'Schaam je je soms om me aan je vriendinnen voor te stellen?' vroeg hij op een dag toen ik Paws zat te borstelen. Ik zeepte de hond regelmatig in met antivlooienshampoo en kamde zijn vacht, zodat hij er inmiddels weer goed verzorgd uitzag.

'Hoe leg ik onze relatie dan uit?' Ik verzamelde de dotjes haar uit Paws' vacht en stopte ze in een plastic zak.

'Dan zeg je toch dat ik een vriend ben? Zij zijn vriendinnen en ik ben ook gewoon jouw vriend.' Hij streelde mijn rug en ik huiverde even, maar onderdrukte dat gevoel weer snel.

'We gaan buiten schooltijd niet veel met elkaar om.' Maar dat was slechts ten dele waar. Winnies moeder mocht ons geen van allen en Grace woonde te ver uit de buurt. Op een dag waren Grace en ik bij Irene langs geweest om *The Exorcist* te kijken. Grace was zo bang dat we, om haar te kalmeren, het bezeten meisje voor de grap vergeleken met een aerobicsleraar die bekend was van tv. Een andere keer had ik bij Irene gelogeerd en hadden we elkaar tot twee uur 's nachts griezelverhalen voorgelezen.

'Je zou iets kunnen afspreken en dan zeg je gewoon dat ik je oom ben. Ik kan ook jou en Grace dit weekend meenemen naar de goochelshow.' Diezelfde zaterdag nam hij me achter op de motor mee naar de voorstelling. Grace, die door haar moeder in haar saaie Toyota werd afgezet, was daar nogal van onder de indruk. Peter voelde precies aan hoe hij een verlegen meisje op haar gemak moest stellen. Hij maakte een polaroidfoto van ons terwijl we samen de python van de goochelaar vasthielden. Later vertelde Grace dat ze mijn oom echt aardig vond en dat ze zo'n leuke dag had gehad. Peter stelde voor om nog een keer met z'n drieën uit te gaan, maar ik wimpelde dat af door te zeggen dat Graces moeder geen zin had om zich weer in de verkeerschaos te storten. Toen hij bleef aandringen, deed ik alsof we niet meer zo goed bevriend waren omdat ze tijdens de lunch bij de getapte meiden zou zijn aangeschoven. Ik vond het niet leuk om tegen hem te liegen, maar om de een of andere reden voelde het alsof ik geen andere keus had.

Er was in de afgelopen twee jaar veel veranderd bij Peter thuis. Ik merkte de verschillen niet direct op. Later viel me pas op dat de konijnenhokken weg waren. Volgens Peter hadden ze een virus te pakken gekregen en waren ze allemaal doodgegaan. Ik kwam te weten dat Cerberus de kaaiman door een ongeïdentificeerde zolderbewoner uit zijn aquarium was gekidnapt en hartje winter in de tuin was neergezet. Het arme beestje is daar doodgevroren. Nu waren alleen nog maar de vogels en Paws over.

Peter en ik gingen ook anders met elkaar om. Toen ik acht was, konden we nog gewoon hand in hand zitten en zei niemand daar wat van. Als we nu een ommetje maakten met de hond, keken de mensen ons raar aan als we hand in hand liepen. Ik begreep maar niet waarom de mensen zich met ons wilden bemoeien.

Op een dag in maart keken Peter en ik een fotoalbum door. Mijn moeder zat in de huiskamer met het kankerfonds aan de telefoon om te vragen of Peter zich soms op prostaatkanker moest laten testen. Ik keek naar een foto van Karen onder een glanzend schutblad, waarop ze met haar hoofd en armen in een of andere grote houten constructie zat. Ik vroeg wat dat was, en Peter zei dat het een schandpaal was, een martelinstrument uit de middeleeuwen. Met Inès, de jongens, Karen en Richard had hij anderhalf jaar daarvoor een renaissancefestival bezocht.

Ik keek nog een keer naar Karens foto. Ze zag er oud uit, al moet ze daar hooguit zeven jaar zijn geweest. Misschien kwam het wel door die vegen rode make-up die ze onder haar ogen had. Of door de schandpaal die haar hals en polsen omsloot.

Mijn blik viel op de foto ernaast, waar een lachend blond meisje op stond afgebeeld. 'O, dat is Jill,' zei Peter. 'Ze kwam hier heel vaak samen met haar moeder over de vloer toen Karen weg was, om met Jenny en Renee te spelen. Knap meisje, hè?'

Ik sloeg het album dicht.

Mama kwam de keuken in. 'Peter, ik heb je adres aan het kankerfonds doorgegeven. Ze sturen je een brochure op over die test. Ik ga nu proberen of ik Maria te pakken kan krijgen. Ik hou je telefoonlijn toch niet te veel bezet?'

'Maak je geen zorgen, Sandy,' zei Peter. 'Ik heb je al verteld dat we de telefoon zelden gebruiken. Eigenlijk hebben we hem niet eens nodig. Zolang je lokaal belt, is het geen probleem.'

Mijn moeder knikte en ging weer weg om Maria te bellen. 'Wil je mijn kamer zien, Margaux?' vroeg Peter. 'Volgens mij heb ik je die nog nooit laten zien.' Dat was waar. We zaten altijd in de keuken, in de tuin of in de huiskamer, dus ik was er wel nieuwsgierig naar. Peters kamer was pal naast de keuken. Op de deur hing een bord met de tekst: SLAVENKWAR-TIER. 'Dat is een grapje tussen mij en Inès,' zei hij. 'Omdat ik zo'n manusje-van-alles ben.'

Her eerste wat me opviel waren de foto's aan de muur van mij als achtjarige. Er hingen drie grote foto's in ovaalvormige lijsten, en in het midden van de grootste wand een nog grotere foto van mij met Paws waarop we bij een hele verzameling plantenpotten stonden, naast een flink tv-toestel met videorecorder en Nintendo. Ik had alleen een blauw met wit gestreept zwembroekje aan en hield Paws vast aan zijn halsband.

'Is dat geen mooie foto?' vroeg Peter. 'En die daar dan, waarop je dat rood met grijze shirtje draagt met die Peter Pan-kraag dat je toen altijd aanhad. Ken je dat nog? Heb je het nog steeds?'

'Nee, het past me niet meer.'

'En die foto,' hij wees naar de linkerkant van de muur. 'Daar hangen jij en Karen met Paws bij de kerstboom de clown uit.' Ik leek heel blij op die foto, maar om een of andere reden kon ik me die kerst niet meer herinneren, en dat benauwde me. 'Wie is dat?' Ik wees naar een andere foto.

Peter grinnikte. 'Geloof het of niet, maar dat is Jill, dat meisje dat je net in het fotoalbum zag. Hier ziet ze er heel anders uit. Ik heb expres een foto van jou ernaast gezet, want al heb jij bruin haar en is Jill blond, jullie hebben precies dezelfde uitstraling. Een heel speciale uitstraling van liefde en, als ik zo vrij mag zijn, bewondering. Die gloed, die blik, dat heb je in je leven maar één keer. Jullie waren toen allebei acht jaar oud. En weet je? Jullie keken allebei naar mij. Twee meisjes van dezelfde leeftijd, het ene met een getinte huid en donkere ogen en het andere heel lichtblond met blauwe ogen, maar het is net alsof jullie allebei de helft van een en dezelfde persoon zijn. En jullie hadden beiden dat liefdevolle, dat bewonderende. Als ik 's morgens wakker word, zie ik mijn twee engelen die me de kracht geven om aan een nieuwe dag te beginnen.'

Op die foto zag Jill er helemaal niet uit als een echt meisje, zoals ik of mijn vrienden. Niet eens als Grace. Peters Jill was te smetteloos, te doorschijnend. In het fotoalbum had ze er nog uitgezien als een doorsneemeisje met staartjes en appelwangen, maar op deze foto had ze haar gezicht schuin afgewend zodat het veel smaller leek, haar krulhaar was helblond en haar ogen hadden net zo'n onechte blauwe kleur als kerstballen. Ze had zelfs een moedervlek naast haar oog, die Peter omschreef als een 'schoonheidsvlekje'. Ik was zowel nijdig als onder de indruk van haar beeltenis: haar mooie gezichtje dwong me om telkens weer naar haar te kijken met de gretigheid van iemand die dorst heeft, en elke keer gaf ze me een naar gevoel over mezelf omdat ik niet half zoveel licht uitstraalde.

'Kijk eens hoe ik, voor het contrast, een donkere lijst voor haar en een gouden lijst voor jou heb gekozen. Ik heb deze foto's laten uitvergroten: de originelen waren rechthoekig. Maar ik heb een hekel aan rechthoekige foto's, dus ik heb ze bijgesneden totdat ze in de ovaalvormige lijsten pasten. Daar ben ik heel bedreven in. In de natuur zie je nooit vierkanten of rechthoeken, dus waarom moet je daar je kamer mee vol hangen? Ik vind dat hoekige plafond al lelijk. Zie je wat ik ermee heb gedaan?'

Ik keek omhoog.

'Nou?' Peter grijnsde breed. 'Miguel, Ricky en Richard hebben meegeholpen om die grote blauwe lap op te tillen: zij hielden hem vast en ik heb hem aan de randen vastgespijkerd. Ik heb hem zo gedrapeerd dat hij op een golvende oceaan leek. Het plafond dat eronder zit, is echt vreselijk. Ik werd elke ochtend wakker en lag dan tegen al die identieke vierkanten vol scheuren en vlekken aan te kijken tot ik er depressief van werd. Als ik nu omhoogkijk, is het net alsof ik een golvende zee zie. En weet je, als ik genoeg heb van die oceaan boven mijn hoofd, vervang ik hem door allemaal sterren, witte sterren die ik uit pakpapier ga knippen, en als ik die vastlijm is het net alsof ik onder de sterrenhemel lig. Geen hemelgewelf zoals je vanuit een stad ziet, maar eentje van het platteland, net als in Bear Mountain State Park. Alsof ik aan het kamperen ben waar de hemel vol sterren is.'

'Ik heb nog nooit gekampeerd, dus ik weet niet hoe die sterren eruit zien.' Zijn plafond zag er beslist uit als een oceaan, zo levensecht dat ik het gevoel kreeg erin te kunnen zwemmen.

'Er zijn zoveel dingen die je moet missen. Dat is de schuld van je vader,' zei Peter hoofdschuddend. 'Ik wil daar verandering in aanbrengen. Ik wil je een keer meenemen naar Bear Mountain. Misschien gaan we er wel op de motor naartoe. Zou dat niet romantisch zijn?'

'Nou en of,' zei ik, starend naar het plafond.

Hij masseerde mijn schouders. 'Zeg eens eerlijk, Margaux: zie je hier iets, al is het maar een klein dingetje, waar je niet vanzelf ontspannen en rustig van wordt? Weet je, ik heb zelf van die paniekaanvallen. Soms, als ik 's morgens wakker word, gaat mijn hart als een razende tekeer en heb ik het gevoel dat ik stik. Die foto's stellen me op mijn gemak omdat er kinderen op afgebeeld staan die onschuldig en zorgeloos zijn. Bij de aanblik van die lachende kindergezichten voel ik me meteen minder zwaar op de hand.'

Tussen die foto's aan de wand hingen nog enkele ouderwetse schilderijen van zwaar gepoederde meisjes met bolle wangetjes en pijpenkrullen. Peter liep rond en liet me alles zien. Op houten steunplanken stonden allerlei beeldjes van meisjes. Sommige waren van majolica, een soort porselein. Een meisje met blonde pijpenkrullen in een lange witte nachtjapon hield haar hand gevouwen alsof ze een kushandje wierp; een ander meisje, dat blootsvoets was en gekleed als herderinnetje, hoedde schapen.

Ik voelde me licht in mijn hoofd, alsof ik in een andere wereld zat. In een poging mezelf weer bij elkaar te rapen, vroeg ik: 'Maak je elke dag je bed op?'

'Dat leer je wel bij de luchtmacht. Zulke gewoontes krijg je nooit meer uit je systeem. Net als jouw vader: die heeft toch ook in het leger gezeten? Hij heeft alleen alles wat hij heeft meegekregen tot in het extreme doorgevoerd.' Hij zweeg even om een sigaret aan te steken. 'Ik bedoel dat ik je vader tot op zekere hoogte wel begrijp. Het is best wel belangrijk om je huis op te ruimen, anders dan Richard die zijn kleren overal laat slingeren als hij hier blijft slapen, net als die verdomde sigarettenpeuken van hem. Het lukt hem maar niet ze gewoon in een asbak uit te drukken. Van de week mikte hij ze in de gootsteen! Je vader had hem nog geen seconde verdragen – hij had hem vast in een mum van tijd neergeschoten. Een beetje routine in mijn leven vind ik wel oké, moet ik bekennen. Daar voel ik me gewoon beter bij. Inès zegt dat ik altijd hetzelfde bestel als we uit eten gaan: stoofvlees, puree met jus en sperziebonen... O, was je dat schilderij al opgevallen? Als je dat eenmaal in het vizier hebt, móét je ernaar blijven kijken. Dat is *Curiosity Shop* van Norman Rockwell.'

Het schilderij hing aan de achterwand, rechts van het aquarium boven zijn bed dat gevuld was met planten. Hij liep erheen. 'Valt het je ook op dat het in eerste instantie lijkt alsof dat meisje twee poppen koopt van de winkelier? Daarna zie je pas dat ze geen poppengezichten hebben: ze hebben het gezicht van de winkelier.'

'Ja... wat eng...' De winkelier had een gerimpeld gezicht en grijs haar dat bij hem heel normaal was, maar op die poppenlichamen kwam het heel grotesk over.

'Ja, hè? Op het eerste gezicht lijkt alles normaal, maar als je goed kijkt zie je dat niets is wat het zou moeten zijn. Grappig: ik heb steeds het gevoel dat ik er elke keer weer nieuwe dingen in ontdek die niet kloppen.'

15

De bruidsschat

Kort na mijn twaalfde verjaardag begon Peter over de romantiek van het tongzoenen. In mijn beleving was het niet half zo romantisch als knuffelen, maar ik wist allang dat hij van geen ophouden wist zodra hij ergens zijn zinnen op had gezet. Winnie had me eerder tijdens een telefoongesprek verteld dat ze een paar keer met een jongen uit de buurt had getongd, en ze vond dat ik die seksuele voorsprong nodig op haar moest inhalen. Wij waren de oudste twee van ons vriendinnenclubje, wij hadden de meest ontwikkelde lichamen en inmiddels was ik ook al ongesteld geworden. Ik bedacht dat ik haar na mijn eerste tongzoen meteen zou kunnen bellen om te vertellen hoe het was gegaan en dan net te doen alsof ik het met Ricky had gedaan. Peters gezeur had zelfs mijn geheugen opgefrist: we hadden al eerder zo gezoend maar toen had hij het als spelletje verpakt. Toen zei ik dat ik er vijftig cent voor wilde hebben als hij het per se wilde. Enigszins doortrapt liet ik doorschemeren dat ik het met iemand als Ricky gratis zou doen, maar omdat hij oud was ging het hem duiten kosten. Dat gaf me een goed gevoel: het was alsof ik al die gratis tongzoenen van weleer kon rechtzetten omdat ik toen nog te jong was om de waarde ervan in te zien.

Als Peter ervoor betaalde, zou het als een bruidsschat zijn, net als bij die jonge bruidjes in landen als India. Peter zei dat ze in Amerika, alsook in een groot gedeelte van Europa, imbeciel waren omdat mannen niet met jonge meisjes mochten trouwen. Dat ik ongesteld werd, was de manier waarop de natuur me liet zien dat ik rijp was om te trouwen en kinderen te krijgen. Maar in deze zieke cultuur kon ik volgens hem mijn ware instinct niet volgen.

Tijdens onze tongzoen, achter een witte vrachtwagen waar in blauw met witte letters PATHMARK op stond, hield ik mijn ogen open, al stond in een van mijn tijdschriften dat dit niet romantisch was. Peter hield zijn ogen gesloten. Zijn stoppelbaard schaafde over mijn huid. Ik keek naar de vrachtwagen, nummer 31186. Al die wagens waren genummerd. Er stonden ook een grote afvalcontainer en stapels kratten. Peter smaakte naar asbak en koffie en zijn mond was droog, alsof hij maar weinig speeksel had. Ik wilde het niet toegeven maar ik vond het walgelijk. Ik hield van hem maar ik vond het niet prettig om zijn tong op de mijne te voelen; ik probeerde me tevergeefs in te beelden dat ik door Ricky werd gekust. Ricky had immers geen stoppels. Ricky zou ook niet naar koffie smaken.

'Vijftig cent, graag,' zei ik lachend toen het achter de rug was.

'Ik hou van je, liefje, ik hou echt van je.' Hij trok me dicht tegen zich aan en zoog mijn lichaam zo ongeveer op.

Een maand voor het schooljaar zou aflopen kreeg ik slecht nieuws. Winnies moeder zou haar naar een duur exclusief lyceum sturen waar alleen maar meisjes op zaten. We wilden allemaal wel met haar mee, maar alleen Irene kreeg toestemming van haar ouders. Ik vreesde dat ik op Holy Cross in mijn oude status van underdog zou terugvallen.

'Als je ergens anders naar school wilt, ga dan voor openbaar onderwijs zodat je me een fortuin kan besparen,' zei papa. Ik was verrast. Jarenlang had hij zich ertegen verzet dat ik tussen kinderen van een openbare school zou zitten, maar inmiddels leek het hem niet meer te deren. Ik besprak het ook met Peter en die vond het een geweldig idee: ik woonde maar op een paar straten afstand van een openbare school, en als ik niet meer met de bus naar Holy Cross hoefde kon ik veel eerder bij hem zijn.

Zodra het schooljaar erop zat en de zomervakantie was begonnen, gingen mijn moeder en ik al om negen uur 's morgens naar Peter toe. Ik mocht van haar nu al helemaal naar het centrum van New York bij Peter achter op de motor, waar ik volkomen verdwaasd van verrukking naar de punkrockers in Washington Square Park staarde, met hun hanenkammen en tatoeages. Ik was dol op de muziekwinkels in East Village waar de heavy metal vergezeld door wierookwalmen naar buiten schalde. Volgens de punkmeisjes die op hooggehakte rijglaarzen in de kledingzaken werkten, zou paars geverfd haar me heel goed staan. Bij de kraampjes op straat kon je de enorme zilveren en gouden kruisen aan een veterketting kopen die op dat moment zo in de mode waren. Ik kocht er een keer eentje voor acht dollar, en droeg die voortaan in plaats van mijn geijkte zwartfluwelen halslint. Goedgehumeurd gaf ik mijn wisselgeld van een tientje aan een paar zwerfkinderen die op Bleecker Street liepen te bedelen.

De oude mannen achter de granieten schaaktafeltjes in Washington Square Park vroegen altijd of Peter zin had in een potje schaak, een verleiding die hij nooit kon weerstaan. Een van hen, een man met grijs haar, werd door hem altijd als de Grootmeester betiteld. Zijn ogen waren net zo donker als de toetsen op Inès typemachine en hij praatte zo zacht dat Peter zijn hand achter zijn oor moest houden om hem te kunnen verstaan. Als hij een sigaret van Peter in zijn mond stak, kon ik zien dat hij nog maar net zo weinig tanden had als Peter. Pas toen viel het me op dat Peter zijn kunstgebit niet meer indeed. Toen ik hem vroeg waarom, zei hij dat het niet meer prettig zat; hij had zichzelf aangeleerd om zijn mond dicht te houden als hij lachte en het maakte hem ook niet uit wat anderen ervan vonden, zolang hij zelf maar lekker in zijn vel zat. Voor mij maakte het ook niet uit of hij tanden had of niet, net zomin als dat het me nog wat uitmaakte dat het schildpadaquarium was vervangen door een kooi of het leguanenterrarium plaats had gemaakt voor een piano; noch dat Konijn niet grappig meer was, dat 'Gevaartijger' vergeten was, evenals de kieteltijdklok en andere spelletjes die we vroeger deden. Ik hield mezelf voor dat het ook niet erg was dat Karen ooit mijn zusje was en dat ik haar nooit meer zou zien.

Het enige wat nog telde was dat ik tegenwoordig elke dag na school meteen met mama naar Peter toe kon, in plaats van maar twee dagen per week, zoals eerst. We aten nooit meer samen met papa; hij gaf mijn moeder vijftien dollar per dag om van te eten. Meestal liet hij het geld achter op het aanrecht zodat ze het zelf kon pakken, maar als hij een slechte bui had smeet hij het op de vloer. Als Inès uit haar werk kwam, kookte ze rijst met kip en bonen of maakte een pan spaghetti voor de zolderbrigade, zoals Peter ze noemde, terwijl mijn moeder, Peter en ik naar buiten gingen om te eten bij Yummy's, een restaurant in de stijl van de jaren vijftig, of bij El Pollo Supremo. Soms liepen we de Palisades af naar Forty-second Street voor een hapje in een goedlopende tent die El Unico heette. Het eten daar kostte praktisch niets en we bestelden schalen vol witte of gele rijst, zwarte of kidneybonen, yuca, gebakken banaan en kip. Papa beklaagde zich wel eens dat we nooit meer met hem aan tafel zaten, maar dan herinnerde mijn moeder hem eraan dat ik geen hap door mijn keel kreeg als hij erbij was en dat als het zo door was gegaan ik aan een hartstilstand had kunnen doodgaan, net als Karen Carpenter. Ik vermoedde dat papa louter voor de vorm klaagde: stiekem was hij vast blij dat hij niet meer met ons aan één tafel hoefde te zitten. Bovendien hielden we er gewoontes op na die zijn eetlust bedierven, zoals luidruchtig kauwen of onze mond niet afvegen met een servet. Hij beweerde altijd dat het een wonder was dat hij überhaupt nog een hap door zijn keel kreeg naast dat uitgestreken smoelwerk van mijn moeder, of als ik weer eens mijn doperwtjes of gebakken aardappelen op mijn bord heen en weer zat te schuiven. Maar ons stilzwijgen had hem altijd het meest dwarsgezeten.

'Ik leef met een paar monniken onder één dak,' had hij weleens gezegd. 'Ze lopen als monniken, ze staren voor zich uit als monniken. Ze lopen voorovergebogen als een gebochelde en hebben een kop als een doodgraver.'

Als we om een uur of negen 's avonds terugkwamen van Peter, lag hij meestal al boven op bed tv te kijken, of hij was niet thuis en zat dan geheid in de kroeg.

Ergens in de zomer van '91, enkele maanden na onze hereniging, daagde Peter me steeds uit om, zodra mijn moeder de deur uit was, zijn penis te kussen, te likken of eraan te zuigen. Hij nam me een keer mee naar het souterrain. Ik wist niet waar mijn moeder toen was. Volgens Peter had ze een man ontmoet in het winkelcentrum die onlangs gescheiden was, ene Juan, maar wilde ze niet dat ik van zijn bestaan af wist. Wie die Juan dan ook wezen mocht, ik hoopte dat ze van papa ging scheiden om met hem te trouwen.

Mama's nieuwste hobby was om naar telefonische hulpdiensten en vrienden te bellen om te vragen of het wel gezond was dat ik al mijn vrije tijd met Peter doorbracht. Ze vertelde hun dat ze een oogje in het zeil hield, en tegen papa zei ze precies hetzelfde. Ik had zo'n idee dat ze weleens loog omdat het voor bekrompen mensen nu eenmaal moeilijk is te accepteren dat Peter en ik verliefd op elkaar waren. Ik vroeg me af of ze mij in staat achtte mijn eigen keuzes te maken, of ze inzag dat ik al heel erg volwassen was voor mijn leeftijd, al was ik nog maar twaalf. In plaats van mijn wilskracht te breken, zoals papa altijd deed, liet ze me vrij om mijn leven naar eigen goeddunken in te richten. De liefde tussen Peter en mij was voorbestemd, net als in *Doctor Zhivago* of in *West Side Story*. Mijn moeder was dol op die films.

We liepen de grenen traptreden af die ik zo ondertussen wel kon dromen. Peter had gezegd dat hij deze keer mij een fijn gevoel wilde geven. Ik moest van hem languit op een houten werkbank gaan liggen. Uit de victoriaanse houten kast pakte hij een oude grijze jurk met witte parelknopen en legde die eerst op de werkbank, zodat het lekkerder lag. Ik strekte me erop uit als een patiënt op een onderzoekstafel bij de dokter.

'Margaux,' zei hij, 'ik hou meer van jou dan van wat ook ter wereld. Ik wil je een fijn gevoel bezorgen, precies op dezelfde plek waar je mij het allermooiste verjaarscadeau hebt gegeven waar ik ooit op heb mogen hopen.' Toen ik geen antwoord gaf, vervolgde hij: 'Toen ik acht of negen jaar oud was, werden we in een pleeggezin geplaatst. Er woonden daar twee meisjes, Tina en Nancy. Ze zaten op tapdansen.' Hij zweeg even. 'Tegenwoordig zie je niet meer zoveel tapdansers, maar indertijd was het echt heel populair. Ze waren dertien en vijftien jaar oud. Tina, de oudste, was de ergste. Mijn broertje had een cowboyhoed; daar spuugde ze dan in en zette hem weer op zijn hoofd. We moesten die meisjes bevredigen op dat plekje tussen hun benen. Het was om misselijk van te worden... Ik heb het sindsdien nooit meer bij een vrouw kunnen doen. Maar bij jou wil ik het graag weer proberen. Ik wil je een fijn gevoel geven. Vind je dat goed?'

'Hoe voelt dat dan?' vroeg ik.

Hij gaf me kusjes op mijn wang en in de holte van mijn nek, op mijn oren en in mijn haar. Het voelde als kuikentjes die graantjes oppikten. 'Ik moest nog ergens anders aan denken,' zei hij, 'iets wat gebeurde toen ik veertien was en ik een tijdje bij mijn vader woonde. Het is eigenlijk wel grappig. Ik zat met een paar meisjes en nog een andere jongen strippoker te spelen. Toen ik verloor, gooiden ze mijn kleren in een boom en ik moest naar boven klimmen om ze te halen.' Hij stopte even met praten voor een kus op mijn mond. 'Enfin,' zei hij lachend. 'Ik was wel een knap ventje om te zien. Wat jullie een lekker ding noemen, net als Ricky.'

'Echt? Was je knapper dan ik?'

'Nee, natuurlijk niet. Maar ik zag er leuk uit, of hoe zeggen jullie dat tegenwoordig... een spetter. Wil je weten hoe ik eruitzag? Als een cherubijntje, met mijn witblonde krullen. Toen ik drie was, kwam er een keer een vrouw naar me toe die door mijn haar woelde en me een serafijn noemde...'

'Is dat net zoiets als een engel?'

'Klopt.' Hij drukte een kus op mijn haar. 'Alle meisjes waren gek op me.'

'Weet je nog wat jouw eerste herinnering was?'

'Mijn allereerste?' Hij trok nu mijn spijkerbroek omlaag, gaf een kus op mijn buik en likte mijn navel. Ik moest ervan giechelen. 'Schommelen in een autoband die aan een boomtak hing. Het was alsof ik vleugels had. En de jouwe?'

'Dat ik door de spijlen van mijn ledikant keek,' zei ik terwijl hij langzaam mijn onderbroekje omlaag trok en me door het katoen heen kuste. 'En besefte dat ik er niet uit kon.'

'Je moet nooit slipjes van nylon, kant of satijn dragen, Margaux, maar altijd katoenen...'

'Waarom?'

'Omdat ik niet van die kanten of satijnen dingen hou.'

'Waarom niet?'

'Daarom niet.'

'Gekke vent. Je houdt van die suffe babydingen. Je bent maar een raar kereltje.' Ik was overgegaan op het popi meidentaaltje. Het deed me goed me net zo te voelen als zij.

'Vind je?'

'Ja.'

'Ik hou van je, ik hou zoveel van je. Is dat gek?'

'Ja...' Ik gromde.

'Hoe moet ik je noemen? Wat zou een goed koosnaampje zijn?'

'Knuffelkonijntje. O nee, Vrijkonijntje. Vrijkonijntje.'

'En als ik je navel kus?'

'Kuikentjepik.'

Hij schoof mijn shirt en beha omhoog. 'En als ik je hier op je bolletjes kus?' Hij kuste allebei mijn borsten en zoog eraan.

'Tinteldetintel.'

'En als ik je daar beneden kus? Op je plekje?'

'Snoepiepoes,' zei ik. 'Zo zou ik het noemen.'

Hij begon me te likken. 'Hoe voelt het, dit snoepiepoezen?' We moesten er allebei om lachen, ondanks alles.

'Nee, maar zeg es, is het prettig?'

Ik voelde niet echt iets maar ik zei: 'Ja, lekker. Als je me snoepiepoest voelt het echt hartstikke lekker.'

'Dus... je vindt het fijn? Ik ga dat gekke woord van jou niet gebruiken want ik wil een serieus antwoord. Ik wil niet iets doen wat jij niet wilt.'

'Het voelt... prettig.'

'Oké, "prettig". Dat klinkt goed. Alles moet prettig aanvoelen.'

Maar nog altijd voelde het niet bijzonder: alsof zijn tong een verfkwast was en hij aan de muur vroeg of die verven lekker vond. Er was iets aan dat souterrain dat me een onwezenlijk gevoel gaf, alsof ik dood was: en juist toen ik me het meest dood voelde, sprong het leven weer tevoorschijn en flapte ik eruit: 'Papa mag ons nooit meer uit elkaar halen. Als hij het nog één keer flikt, lopen we samen weg. Maar waar zullen ze ons ooit accepteren voor wat we zijn?'

'Scandinavië,' zei Peter meteen, alsof hij hier al over had nagedacht. 'Of Thailand. Ik moet alleen een manier vinden om jou het land uit te krijgen, dat kon nog weleens moeilijk worden.'

'Dan gaan we eerst een bank beroven, net als Bonnie en Clyde. Of ik steel papa's juwelen en verkoop ze op de zwarte markt.'

'Volgens mij wordt het er met al dit gepraat niet beter op. Ik wil dat je probeert klaar te komen. Kun je dat?'

'Oké,' zei ik. 'Woorden zullen op momenten als deze wel niet zoveel betekenis hebben.'

'Dat is diep,' zei Peter.

'Dat heb ik papa een keer horen zeggen. Of misschien zei hij wel dat woorden nu niet zoveel te betekenen hebben. Hij zei het nadat hij mama's gezicht stuk had gekrabd. Maar als ik zoiets zeg, bedoel ik het romantisch.'

'Margaux, probeer je te concentreren. Je moet je concentreren als je klaar wilt komen.'

'Oké, ik hou op. Ik beloof het. Ik zal niets meer zeggen. Ik zal zo stil zijn als een berg of zo zwijgzaam als een stoel.'

'Margaux, concentreer je nou!'

'Dat doe ik ook!'

'En blijf stilliggen. Je ligt de hele tijd te schuifelen.'

Ik beeldde me in dat ik aan de schandpaal stond; maar dan niet voorovergebogen met mijn hoofd en armen muurvast in de gaten in het hout, maar eronder. Het donkere eikenhout drukte op mijn keel als de halsriem van een punkmeisje. Mijn lippen waren dichtgenaaid met zwart garen en mijn gezicht was wit geschminkt als dat van een mimespeler. Ik keek omhoog naar de rafelige witte spinnenwebben tussen de stutbalken van het plafond en zag voor me hoe een regen van spinneneitjes op me neerdaalde. Ik keek naar Peters gezicht. In het halfdonker kon je zijn rimpels niet zien en hij kon net zo goed hoogblond zijn. Ik raakte zijn haar aan – het voelde droog aan. Het was alsof het denkbeeldige houtblok steviger om mijn hals werd aangeschroefd en me verstikte terwijl het tussen mijn benen begon te tintelen. Ik keek omlaag en beeldde me in dat het Ricky's tong was, daar op mijn vagina. Daarna schoof het beeld van Richard ervoor, en toen dat van een jongen in mijn klas die ik zo'n lekker ding vond. Ik kon me daar Peter niet voorstellen. Hij was gewoon te oud.

Toen hij even kort naar me opkeek, waren zijn ogen turkoiskleurig en liefdevol, en zijn gezicht leek zo groot als dat van een president. Hij had een grote adamsappel en ik voelde aan mijn eigen nek waar die bult afwezig was. Ik hield van hem en raakte gefrustreerd dat het me niet lukte om een orgasme te krijgen. Hij probeerde van alles en niets werkte: noch de gedachte dat ik geboeid was, noch de gedachte dat Ricky met me bezig was. Peter zag mijn gelaatsuitdrukking veranderen en vroeg wat er mis was. Zijn armen strekten zich naar me uit als lange, tropische oceaangolven en omsloten me als een mossel in een schelp. Ik drukte mijn gezicht tegen zijn schouder; de stof van zijn shirt voelde heerlijk zacht tegen mijn gezicht.

'Je draagt je badstof shirt, heerlijk. Ik wilde zo graag komen. Je hebt zo je best gedaan maar zoals gewoonlijk doe ik het weer verkeerd. Misschien is het hier wel te koud. Misschien is het gewoon te koud en te stil en ben ik te levenloos. Laten we hier nooit meer terugkeren, nooit meer. Afgesproken?'

'Afgesproken.'

'Ik heb het hier altijd afschuwelijk gevonden. Ik heb nooit van dit souterrain gehouden.'

'Dat heb je me nooit eerder verteld, liefje. Mijn prinses, mijn liefste, Vrijkonijntje, Vlindermeisje, je moet me altijd, altijd eerlijk zeggen wat je wilt.'

'Zo afschuwelijk vind ik het niet,' zei ik snel, 'maar nu voelt het alsof je me hier verstopt. Ik wil je gewoon en plein public kunnen kussen. Ik wil midden in het winkelcentrum je broek naar beneden trekken en daar op de grond seks met je hebben. Het kan me niets schelen wat de mensen zeggen! Mensen zijn stom! Waarom kunnen we niet gewoon meteen trouwen?'

'Maak je nou maar geen zorgen om wat anderen denken,' antwoordde hij. 'Natuurlijk zullen ze daartegen protesteren. Maar dat maakt niet uit. Wij leven in ons eigen wereldje. We hebben niks met andere mensen te maken.'

'Dat is gewoon niet zo, Peter! Je hebt het zelf gezegd! We kunnen op straat niet hand in hand lopen omdat ze ons dan raar aankijken. Dochters lopen niet meer hand in hand met hun vader na een bepaalde leeftijd. Het geroddel kan elk moment losbarsten, volgens jou is het al bijna zover. Nou, laat ze maar kletsen! Ik wens ze dezelfde hel toe als waarin ik heb geleefd en die zal hun ergste nachtmerries overtreffen! Mensen als die badmeester en dokter Gurney en de politie en al die anderen die het nodig vonden een oordeel over me te vellen zonder dat ze me kenden. Konden ze maar één dag met me ruilen en begrijpen hoe gelukkig jij me kunt maken, hoeveel je van me houdt!' En dat was niet gelogen: het was een kwestie van ik tegen de buitenwereld. Ze wilden me laten lijden. Zelfs Winnie gaf niet echt om me. Ze wilde me alleen maar als geheim vriendinnetje maar ik zat wel mooi in mijn eentje aan de lunchtafel omdat ze niet samen met mij gezien wilde worden. Dan kun je maar beter helemaal geen vrienden hebben!

'Ach, liefste.' Hij stak een sigaret op. 'We moeten gewoon oppassen, en dat is de realiteit. Je begrijpt niet wat er hier op het spel staat. Het gaat om mijn leven. Ik zou achter de tralies kunnen belanden, en dat is geen grap. We moeten onze liefdesrelatie geheimhouden, zoals nu. En als we buiten op straat zijn, moeten we ons aanpassen. Ik wil niet naar de gevangenis. Dat wil jij toch ook niet, Margaux? En je mag het dan niet willen, maar dat risico is wel degelijk aanwezig. Eén verkeerde beweging, één verkeerde uitspraak, en hupsakee. Ik pleeg nog liever zelfmoord dan dat ik de bak in draai.'

Ik schudde mijn hoofd. 'Maak je geen zorgen, ik weet heel goed wat ik wel en niet kan doen, ik zal je nooit in de penarie brengen. Dat weet je toch wel? Ik snij nog liever mijn eigen strot door dan ons geheim te verklappen.'

Hij legde zijn vinger op mijn lippen. 'Laten we nu niet aan andere mensen denken, liefste. Laten we doen alsof we op onze eigen planeet leven. Laat me naar je kijken zoals je nu bent, van top tot teen. Ik wil je voeten zien, je knieholtes. Ik hou zoveel van je dat ik je helemaal wil zien zoals God je heeft geschapen.'

'Niemand ziet ons, niemand kan ons beoordelen,' mompelde ik.

Ik ging rechtop zitten en deed mijn shirtje en beha uit. Mijn sokken en het fluwelen elastiekje in mijn haar. Ik zat daar naakt en bibberend. Mijn tepels waren hard. Ik had overal kippenvel en de haartjes op mijn arm prikkelden van de kou. Ik had het zowel warm als koud, alsof ik griep had. Ik was mooi, althans, mijn lichaam zeker, met die volle ronde welvingen, de lange slanke hals, de lange benen met smalle voeten en het steile bruine haar dat tot over mijn schouders viel, glanzend als barnsteen tegen mijn getinte huid. Ik was twaalf en ik was een vrouw. Ik was twaalf en in mijn binnenste brandde het liefdesvuur. Peter viel voor me op zijn knieën alsof ik een godin was, alsof ik het enige geluid was dat hij kon waarnemen en ik zijn hoofd vulde met betoverend gerinkel, alsof ik hem eeuwigheidswaarde gaf en hij me daar eeuwig dankbaar voor zou zijn. In feite was hij zo dankbaar dat hij mijn enkels omvatte en zei: 'Margaux, Margaux, aanbid allen Margaux. Aanbid allen Margaux, Margaux, Margaux.'

Ik zat steeds vaker bij Peter op zijn kamer, waar we Super Mario Brothers 3 speelden, dat Peter net voor zijn Nintendo had gekocht. Ik had Peter geleerd hoe hij Mario moest laten springen en vliegen, waar hij de geheime geldkamers moest zoeken, waar de paddenstoelen verstopt zaten die Mario deden groeien of hem een tweede leven bezorgden en hoe je met een speciaal fluitje warpzones kon creëren. Na een poosje had ik er flinke spijt van want hij raakte er volkomen aan verslaafd. Ik was er veel beter in dan hij en had alle zones al doorlopen, dus voor mij was het stomvervelend terwijl Peter maar wilde doorspelen. Als wij zaten te gamen, zat mijn moeder er altijd bij op een keukenstoel.

Helaas had Richard de huiskamer in beslag genomen. Zijn vaste vriendin Linda had hem in december de deur uit gezet en sindsdien zat hij hier, tot Peters ongenoegen, al had die me stiekem laten weten dat hij er niets tegen in kon brengen, anders zou Inès zich gaan beklagen dat ik zeven dagen per week bij hem was. Richard was sinds kort van iedereen geld aan het bietsen om zijn cokeverslaving te bekostigen; hij stal zowel van Inès als van Peter en zelfs van Miguel, die een parttimebaantje had bij Circle Cycle, een motorgarage op Tonnele Avenue. Richard had ook van Linda gestolen, wat voor haar de reden was geweest om hem eruit te gooien.

Als Peter en ik over Nintendo zaten te kibbelen, greep mijn moeder weleens in en zei dan iets in de trant van: 'Margaux, laat Peter nog een paar spelletjes doen en daarna kunnen jullie een filmpje gaan huren of zo', of: 'We moeten maar eens aan de lunch gaan denken, het wordt al laat.' Maar mama was er niet altijd bij. Ik heb een keer ontzettende ruzie gemaakt met Peter – alweer over Nintendo – toen zij naar het winkelcentrum was. Ik was zo nijdig dat Peter niet wilde ophouden, zelfs niet toen ik dreigde de Nintendo stuk te slaan met een hamer, dat ik een handvol sigaretten in tweeën brak en in zijn koffie gooide. Peter was zo ontdaan dat hij in zijn eentje met Paws ging wandelen en een uur wegbleef. Toen hij weer terugkwam, verstopte ik mijn hoofd onder een kussen. Peter nam me snel in zijn armen en verzekerde me dat hij niet boos meer was. Mama, die me niet had kunnen geruststellen, zei: 'Zie je wel, Margaux, ik zei toch dat het altijd weer goed komt tussen jullie twee? Ik zei toch dat Peter niet voor altijd weg zou blijven?'

Een andere keer toen mijn moeder weg was, kregen Peter en ik bonje en sloeg hij me in mijn gezicht. Ik krabde zijn arm open en liet een smal, bloederig spoor op zijn arm achter.

'Moet je nou eens kijken! Ik moet dit schoonmaken,' zei hij. 'Als Inès maar niet zegt dat je niet meer langs mag komen als ze dit ziet.'

'Ga dan niet de kamer uit,' zei ik.

'Wat is het alternatief, hier bij jou blijven? Ik hoef dit niet te pikken.'

Hij liep met zijn koffie de kamer uit, en ik kroop diep weg onder de dekens. Ik haatte het dat hij zomaar wegging.

Ik deed de deur op een kiertje en zag dat hij pal voor Inès' neus in de gootsteen de wond stond te wassen. 'Wat is er met je arm gebeurd?'

'O, Margaux. Het stelt niks voor: we hadden gewoon een meningsverschil.'

'En daarom heeft ze je gekrabd? Waar hadden jullie ruzie over?'

'Over Nintendo. Volgens mij is ze soms gewoon een beetje labiel. Je weet dat ze in een woelig gezin heeft moeten opgroeien.'

'Je hebt in elk geval veel geduld, zoveel is zeker.'

Ik wilde Inès toeschreeuwen dat hij als eerste was gaan slaan. In plaats daarvan kreeg ik opeens zo'n intense hekel aan haar dat ik niet eens meer kwaad kon zijn op Peter toen hij weer terugkwam met een schoon verband om zijn arm, en hij voorstelde om een ritje te gaan maken op de motor om het voorval maar zo snel mogelijk te vergeten.

Al vormde Nintendo een voortdurende bron van ergernis tussen ons tweeën, het bood me eveneens een uitgelezen kans om af en toe wat tijd met Ricky door te brengen. Op zaterdag of zondag maakte Peter altijd een uitstapje met Inès, op de motor of naar een restaurant. Ze waren nog steeds goede vrienden, legde Peter uit, en moesten soms ook even met zijn tweeën zijn. Ze stond onder zware druk omdat ze zowel problemen met Richard had als op haar werk, en wilde af en toe haar hart luchten. Om mij te helpen de tijd door te komen als hij weg was, had Peter geregeld dat Ricky – een Mario 3-expert – gehakt van me zou maken terwijl mijn moeder in tijdschriften zat te bladeren, in de keuken aan de telefoon hing of tegen Richard praatte. Het leek haar weinig uit te maken dat hij niet eens naar haar luisterde.

Voor zo'n middag met Ricky trok ik altijd een babydoll-jurkje aan, een heel korte broek of een van mijn met kant afgezette niemendalletjes. Maar hij keurde me nooit een blik waardig en zei boe noch bah; hij bleef gewoon strak naar het tv-scherm staren alsof hij zich van me afsloot. Ik was altijd Mario en hij Luigi, en hij gunde mij altijd de eer om als eerste te beginnen door me zwijgend de gamecontroller te geven. Zijn ogen lieten het scherm geen seconde los en ik durfde hem amper aan te kijken, zelfs niet vanuit mijn ooghoeken, om hem vooral niet te laten merken dat ik hem leuk vond. Ik lette altijd heel scherp op zowel mijn eigen ademhaling als die van hem, soms leek ik wel kortademig en ik probeerde het geluid zo veel mogelijk te dempen, bijna op dezelfde manier als ik vroeger in de badkuip mijn adem onder water inhield in de hoop dat ik zou verdrinken. Het leek wel alsof we zes of zeven uur lang geen woord tegen elkaar zeiden, al zal het waarschijnlijk niet half zo lang zijn geweest.

Uiteindelijk zei ik tegen Peter toen hij een keer terugkwam van een uitje met Inès: 'Volgens mij vindt Ricky het helemaal niks om met mij te moeten gamen.'

'Hoezo niet? Hij is dol op Mario 3.' Peter nam een slokje van zijn Nescafé en pakte zijn aansteker. De vloeistof in de aansteker stroomde naar voren en een vingerhoedhoog vlammetje flakkerde op.

'Maar hij vindt mij niet leuk.'

'Hij is verlegen.'

'Volgens mij is het wat anders. Hij mag me echt niet. Hij haat me.'

'Waarom? Waarom zou hij je moeten haten?'

'Geen idee.'

'Het gebeurt wel vaker dat een jongen niets tegen een meisje zegt als hij haar leuk vindt. Bovendien zal hij wel met zijn gedachten elders zitten...' Hij begon te neuriën en ik sloeg met mijn vuist op het bed.

'Margaux! Wat doe je nou weer?'

Ik deed mijn ogen dicht.

'Ik dacht juist aardig te zijn door jou wat tijd te laten doorbrengen met de jongen die je zo leuk vindt. Maar aardige kerels zijn niet spannend.'

Op de grond lag Paws in dromenland bijna mechanisch met zijn poten te maaien. Opeens kreeg ik sterk de neiging de hond een trap te verkopen. Beschaamd leunde ik voorover en wreef hem over zijn buik.

'Ik probeer je het alleen maar naar de zin te maken,' zei Peter. 'Jij komt voor mij altijd op de eerste plaats.'

'Je doet het alleen maar omdat je dan met Inès uit kan,' mompelde ik.

'Wat?'

'Niks.'

'Ik zal Ricky eens aan de tand voelen. Hij moet zich wat socialer gaan opstellen. Ik ben het zat, zoals hij rondlummelt en net doet alsof hij veel te cool is om met wie dan ook te praten. Ik ga met hem en ook met Miguel een hartig woordje wisselen. Inès doet dat natuurlijk weer niet.'

'Waag het niet om dit allemaal door te smoezen aan Ricky! Je gaat me niet voor schut zetten bij een populaire knul, Peter!'

Hij gooide zijn armen in de lucht. 'En wat ben ik dan? Een bos uien?'

'Nee.' Ik drukte een kussen tegen mijn borst. 'Ik trek geen vergelijkingen. Soms kun je mijn woorden zo verdraaien!'

'Sorry. Maar mag ik een beetje jaloers zijn? Ja? Al is daar natuurlijk geen reden voor.' Hij aaide me over mijn hoofd. 'Je moet dat wat je liefhebt vrijlaten. Vrij om te leven, lief te hebben en springlevend te zijn. Maar je wordt er wel opgewonden van om naast Ricky te zitten, of niet? Je kunt ook net doen alsof ik Ricky ben; je mag altijd over hem fantaseren als je bij mij bent.' Hij stond op en draaide de deur op slot. Toen liep hij weer terug naar het bed, maakte het bovenste knoopje van mijn jeans open en begon me te strelen.

'Waar is mama?' Mijn stem klonk vreemd blikkerig. 'Staat ze voor de deur? Ze kan ons betrappen.'

Hij lachte. 'Ik mag dan van risico's houden, ik ben niet achterlijk. Ze is naar het winkelcentrum om een videofilm te huren.'

'Welke?'

'*Up in Smoke* van Cheech en Chong. Ik bekijk die film eens per jaar. Cheech draagt een tutu en Mickey Mouse-oren en ze rijden in een vrachtwagen met grass.'

'Gras?'

'Nee, wiet. Je weet wel, om te roken.'

'O, dat vindt mama vast niet leuk. Ze heeft een hekel aan drugs.'

Toen ik droog bleef, smeerde hij wat vaseline op zijn vinger. Ik beeldde me in dat Ricky me kuste, mijn hals en mijn zachte borsten met de harde, spitse tepels aanraakte, en daarna zijn hand in mijn broek stak om de verhitte, vochtige motor tussen mijn benen te beroeren. Ik moest aan de buikdanseres denken die papa me ooit had laten zien toen mijn moeder weer eens was opgenomen in de kliniek; toen had hij zijn hand in haar hoelahoeprok gestoken om een rolletje dollars achter te laten op wat ik kende als dat hete, natte plekje dat voor pure, zinsbegoochelende sensatie zorgt.

16

Cathy en Paul

Eind augustus begon Peter aan de renovatie van de begane grond, die nu al jaren leegstond. Richard was weer bij hen ingetrokken en had de huiskamer geclaimd, al vond hij het ook prima om de keuken in beslag te nemen, waar hij dan met zijn voeten op tafel al rokend boeken zat te lezen. Peter beschouwde de renovatie als een godsgeschenk, want dan kwam hij Richard tenminste niet zo vaak tegen.

Omdat het zomer was, dacht ik alleen maar aan naveltruitjes, korte broeken (mijn lievelingsbroek was een afgeknipte spijkerbroek met dobbelstenen op het zitvlak en met wit kant afgezette zakken), en haltertopjes. Mijn kleren ontlokten Peter een preek. 'Zo trekken we alleen maar nog meer aandacht,' zei hij mokkend. 'Bovendien kan ik je geen seconde alleen laten want dan zit er meteen een of andere vent op je nek. Belachelijk. In mijn jeugd liepen we niet zomaar op meisjes af. Wij hadden tenminste nog respect. Tegenwoordig duiken ze boven op je als muggen op zoek naar bloed.'

Hij praatte op een toon alsof hij een meisje van twaalf nog maar als kind beschouwde, maar zodra we seksspelletjes deden vond hij twaalf weer behoorlijk volwassen. Zelfs achtjarigen waren voor hem dan al volwassen. Dus waarom sprak hij me nu toe alsof ik een kleuter was?

'Het bevalt me niks zoals Richard naar jou kijkt,' vervolgde hij. 'Hij legt steeds zijn boek neer om naar je te loeren als je voorbijkomt. Ik weet zeker dat hij het doet om mij te pesten. Maar jij schijnt het wel spannend te vinden. Kom op, we waren altijd zo eerlijk tegen elkaar: vind je het soms leuk dat mannen naar je staren alsof je een stuk vlees bent?'

'Geen idee.' Ik trok mijn schouders op. 'Je bent gewoon jaloers op Richard. En als ik nou eens met hem naar bed ga? Volgens mij zegt hij geen nee als ik het vraag.'

'Volgens mij wel.'

'O ja?'

'Hij zou het niet doen, dat is alles. Richard vindt het leuk om een beetje met je te spelen. Terwijl het niet eens grappig is. Hij beschikt over het bijzondere talent om steeds het verkeerde te zeggen, echt precies het verkeerde. Weet je wat hij laatst presteerde? Hij was waarschijnlijk knetterstoned van de coke – voor zover hij zijn hersens nog niet heeft weggesnoven –, en zoals gewoonlijk was hij weer eens sigaretten aan het bietsen. Ik zocht in de la naar een nieuw pakje, en toen zag hij daar het zwempak liggen dat je vorig jaar zomer altijd droeg, dat met de luipaardprint, waar je inmiddels uit bent gegroeid. Hij vroeg of hij het mocht hebben. Nou vraag ik je!' Peter schudde zijn hoofd. '"Natuurlijk niet," zei ik, en toen vroeg hij knipogend waarom ik het bewaarde.'

'Hij wilde mijn zwempakje? Dat had je hem moeten geven. Dan kan hij ermee over zijn gezicht wrijven als hij in de huiskamer ligt te rukken.'

'Gadver! Margaux, hou op! Dat is wel het laatste waar ik aan wil denken!' Hij deed alsof hij in elkaar kromp. 'Richard vindt het leuk om mensen op te naaien. Hij is een intrigant. Die gozer moet eens wat gaan doen met zijn leven. Ik vroeg hem laatst of hij een handje wilde helpen bij de renovatie. Maar stel je voor zeg, hij en werk. Als ik er niet was, zou dit huishouden in elkaar storten, wat ik je brom.'

In september begon mijn nieuwe schooljaar op Washington School. Ik miste mijn vriendinnen enorm, en omdat ik ze niet meer om me heen had werd ik weer heel erg verlegen, nog meer dan vroeger. Bovendien was ik die zomer veranderd. Ik had last gekregen van stemmingswisselingen en stuiterde van euforie naar lethargie. Meestal liep dat synchroon met mijn relatie met Peter, naargelang we ruzie hadden of niet, maar ik werd ook depressief van mijn uiteengevallen vriendengroepje. Ik had nog altijd contact met Winnie en soms belde ik met Grace of Irene, maar het leek wel alsof we steeds minder te vertellen hadden. Zoals afgesproken vertelde ik Winnie dat Ricky en ik elkaar oraal hadden bevredigd. Ze moest en zou weten hoe sperma smaakte. 'Als Italiaans ijs,' had ik gezegd. In werkelijkheid had Peter me, zodra we alleen in zijn kamer waren, gevraagd om hem hetzelfde cadeau te geven als hij mij. Hij had me ook gevraagd om te slikken en ik vond dat ik hem moest laten zien dat ik dat best durfde. Als ik tegen Winnie vertelde dat ik dat bij een jongen van mijn eigen leeftijd had gedaan, voelde het minder erg.

Op Washington School werd ik een soort van enigma. Ik zei nauwelijks iets en als ik mijn mond opendeed was ik heel timide, terwijl ik intussen wel make-up opdeed en pikante kleren droeg. De decaan deed er nog een schepje bovenop door me regelmatig naar de schoolpsycholoog te sturen, meneer Trunelli, omdat ik 'niet sociaal' zou zijn. Die kon echter niets vreemds aan me ontdekken want ik deed me bij hem altijd heel opgewekt, babbelziek en grappig voor. Na zo'n bezoek vroegen de meisjes in mijn klas op fluistertoon waarom ik me nu weer bij meneer Trunelli had moeten melden.

Ergens die winter zag Justine, een bloedmooie Filippijnse met lange ravenzwarte lokken, dat er een druppelvormig bedeltje op mijn spijkerbroek zat; blijkbaar had ze precies zo'n zelfde dingetje. 'Je doet me na,' zei ze tijdens de gymles die ik langs de kant uitzat – ik was die maand al voor de tweede keer ongesteld maar mijn gymleraar had niet het hart er iets van te zeggen. Justine kende het trucje ook. Ze zat naast me, met haar babydolljurkje onbekommerd omhooggeschoven tot aan haar onderbroek. Dat zo'n sprankelend, wellevend meisje zich verwaardigde om tegen mij, een nul, te praten, was ongekend. En omdat ik geen idee had hoe ik moest reageren, bleef ik maar doorlezen.

Ze tikte op de boekenkaft met de ezelsoren. 'Ik heb dat boek ook thuis,' zei ze.

Ik haalde mijn schouders op en bleef strak in *Bloemen op zolder* staren. De boze grootmoeder stond op het punt Cathy te geselen.

'Je doet me na,' herhaalde ze en haar vingertop met witte kunstnagel gleed over de hele lengte van mijn arm.

Ik keek haar recht in de ogen. 'Misschien omdat jij als enige de moeite van het kopiëren waard bent.'

Justine schreef haar telefoonnummer in haar grote, ronde handschrift op een stukje roze papier, maar ik wilde haar niet bellen waar Peter bij was. En toen ik thuiskwam, durfde ik niet meer. Justine was per slot van rekening het populairste meisje van de klas. Er was iets aan papa dat ik geen spatje zelfvertrouwen meer had, ook niet als hij niet eens dicht in de buurt was.

In de boeken van V.C. Andrews werden broers altijd verliefd op hun zusjes en oudere mannen op jonge meisjes. Alles was verboden en geheim en zalig romantisch. Zo had je de jonge, beeldschone ballerina genaamd Cathy die drie aanbidders had: de een was ook danser, de ander was haar eigen broer en de derde was een rijke dokter, Paul, die veertig jaar oud was. Cathy was nog maar zestien toen ze voor het eerst met Paul naar bed ging. Paul probeerde zich niet door Cathy in de luren te laten leggen, maar hij was een man, hij kon zichzelf niet beheersen, dus uiteindelijk bezweek hij voor de verleiding. 'Bezwijken', 'beheksen', 'verleiden', 'betoveren', 'bedwelmen', 'verrukken': wat een heerlijke woorden waren dat. Ik smulde ervan en ik smulde van Cathy's belevenissen. Maar het allerbelangrijkste was dat Cathy zo mooi was, en daarnaast was ze danseres. Niemand kon Cathy weerstaan, niet eens haar eigen broer!

Terwijl Peter de muur stond af te schuren, dartelde ik als een jong hondje om hem heen en vertelde hem over Cathy's avonturen. 'En weet je wat er aan het eind van *Bloemen in de wind* gebeurt?' Ik zweeg even. 'Hij gaat dood aan een hartaanval, in Cathy's armen! Ze hadden net seks met elkaar en toen hield zomaar zijn hart op met kloppen. Is dat niet romantisch?'

'Zeker. Maar ook wel triest. Vind je ook niet?'

Ik knikte. 'Maar Cathy gaat door met haar leven.'

'Hoe oud was Paul toen dit gebeurde?'

'Kweenie. Van jouw leeftijd, geloof ik,' zei ik grijnzend. Peter haalde naar me uit met het schuurpapiertje. 'Grapje! De eerste keer dat we seks hebben moeten we het maar rustig aan doen, zodat je je niet al te veel opwindt, oké?'

'Nou, voorlopig zit dat er niet in,' zei Peter. 'Ik heb geen haast.'

Niet dat we überhaupt met elkaar naar bed konden, want altijd lag het gevaar op de loer dat mijn moeder onverwacht terugkwam of dat Richard op de deur klopte omdat hij sigaretten wilde. Richard had al enkele cadeaumomenten van orale en afrukseks verstoord. 'Waarom zit jullie deur altijd op slot?' had hij een keer gevraagd, en Peter had gesnauwd: 'Zodat je niet elke keer binnen komt vallen om wat te jatten.' Zwaar gefrustreerd had Peter hem een keer drie pakjes sigaretten gegeven, maar binnen een uur was Richard alweer terug omdat hij de motor wilde lenen. (Tot mijn verbijstering had Peter hem de sleuteltjes overhandigd!) Niet alleen moest Peter rekening houden met Richard, hij zat ook altijd met gespitste oren te luisteren of hij mama's gesjok op de gang hoorde. Als ze thuiskwam, deed hij altijd direct weer de deur van het slot. In tegenstelling tot Peter vond ik deze onderbrekingen wel geinig omdat ze de spanning verhoogden; we konden altijd betrapt worden en dan moesten we volgens plan als de wiedeweerga naar Thailand of Scandinavië vluchten. In de tussentijd hield ik Winnie op de hoogte van mijn seksavonturen met 'Ricky' en bevredigde me thuis in mijn eigen bed met deze fantasieën alsof ze echt waren. Maar Winnie bleef maar vragen wanneer ik 'het' nou zou gaan doen.

Peter hield even op met schuren om een sigaret op te steken. 'Vertel nog eens wat meer over Paul en Cathy. Ze zijn toch verliefd op elkaar? Net als wij?'

'Het is liefde én lust én passie, waarbij je jezelf compleet verliest. Maar dat geldt niet alleen voor Paul. Alle mannen willen Cathy: jonge mannen, oude mannen, mannen van middelbare leeftijd, getrouwde mannen, vrijgezelle mannen, rijke mannen, arme mannen, allemaal. Chris, Cathy's broer, is ook al door haar geobsedeerd, net als Julian, haar danspartner. Maar Julian is gemeen: hij slaat haar en op een dag slaat hij haar zo hard dat ze haar optreden moet afzeggen. Cathy heeft een baby van Julian en een paar jaar later trouwt ze met Paul, omdat Julian zelfmoord heeft gepleegd! Want weet je, eerst was Julian met haar getrouwd en toen Paul, en daarna de man die eerst met haar moeder was getrouwd! En al die mannen gaan dood!'

'Cathy lijkt wel een vrouwtjestarantula. Wist je dat de

mannelijke spin het vrouwtje eerst moet vastbinden voordat hij met haar... copuleert, omdat ze hem daarna anders doodt?' Hij trok even een gezicht bij het woord 'copuleren'. 'Maar als ze uit het web losbreekt, doodt ze hem, legt haar eitjes op zijn lijk en als ze allemaal uitkomen vreten de kinderen zijn kadaver op. Dat is niet echt leuk, of wel?'

'Het is ook niet leuk dat hij haar vastbindt in een web,' zei ik schouderophalend. 'Enfin, terug naar Cathy – o nee, laten we het over Het Sprookje hebben!' In het afgelopen jaar hadden we Het Sprookje echt uitgebreid. Als Peter aan het werk was, gingen onze gesprekken voornamelijk daarover en verzonnen we er allerlei nieuwe personages bij. Carlos had inmiddels een moeder, Arana, die zelfmoord pleegde door zichzelf voor een trein te werpen maar daarna weer terugkeerde als geest om bij het gezin te komen spoken. Dan had je nog Victor, Carlos' broer, die door Peter altijd met een schor, rasperig gromstemmetje werd vertolkt. Victor had als baby lelijke brandwonden opgelopen toen Arana per ongeluk kokend water over hem heen had gemorst; en omdat hij zo afstotelijk was, sloot ze hem altijd op in de kast. We lieten Het Sprookje steeds tussen het heden en het verleden heen en weer springen, tussen de kindertijd van de jongetjes en hun leven in de toekomst: Carlos' wervelende leven als gevierde rockster en Victors miserabele bestaan als paria. Ik speelde Carlos, hij was voor mij het leukste personage omdat hij zo knap was en iedereen van hem hield. Ik begreep maar niet waarom Peter het kennelijk zo leuk vond om altijd Victor te spelen.

'Eens kijken,' zei ik, 'wat gebeurde er ook alweer in de laatste episode? Was dat de aflevering dat Carlos' niet Tracy bij hen probeert in te breken om Margaux te vermoorden? Want toen moest Peter haar in haar been schieten. En moesten ze allemaal naar het ziekenhuis. Even kijken, we zijn dus in het ziekenhuis...'

'Zeg schat, vat dit niet verkeerd op, maar kunnen we het niet ergens anders over hebben? Ik bedoel... het gaat elke dag zo.' Ik sloeg mijn armen over elkaar en keek hem strak aan. Na alles wat ik voor hem had gedaan. Want niet alleen ging hij door met schuren, maar hij voegde er ook aan toe: 'Het is het enige wat jou interesseert. Uren achter elkaar. En voor mij wordt het een beetje langdradig, want ik ben veel ouder dan jij. Ik vind Het Sprookje best wel leuk, maar soms lijkt het wel alsof dat het enige is waarover we kunnen praten.'

'Maar wat blijft er verder over? We kunnen het nergens anders over hebben!'

'Nou, net ging het gesprek nog over Cathy en Paul en hun liefdesgeschiedenis en dat die zo op de onze leek. Dat was boeiend.'

'Nou, ik was er anders al over uitgepraat!'

'Je snapt het niet. Ik bedoel dat Het Sprookje me begint te vervelen...'

'Misschien moeten we het dan maar nergens over hebben! Misschien moet je dan alleen maar die muur afschuren.'

'Wat zou dat vredig zijn. Dan konden we nadenken en een mooi moment met elkaar delen.'

Ik keerde me van Peter af, mijn armen nog steeds over elkaar geslagen. Ik zou hem weleens een lesje leren; ik zou mooi weigeren wat hij straks aan mij zou vragen.

'Volgens mij kun jij nog geen tien minuten je mond houden.'

'Als ik nergens voor deug, kan ik maar beter meteen zelfmoord plegen.'

'Zie je wel? Ik zei al dat je nog geen tien minuten je mond kunt houden.'

'Het enige wat jou interesseert is die stomme muur die geschuurd moet worden!' schreeuwde ik. 'En je stomme schilderwerk! Dat is het enige wat jou interesseert!'

'Het spijt me, liefje,' zei hij, en hield op met schuren. 'We kunnen over Het Sprookje praten.'

'Nee, ik wil niet meer!' Ik schopte tegen de muur.

'Oké, straks dan?'

'Nee!'

'Toe nou?'

'Nee! Het antwoord is nee, nee, nee!'

Toen de lente aanbrak, was Peter klaar met de renovatie van de begane grond. Er trok een jong gezin in met drie kinderen en een neef van de man. Wij zaten ondertussen vrijwel constant buiten in de tuin, maakten ritjes op de motor, lieten Paws uit, gingen rolschaatsen of lunchen bij Woolworth's. Soms gingen we helemaal naar River Road, waar hij de motor stilzette bij een hotdogkraampje, en daarna reden we weer terug over een onverhard zandpad met prachtig uitzicht op rotsachtige heuvels en klaterende watervallen. Als ik dan bij hem achterop zat en 'Papa Don't Preach', 'Burning Up' en 'Rescue Me' zong, mijn favoriete hits van Madonna, dan voelde ik me alsof de tijd stilstond.

Voor mijn dertiende verjaardag kreeg ik van Peter een zwarte legging die we 'mijn Madonnabroek' noemden, samen met een marineblauw met wit matrozenpakje uit de uitverkoop dat eigenlijk geschikt was voor iemand die jonger en kleiner was dan ik. Het zat veel te strak en het was te kort, maar omdat ik het leuk vond om er sexy uit te zien, net als Madonna, vond ik het niet erg. Peter nam foto's van me als ik in dat pakje poseerde op de motor, mijn handen om het stuur en mijn rollerskates op de trappers, of wijdbeens in de hangmat met mijn rollerskates aan; op de verandatreden met mijn gekrulde haar loshangend en dat malle matrozenpakje met die grote malle witte sjerp en lange witte kniekousen en de lange rode veters van mijn skates niet gestrikt. Peter kocht een speciaal album voor deze foto's dat hij *Skate Girl* noemde. Al zei ik het niet hardop, ik vond het toch niet leuk dat hij geen van de uitvergrote foto's van mij als achtjarige bij hem aan de muur verving door de nieuwe, en ook dat hij Jill niet weghaalde om er een kiekje van Skate Girl voor in de plaats te hangen.

Het kan natuurlijk ook dat hij nergens een Skate Girl-foto ophing omdat ze zo sexy waren en bij mijn moeder of Inès argwaan zouden kunnen wekken. Vooralsnog leken ze geen van tweeën de foto's die er nu hingen op te merken. Dat kwam vast omdat ze zo oprecht waren. Peter had zelfs tegen mama en mij gezegd dat papa alleen maar kunst en zelfs foto's van bekende racepaarden aan de muur had in plaats van foto's van mij, wat eens te meer bewees dat hij niet om mij gaf. Daar was mama het roerend mee eens, en ik was het ook gaan beschouwen als een teken dat hij niet van me hield. 'Voor Louie is het niet genoeg dat ze zijn dochter is,' tierde Peter, en mama zei: 'Zo is het maar net. Hij is alleen maar bezig met zijn reputatie.' Maar papa had één ingelijste foto waar ik heel graag naar keek: die van zijn nichtje in Puerto Rico. Ze was een gevierde dichteres geweest tot ze haar verstand verloor en als een berooide dakloze ergens in een goot in Harlem de dood vond. Ik wist dat mijn vader respect had voor talent, en dat hij daarom, ondanks het tragische verloop van haar leven, toch een foto van haar aan de muur had.

17

Red me

Ik zat mama in de El Pollo Supremo te bewerken om voort-aan alleen naar Peter te mogen. Ik wachtte tot ze haar kip met gebakken banaan ophad en aan haar lievelingsgerecht was begonnen: geroosterde maïskolf. Je kon mijn moeder nergens zo blij mee maken als met die beboterde, zoetige lekkernij. Vanuit onze oranje met gele eethoek kon ik zien hoe een dove man probeerde zijn sleutelhangers te slijten. Tegenover ons zat een oudere latinovrouw met een mandje rozenkransen. El Pollo Supremo had een magnetiserende uitwerking op straatverkopers, wier leven ik als ideaal be-schouwde omdat ze nooit gebonden waren aan een bepaalde plaats of situatie. Volgens mij konden straatverkopers, net als rocksterren, overal wel een boterham verdienen.

'Mam, je moet me echt meer vrijlaten. Wat je liefhebt, moet je loslaten,' zei ik. Peter had me van tevoren geïnstru-eerd hoe ik mijn verzoek moest aankleden. 'Ik ben nu al der-tien. Jij wilt toch ook dat ik dingen op eigen houtje doe?'

Mama zuchtte. Ze werd moe van dit onderwerp. 'Mar-gaux, ik wil niet dat jij alleen de straat oversteekt, omdat je niet oplet. Zelfs je lerares zegt dat je je hoofd er nooit bij hebt. Je mag dan goeie cijfers halen, je lijkt voortdurend in dromenland te zitten.'

'Zei ze dat: dromenland?'

'Dromenland, droomwereld, een van de twee, ik weet het

niet meer precies. Ik had eigenlijk haar woorden moeten opschrijven.'

'Nou ja, die lerares is toch maar saai.' Ik dacht aan het voorval van een week geleden, toen Justine en haar vriendin Jocelyn me in de aula pardoes hadden aangesproken. Jocelyn had gezien dat ik tijdens geschiedenis liefdesbrieven aan Peter had zitten schrijven. Ze had het aan Justine verklapt, en die dag vroegen ze me op de man af of ik nog steeds maagd was. Ik was zo kwaad geworden dat ik stond te trillen op mijn benen en was weggelopen zonder antwoord te geven. 'Ach wat, ze is toch maar een loser,' had Justine op luide toon gezegd, stampvoetend met haar suède laarsjes om haar woorden kracht bij te zetten.

'Volgens mij komt het door haar vader dat ze zich niet kan concentreren,' zei Peter. 'Jij vertelde me toch laatst dat hij moeilijk deed als Margaux hem om nieuwe kleren vroeg?'

'Meer dan moeilijk,' zei mijn moeder. 'Ze heeft minimaal tweehonderdvijftig dollar per jaar nodig, en dan zit er niet eens een winterjas bij.'

'Ik kan zelf ook praten,' zei ik tegen Peter, terwijl ik mijn hand opstak en hem recht aankeek. 'Oké, dus tweehonderdvijftig dollar, zoals ze al zei. Nou, wat ik altijd doe is eerst om driehonderdvijftig dollar vragen, zodat ik uiteindelijk krijg wat ik nodig heb. Maar dan moet ik er wel eerst drie uur over soebatten!'

'Dat klopt,' zei mama. 'Hij gaat altijd piekfijn gekleed, terwijl ik erbij loop als een slons. En Margaux moet bedelen als een zwerver voor wat op de keper beschouwd haar eigen geld is.'

'Hij geeft geen moer om ons.' Ik strooide een klein bergje zout op mijn servetje. 'Ooit dacht ik daar anders over, maar dat is al heel lang geleden. Toen begon hij ongein uit te halen, zoals mijn moeders voorhoofd kapot krabben. Het was net een horrorfilm. Hij ging gewoon...'

'Met hem onder één dak wonen is al een horrorfilm,' zei mama.

'Nee, met hem moeten leven is als een horrorzénder,' zei ik. 'Zonder de reclameboodschappen.' Ik doopte mijn rietje in de zoutpiramide en likte de witte korreltjes eraf.

'Hij is bang voor Margaux.' Mama balde haar handen tot vuisten, als een kindje dat zich in iets verkneukelt. 'Hij raakt compleet van de wijs als ze een woedeaanval heeft. Als hij naar haar kijkt, is het alsof hij zichzelf ziet.'

Peter fronste zijn wenkbrauwen. 'Slechte zaak. Twee mensen in één huis met dat temperament... Sandy, het is hoog tijd. Echt, je moet zo snel mogelijk een scheiding aanvragen. Maak je maar geen zorgen over de voogdij. Margaux is oud genoeg om in de rechtbank te getuigen dat hij jullie allebei al jarenlang mishandelt.'

'Ik zat er ook al over na te denken,' zei mama en knikte. 'Ze kan nu getuigen.'

'Als het zover is, kunnen jullie wel een tijd bij ons logeren. Dat vindt Inès zeker goed. We hebben niet heel veel ruimte, maar jullie zijn van harte welkom.'

'Misschien kun je de huurders zover krijgen dat ze vertrekken zodat wij op de begane grond kunnen wonen!' Dan leefden we allemaal als één grote familie, dacht ik.

'Zal ik je eens wat zeggen, Peter?' zei mama. 'Hij heeft me al die tijd gehersenspoeld. Hij is als een boze tovenaar. Hoe langer je hem om je heen hebt, des te meer je het gevoel krijgt dat hij met een magische spreuk je brein verzuipt. Je kunt niet meer denken. Maar nu ik vandaag zo met jou zit te praten, voel ik me weer een stuk sterker.'

In de daaropvolgende weken kreeg ik steeds meer het gevoel dat er werkelijk iets in gang was gezet. Dat papa het ook aanvoelde, merkte ik toen hij een keer om tien uur 's avonds mijn arm vastpakte. Ik kwam net uit de badkamer; ik had gedoucht en een roze nachtpon aangetrokken met een print van de familie Beer. Toen zijn hand mijn arm raakte, voelde ik statische elektriciteit overspringen. Ik schrok ervan. Ik wist niet beter of hij kwam zoals gewoonlijk weer de badkamervloer dweilen na mijn douchebeurt, al had ik dat zelf al gedaan.

'Luister eens,' mompelde hij en hield zijn blik afgewend, 'je moeder wordt weer ziek.'

Ik probeerde niet in paniek te raken. Als hij haar weer zou laten opnemen, zou ik Peter wekenlang niet kunnen zien, misschien wel een hele maand niet. Mijn depressie zou me genadeloos afbreken als ik eenzaam en zonder enige afleiding achterbleef. 'Volgens mij niet, hoor. Ze komt heel normaal over.'

'Ze is heel erg hyper, dat is altijd het eerste symptoom.'

'Dat wil niets zeggen. Ze is altijd zo.'

Hij sloeg zijn armen over elkaar. 'Jij ziet het ook maar je probeert haar in bescherming te nemen.'

'Niet waar. Ze is gewoon net zo hyper als altijd.'

'Je moet me hierin steunen. Jij bent de dochter. Ook jij moet haar ervan overtuigen dat het beter is als ze naar de kliniek gaat. Anders gaat er iets vreselijks gebeuren, dat voel ik. Ik heb er een zesde zintuig voor.' Hij nam me mee naar de keukentafel en we gingen zitten. 'Zeg het maar, wat is jou aan haar opgevallen? Jullie zijn nooit meer thuis, dus ik moet mijn informatie uit de tweede hand krijgen. Dus, vertel op. Hoe gaat het met haar?'

'Volgens mij is alles prima. Ze is blij omdat ze op de weegschaal zag dat ze iets was afgevallen. Dat zei ze tegen me.'

Papa schudde zijn hoofd. 'Afgevallen? Dat komt omdat ze niet meer eet, dat kan niet anders. Geeft ze al haar geld uit aan jou? Eis jij dingen van haar? Dat zij haar toelage aan jou spendeert, bijvoorbeeld? Ik ben blij dat jij ietsje bent aangekomen, maar hopelijk ging dat niet ten koste van haar, en niet door het eten van ijsjes en dat soort rotzooi. Zij geeft jou in alles je zin, dat weet ik van haar. Je bent zo'n lastpak dat mensen geen andere keus hebben dan jou je zin te geven. Je zet zelfs je eigen ouders onder zware druk...'

Ik stond op. 'Ik moet morgen vroeg naar school.'

Hij pakte mijn arm. 'Wacht even.' Hij gaf me een klopje en ik ging weer zitten. Hij vouwde zijn handen achter zijn hoofd en zuchtte diep. 'Ik maak een moeilijke tijd door. Er staat veel druk op me omdat die vrouw steeds maar ziek wordt.'

'Ik heb haar anders niet naar het plafond zien staren terwijl ze haar lp's draait. En ze zit ook niet langer dan normaal aan de telefoon.'

'O, maar ze belt nog steeds Jan en alleman, hoor. Ik hoorde haar gisteren nog met iemand over mij praten... Mijn echtgenoot dit, mijn echtgenoot dat. Wat moeten die mensen onderhand wel niet van me denken? Ik schaam me dood. Wie weet wat ze op straat over mij vertelt? Ze mogen dan wel begrijpen dat ze ze niet allemaal meer op een rijtje heeft, maar dan nog... Ik schaam me. Volgens mij moeten wij nu echt eens spijkers met koppen slaan. Ik zeg elke dag tegen haar dat ze ziek is, maar zij antwoordt dat ze zich nog nooit zo goed heeft gevoeld. Ze doet gemeen tegen me en ik ben nota bene degene die haar probeert te helpen. Ik ben de enige die om haar geeft. Wij zijn alles wat ze heeft. Ik ga morgen Gurney bellen om hem te laten weten dat ze weer symptomen heeft. De laatste keer heeft hij haar dosis Thorazine verhoogd. Volgens mij moet hij dat nog een keer doen, en ook de Seroquel. Anders rent ze als een kip zonder kop rond om mij overal voor paal te zetten en brengt ze ondertussen jouw leven in gevaar.'

'Maar ze hoeft toch niet wéér naar de kliniek?'

Papa zat met zijn been te wippen. Daar werd ik zo nerveus van dat ik zijn voet wel aan de vloer wilde vastspijkeren. 'Misschien wel, misschien niet; niet als we onze krachten bundelen. Laten we voor de komende weken het volgende afspreken. Volgens mij is haar bloedsuikerspiegel op hol geslagen omdat ze geen verstandig voedingspatroon heeft. De komende weken moeten jullie dus elke dag om halfzes thuis zijn, voordat ik uit mijn werk kom. En als ik thuiskom, kook ik zelf, voor jullie allebei. Zo kan haar suikerspiegel zich weer herstellen en kan ik er meteen op toezien dat ze haar medicijnen voor het eten inneemt. Ik kan haar gedrag beter in de gaten houden en verslag uitbrengen bij Gurney. Bovendien worden de dagen alweer korter. Het is niet goed als ze met jou door het donker loopt nu ze weer ziek wordt. Jullie kunnen nog onder een auto komen!'

Ik wilde zeggen dat Peter ons altijd thuisbracht, maar het leek me beter om dat voor me te houden. Het was beter om maar met papa in te stemmen, al werd ik misselijk bij de gedachte dat ik minder bij Peter en meer bij papa zou zijn. Hij zag hoe ik mijn hoofd liet hangen en tilde mijn kin op.

'Je huid... Volgens mij zie ik het begin van een puistje op je linkerwang. Zal ik even het vergrootglas...'

'Nee. Ik bedoel, nee, dank je, ik ben nu echt moe.'

Hij knikte en ik liep langzaam bij hem vandaan. Ik voelde dat hij naar me keek, en draaide me om. Hij staarde me met een vreemde blik aan.

'Je wordt lang. Dat zie ik nu pas.' Hij wendde zich snel van me af.

'Hij zit daarbinnen en hij is gewapend!'

Mijn moeder zei dit niet gewoon. Ze stond buiten op straat aan de overkant van het beige met rode huis te schreeuwen.

'Mama,' zei ik, 'hij is nog niet thuis van zijn werk. Hij zit niet eens binnen. Kom, we gaan gewoon terug naar Peter. Als we rennen, halen we hem en Paws nog in. Laten we teruggaan.'

'Hij wil dat we thuis zijn, dat weet je toch? Voor etenstijd. Dan kan hij weer schreeuwen en tekeergaan en over mijn zus klagen en over de afwas en dat ik niet goed bij mijn hoofd ben en hoe zwaar hij het wel niet heeft. Ik weet dat die vent thuis is. Hij noemt mij "dat wijf". Nou, ik noem hem "die vent". Die vent! Die vent! Die vent!'

'Papa is er niet, mam,' zei ik. 'Er brandt geen licht. Hij zit in de kroeg.'

Ze luisterde niet naar me. Er hing een gloed over haar gezicht alsof ze een religieuze ervaring had. Ze begon weer te gillen en ik verborg mijn gezicht achter mijn lange haar zodat niemand me kon herkennen. Altijd als er iets in Union City gebeurde, een vechtpartij, een brand of iets van dien aard, dan vormde zich direct een kleine menigte. Oudere vrouwen met rouge op hun wangen, moeders met kinderwagens, oude Cubanen met hoeden op, hangjongeren in straatuniform van halskettingen en windjacks van Nike en Adidas; ze stonden ons allemaal aan te staren.

'Luister, allemaal! Mijn man is niet goed bij zijn hoofd! Hij is gewapend! Hij gaat me nog vermoorden! Het is een zatlap! Hij verstopt zich, hij wil niet dat iemand hem ziet! Hij zit ons daarbinnen op te wachten met zijn pistool! Als we naar binnen gaan, worden we doodgeschoten!' Het leek wel alsof haar stem uit een luidspreker kwam. Er kwamen steeds meer mensen op ons af en samen vormden ze een onheilspellende v, als een vliegende zwerm ganzen op weg naar Canada. 'Bel de politie!' schreeuwde mijn moeder. Niemand verroerde een vin. Haar gezicht had nu de kleur van een kooltje dat zo hevig had gebrand dat er nog maar een wit asklompje van over was. 'Help ons! Mijn dochter kan getuigen! Ze staat hier naast me. Zeg het dan, Margaux! Vertel maar wat voor vader je hebt. En dat hij wapens heeft!'

Alle honden uit de buurt begonnen tegelijk te blaffen. Ze stonden achter schuttingen en heggen te janken; ze gromden in hun kooien naar hun dierenartsen en naar het personeel van de asielopvang; in heel Union City, Weehawken, North Bergen en West New York sloegen ze aan. Normaal gesproken konden ze alleen elkaar horen, dit hondennetwerk van de eencijferige straten tot aan Ninetieth Street, maar nu hoorde ik ze allemaal tegelijk blaffen. Ik zette het op een lopen.

'Margaux! Kom terug!'

Ik voelde de vrijheid opbloeien in mijn ledematen; ik rende sneller dan ogen konden bijhouden. Ik stoof voorbij Heaven op Earth Flowers, langs de Sint-Augustinuskerk, langs het Chinese restaurant en de videotheek. O jawel, ik rende als een haasje. Ik was er bijna. Al bijna bij Weehawken. Bij Peters huis. Voor me zag ik in de verte een politieauto opdoemen. Ik dacht erover om te blijven staan en ze over mijn moeder te vertellen. Nee, beter van niet: Peter hield niet van politie. Ik ook niet.

Ik stak de straat over en liep langs het struikgewas met de giftige besjes. Ik had pijnscheuten in mijn zij en mijn keel brandde. Naarmate ik mijn pas vertraagde, voelde ik me steeds meer verloren. Zolang ik rende, leek ik nog te weten waar ik heen ging. Maar nu ik langzamer liep, kwam niets om me heen me nog bekend voor en ik wist niet eens of ik in Weehawken of in Union City was. Peters huis was nergens te zien en ik had geen idee welke kant ik op moest.

De volgende ochtend zou het vuilnis worden opgehaald, en overal stonden de zwarte vuilniszakken voor de huizen opgestapeld. Het was net alsof ik steeds dezelfde berg vuilnis passeerde, glanzend zwart en aan de bovenkant dichtgebonden als saucijsjes. Uiteindelijk merkte ik dat ik keer op keer hetzelfde rondje liep. Ik moest ergens een telefooncel zien te vinden. Ik had geen kwartjes, dus ik belde collect naar Peter en beschreef mijn omgeving. Daarna bleef ik ineengedoken op de motorkap van een auto zitten wachten.

Ik moet in slaap zijn gevallen, want ik werd wakker van Peters armen die me aanporden. De motor stond op de standaard te sputteren en te ronken, de hitte dampte ervan af. Peter drapeerde een van Inès' veelkleurige sjaals om mijn schouders.

'Hou 'm stevig om je jack,' zei hij. 'Het is altijd koud op de motor.'

Hij zette mijn eigen zilveren helm op mijn hoofd en gespte hem vast onder mijn kin. We leken wel twee astronauten.

'Kun je het aan, een rit op de motor?' vroeg hij. Ik knikte. 'Spring maar achterop,' zei hij zoals altijd wanneer ik bij hem achterop klom, en toen: 'Val niet in slaap. Zing maar als je je dan beter voelt. Maar blijf wel wakker, oké?'

Ik zat op Peters roodfluwelen bank met een kopje thee dat Inès voor me had gezet. Paws had zich aan mijn voeten genesteld. Peter praatte achter elkaar door. Soms drongen zijn woorden tot me door, maar voor de rest was het net of er op de achtergrond een nieuwsuitzending op tv was waarvan ik slechts bij flarden iets waarnam. Peter had het een paar keer over naar huis bellen en dat er niet werd opgenomen. Hij bleef maar opstaan om naar de telefoon te lopen. Ik wist dat ik me nu ernstig zorgen moest gaan maken over mijn moeder – ik zou zelfs bang moeten zijn, maar ik had lang geleden al geleerd dat mijn zorgen nergens toe leidden: ik kon de zaken toch niet veranderen.

Ik moest weer zijn ingedommeld, want ik werd wakker op het tapijt dat voor de bank lag en zag mijn vader boven me uittorenen toen ik mijn ogen opendeed. Hij keek met gefronst voorhoofd toe hoe ik naast Paws op de vloer lag, en al zei hij er niets van, ik schoot meteen overeind. Papa had een groen overhemd aan met een zwarte das en een bruine broek.

Ik voelde een vreemde aandrang om in zijn armen te kruipen, maar ik was bang dat hij me weg zou duwen. Toch stond ik op en liep op hem af, maar nam toen toch maar plaats op de bank. 'Wil je niet zitten?' vroeg Peter aan papa en wees naar de bank, maar die schudde zijn hoofd.

'Nee, dank je, ik blijf liever staan.' Natuurlijk wilde hij niet zitten, want hij wist dat Peter zijn meubilair op de vlooienmarkt kocht of ergens op straat had gevonden. Ik had nooit verwacht hem bij Peter thuis te zien, en ik was de schok nog niet te boven.

'K-Keesy, je moeder is op straat flauwgevallen. Ze was je aan het zoeken. Gelukkig heeft ze niets aan haar val overgehouden. Ze hebben haar naar het ziekenhuis gebracht. Er stonden allemaal mensen om haar heen. Ze hebben haar op een brancard gelegd. Maak je geen zorgen, ze heeft zich niet bezeerd. Maar ik kan je wel vertellen dat het een behoorlijk vernederende ervaring was.'

'Ik had bij haar moeten blijven, pap. Ik had eigenlijk op haar moeten passen. Maar ze stond daar maar op straat te schreeuwen en iedereen keek naar ons.'

'Ik begrijp je wel.' Papa knikte. 'Kom, we gaan, Keesy.' Peter liep met ons mee naar de voordeur, langs de piano met gebroken toetsen, langs de parkietjes en de vinken die op hun stokjes zaten en soms even opfladderden. Ze waren aan het fluiten, en papa bleef even staan om naar ze te kijken.

'Wat een mooie beestjes. Hoeven ze niet in de kooi?'

'Hun vleugeltjes zijn gekortwiekt.'

'Ah, vandaar. Zelf geloof ik daar niet zo in, net zomin als in het knippen van de nagels van de kat. Het heeft iets onwaardigs. Maar een kooi is nog onwaardiger, lijkt me zo.'

'Waarschijnlijk wel,' antwoordde Peter, en deed de voordeur voor ons open. Papa stak zijn hand uit, Peter ook. 'Dank je dat je mijn dochter van straat hebt gehaald. Mijn grootste nachtmerrie had kunnen uitkomen: ze had een ongeluk kunnen krijgen of gekidnapt kunnen worden door een psychopaat. Die moeder van haar heeft geen greintje gezond verstand. Die stond op straat de longen uit haar lijf te gillen. Iedereen had het op een lopen gezet om aan die toegestroomde meute te ontsnappen!'

'Ze voelt zich wel schuldig dat ze haar moeder alleen heeft gelaten,' zei Peter. 'Maar het is haar niet kwalijk te nemen.'

Papa knikte. 'Heeft ze het ooit over me? Tegen jou of eh... Inès?' Hij trok vragend zijn wenkbrauwen op.

'Ik luister nooit als ze tekeergaat. Ik weet dat ze momenteel psychisch in de knoop zit,' zei Peter en stak een sigaret op. 'Hoe luidt de diagnose precies?'

'Volgens de ene arts is ze schizofreen, volgens de ander bipolair, weer een ander heeft het over een borderlinestoornis. Wie zal het zeggen? Haar psychiater, die Gurney, schrijft "schizofrenie" op de rapporten voor de zorgverzekeraar, maar we weten het niet zeker. We weten nooit iets zeker. Zo gaat het ons hele leven. We lopen ons hele leven te speculeren over oorzaken. En het leidt nergens toe. Neem zoiets als erbarmen. Bestaat dat wel? Ik dacht dat ik barmhartig was door haar niet op te laten nemen. Dat ik ons kind daarmee ellende zou besparen. Maar in feite bleek het compleet op het tegenovergestelde uit te lopen.' Hij draaide zich om en liep met mij de trap af.

18

Nina

Papa nam een paar dagen vrij na mama's zenuwinzinking. Ik kreeg hem zover dat hij me niet bij Rosa onder zou brengen. 'Om te beginnen ben ik te oud voor een babysitter,' zei ik. We zaten in de keuken, waar hij in een pan rijst stond te roeren. Sinds mijn moeder was opgenomen, was hij in een opperbest humeur. 'En het is weggegooid geld. Rosa plant me gewoon voor de televisie en dat is het dan. Niet dat ik ergens naar mag kijken: die zoon van haar zit er de hele tijd videospelletjes op te spelen. Om je dood te vervelen.'

Papa wreef bedachtzaam over zijn kin. 'Wat doe je in dat andere huis?' Met dat andere huis bedoelde hij het huis van Peter.

'Een heleboel dingen. Rollerskaten, met de hond wandelen.' Ik zweeg even, en begon toen dingen uit mijn duim te zuigen. 'In de zomer help ik Inès in de tuin. We hebben allerlei groenten en zonnebloemen geteeld. Afgelopen herfst hadden we asters, die groeien alleen in het najaar.' Ik verzon ter plekke in welk seizoen asters bloeien, ik had namelijk geen flauw idee. Maar papa leek onder de indruk. 'Ik mag ook Inès' typemachine gebruiken om verhaaltjes te tikken, en ze hielp me met mijn proefwerk geschiedenis omdat ze heel veel van de Burgeroorlog weet. Ook hebben we een keer gebrandschilderde ramen gemaakt met dierenfiguurtjes, daar heeft ze speciale spullen voor.' Op het moment dat

245

ik dit zei, wilde ik ook dat het waar was. Al zag ik Inès meestal niet zo zitten, ik was ergens wel gefascineerd door haar middeleeuws uitziende jurken, haar boeken over wiccaspreuken en dat ze altijd óf zat te lezen, óf haar dagboek bijhield, óf op de toetsen van haar ouderwetse zwarte typemachine zat te rammelen.

'Het is een leuke vrouw,' zei papa knikkend. 'Intelligent. Ze weet zoveel van geschiedenis dat ze met gemak aan een kennisquiz zou kunnen meedoen.' Hij glimlachte. 'Toen jij lag te slapen, heb ik even in de keuken met haar kunnen praten. Ik begrijp niet wat ze in die Peter ziet. Hij leverde nauwelijks enige bijdrage aan de discussie. Geen idee waarom ze hem aanhoudt; misschien is hij wel handig als huisman.' Hij glimlachte weer en draaide toen het gas onder de rijst uit. 'Ik heb medelijden met die man, en wel om diverse redenen. Wat is die oud geworden in de afgelopen jaren!' Hij schepte eerst voor mij rijst, kip, rode paprika en peulen op een bord en daarna ook voor zichzelf, en schoof toen bij me aan tafel.

'Ik vermoed dat ze een stabiel manspersoon nodig heeft om haar te helpen met de opvoeding van haar twee zonen. Ik moet hem nageven dat hij aardig is, dat had je moeder goed gezien. Hij slooft zich echt uit voor zijn medemens. Dat zie je niet veel meer vandaag de dag.' Hij kauwde bedachtzaam. 'Inès vertelde me allerlei dingen over deze stad die ik nog niet wist. Historische feiten. Wist je dat hier zo goed als geen iepen meer groeien? Die zijn allemaal bezweken aan de iepziekte. Dat wist ik niet. En winkelcentrum Pathmark was vroeger een stuwmeer. Tijdens de Eerste Wereldoorlog sloegen Amerikaanse soldaten daar hun kampementen op om zich te beschermen tegen terreuraanvallen.'

Papa was nog niet uitgepraat. 'Die vrouw is te slim om te blijven hangen bij zo'n... kinderlijk type. Hij is wel erg geobsedeerd door kerstversieringen, vind je ook niet? Je moeder praatte er altijd heel lovend over. Terwijl het toch niet goed is voor iemands geestelijke gezondheid om zo op één seizoen gefixeerd te zijn.' Hij schudde zijn hoofd. 'En dan heeft hij ook nog een motor! Alsof hij een of andere jonge vrijbuiter is. Ik wilde ook een motor toen ik achttien was, maar niet nu.' Hij wreef over de rand van zijn bierflesje. 'Je moeder vertelde dat Inès een paar weken geleden had gezegd dat Peter niet met haar "als man" kon leven. Waarschijnlijk komt dat door het letsel aan zijn rug. Ik heb altijd medelijden met dat soort mensen, omdat ze niet helemaal volwaardig zijn. Geen wonder dat hij een motor heeft.'

Hij keek me even zwijgend aan, met een schaapachtige blik in zijn ogen. 'Ik vergat warempel even tegen wie ik het had. Tegen een klein meisje. Een klein wildebrasje nog.'

'Ik ben geen kind meer, papa.'

Hij wuifde mijn woorden weg. 'Hoe dan ook, die twee blijven bij elkaar voor het gemak, dat weet ik wel. Dat zie je in veel relaties. Omdat het wel gemakkelijk is.' Hij lachte en nam een slok van zijn bier. 'Behalve met jouw moeder. Met haar heb ik het allesbehalve makkelijk! Ze heeft me opgezadeld met allerlei plichten en verantwoordelijkheden. Als ik vroeger een glazen bol had gehad, dan was ik de bergen in getrokken. Het is een stuk makkelijker toeven tussen de geiten op een of andere berghelling, dat kan ik je wel vertellen.'

Terwijl hij aan het woord was, zorgde ik ervoor dat ik mijn bord leeg at, ook de paprika die ik eigenlijk niet lustte. Het laatste wat ik wilde was zijn goede humeur bederven.

'Het is allemaal niet zo eenvoudig op dit moment. Alles is gecompliceerd! Ik heb niet eens meer een auto. Ik moet telkens naar de kliniek en dat zonder auto!'

'Wat is er met de Chevy gebeurd, pap?'

'Die heb ik drie maanden geleden al moeten verkopen!'
Papa grinnikte maar hield er abrupt weer mee op. Hij keek
in zijn bierflesje, zijn lippen gekruld in een ondefinieerbaar
glimlachje. 'Dat wist je niet eens.'

'Je hebt het me ook niet verteld.'

'Wanneer had ik dat moeten doen? Je bent hier nooit!'
Hij keek me nu recht aan. Ik wendde mijn blik af. 'Enfin,
dat die wagen werd weggesleept was voor mij het breek-
punt. Die grap kostte me honderd dollar. En waarom? Omdat ik met mijn bumper een centimeter, of twee, drie misschien' – hij gaf de afstand met zijn handen aan – 'ongeveer
zover op een parkeerplek voor gehandicapten stond. Ken je
de vrouw aan de overkant die in een Cadillac rijdt? Metallic
grijs? Die parkeerplek is dus van haar. Niet omdat ze gehan-
dicapt is, maar omdat ze mensen bij de gemeente kent. Ik
heb haar in nachtclubs op de dansvloer zien staan, en ze
mankeert dus echt niks. Je ziet steeds meer parkeerplekken
voor gehandicapten en die zijn van mensen die mensen kennen. Ze zijn ook bijna altijd twee keer zo groot als de wagen
waarvoor ze bestemd zijn.' Hij schudde zijn hoofd. 'Pak
nog eens een biertje voor me, Keesy.'

Terwijl ik naar de koelkast liep, vervolgde hij: 'Die parkeerplekken woekeren net zo hard als de iepziekte. En mijn
Chevy was een flinke auto, weet je nog, Keesy? Een groot,
degelijk vehikel, zoals ze indertijd nog werden gemaakt.
Had ik een Honda of een Toyota gereden, dan had ik niet
met mijn bumper over de lijn gezeten. Met een paar centimeter! Ze had makkelijk naast me kunnen parkeren.'

'Mogen ze je auto zomaar wegslepen?'

'Jazeker, want dat is de wet. Zij is de fraudeur, maar op
papier was ik degene die de wet had overtreden. En toch
wist ik dat zij de crimineel was, en niet ik! Zij is corrupt en
dat is tegen de wet. Dus zorgde ik er zelf voor dat ze haar

verdiende loon kreeg. Het kostte mij een paar honderdjes, maar haar een veelvoud daarvan.'

'Wat heb je uitgevoerd?'

'Een maand of zes nadat ik mijn burgerplicht had voldaan door de boete en de wegsleepkosten te betalen, ben ik naar La Popular gegaan voor een half dozijn eieren. Daarna heb ik bij Sears een blik rode verf gekocht. Met een ijspriem heb ik gaatjes in de eieren gemaakt en in de gootsteen de struif eruit laten lopen.' Hij beeldde ondertussen alles met zijn handen uit. 'Met behulp van mijn vergrootglas en een trechtertje heb ik alle eieren met knalrode verf gevuld. Om drie uur 's nachts reed ik naar haar huis, keek goed om me heen of er iemand was, en heb toen die eieren tegen haar auto gesmeten. Daarna heb ik een paar maanden gewacht. Toen ik zag dat ze haar auto over had laten spuiten, ging ik weer terug om precies hetzelfde geintje uit te halen. Omdat ze de wet had overtreden. En dan heb ik het niet over "de wet", maar over míjn wet. De mijne!' Hij prikte met zijn vinger in zijn borstkas. 'Enfin, nog weer een maand later of zo loop ik in de kroeg Eduardo tegen het lijf. Hij vertelt me over die vrouw. Hij mag haar net zomin als ik en zei heel zachtjes tegen me: "Louie, heb jij enig idee wie dat heeft geflikt? Hoe kan iemand nou zoiets doen?" En weet je wat ik toen tegen hem zei, Keesy?'

'Nou?'

'Ik zei: "Ik zou niet weten wie een gehandicapte vrouw zo'n streek flikt. Die moet wel een misdadige inborst hebben. Een echte psychopaat!"'

Sinds mijn moeder was opgenomen, ging ik alleen naar Peter. Onderweg werd ik altijd belaagd door jonge jongens. Vanuit huiskamerramen werd er naar me gesist en gefloten, ze riepen dat ik mooie tieten had en een lekker kontje, ze gaven me hun beepernummer of probeerden me een lift aan te smeren. Zodra het warmer werd, zag je ze overal: ze hingen rond op veranda's, op de motorkap van geparkeerde auto's, in brandgangen. Ze reden rond op hun fietsen of op hun skateboards. Het was het soort jongeren dat hun baseballpet achterstevoren droeg en lawaaierige machohonden bij zich had, meestal rottweilers of pitbulls.

Toch stond ik erop om voortaan alleen te gaan, ook toen mijn moeder weer uit de kliniek werd ontslagen. Ik geloof dat papa er wel begrip voor had dat ik getraumatiseerd was door de scène die ze op straat had getrapt. Haar dosis Thorazine en Seroquel was dermate verhoogd dat ze finaal van de wereld was, dus ze vond het niet erg om thuis te blijven. Bovendien was ik een beetje verslaafd geraakt aan de aandacht op straat, al voelde ik me er niet gemakkelijk bij. Het was alsof ik voortdurend bevestiging nodig had dat ze me wel zagen zitten, terwijl het in feite alleen maar om seks ging. Volgens Peter waren jongens van die leeftijd nu eenmaal erg onvolwassen en wilden ze allemaal maar één ding van me.

Ik had een keer mijn witte spijkerjasje om mijn middel geknoopt, en een jongen riep me te midden van zijn entourage toe: 'Kom op, laat je kontje ook maar zien! Ik weet zeker dat het net zo lekker is als de rest!' Blozend trok ik mijn jack los en oogstte prompt gejuich. 'Je bent een mooi wijfie!' riep een ander. 'Laat je haar niet zo voor je smoeltje hangen en kijk niet zo naar de grond. Lachen, snoes! Het is lente!'

Ze hadden nog gelijk ook: ik moest wat meer lachen. Het was nu eind mei; nog even, dan zou ik weer zo'n gruwelschooljaar achter de rug hebben en had ik mijn handen weer vrij. En Peter was liever dan ooit. Hij schreef me dagelijks een liefdesbrief van vier pagina's die hij aan me voorlas zodra we ons in de veilige beschutting van zijn kamer bevonden, met de deur op slot. Hij schreef over alle leuke dingen die we de dag ervoor hadden gedaan en benadrukte hoeveel lol we samen beleefden. Tegelijkertijd moedigde hij me aan om ook aan een dagboek te beginnen om ons gezamenlijke leven vast te leggen, en hij drukte me op het hart niets negatiefs erin te zetten. En als we ruzie hadden of als ik me verdrietig voelde, moest ik van hem altijd uit dat dagboek voorlezen.

Ik begreep mezelf niet meer. Het begon me op te vallen dat mijn gedachten en gevoelens van de ene dag op de andere drastisch konden veranderen. Op een middag zat Miguel met vier andere jongens op de trap naar boven. En ik, die in de regel nooit meer dan een 'hoi' tegen hem kon uitbrengen, zwaaide mijn lokken over mijn schouders en schamperde: 'Hebben jullie niks beters te doen dan zo stom op de trap rond te hangen? Het is een wonder dat er nog iemand langs kan.' Miguel vertelde het aan Peter, en die stond erop dat ik hem belde om mijn excuus aan te bieden (een persoonlijke confrontatie durfde ik absoluut niet aan). 'Maakt niet uit, joh,' was Miguels reactie. Maar al nam hij het me niet kwalijk, zelf vond ik mijn gedrag zo akelig dat ik nooit aan die dag kon terugdenken zonder te huiveren.

Vrouwen liepen met Peter weg. Linda, Richards andere vriendinnetje, had zelfs met hem geflirt en hem al een paar keer uitgenodigd. Hij was er niet op ingegaan. Jessenia, die de begane grond van hem huurde, moest altijd Peters arm aanraken als ze met elkaar praatten, al ging het alleen maar over alle huis-tuin-en-keukendingen die bij hen kapot waren gegaan. Peter vond dat hij flink de plank had misgeslagen met deze huurders. Ze hielden de boel niet schoon en hun woonruimte was vergeven van de kakkerlakken, die zich van de weeromstuit ook over de rest van het huis verspreidden. Hij was een keer binnen geweest om een gebroken leiding te repareren, en had daar Jessenia's kinderen van zeven, vijf en drie aangetroffen die zich speels vermaakten met het vermorzelen van kakkerlakken. Jessenia was een jaar of zes- à zevenentwintig en erg mooi met haar lange zwarte haar, brede mond en bleke, bijna vampierachtige huid. Ze had een nerveuze motoriek, praatte snel en verviel steeds in herhalingen, maar dat had wel wat. Peter was ervan overtuigd dat ze zwaar aan de coke zat en bovendien naar bed ging met haar achttienjarige neef, die bij hen inwoonde en de helft van de huur betaalde.

Iedereen deed het met iedereen. Jessenia en haar kerkhofzwijgzame minnaar met zijn zwarte tienerkrullen, eeuwige witte T-shirt en tatoeage van een kikkertje op zijn knokkels; Richard deed het met Inès (hij woonde nog steeds af en toe bij hen in); papa met een knappe achtentwintigjarige genaamd Xiomara. Toen mama weer uit de kliniek was, zei ze dat ze Xiomara een keer had ontmoet omdat papa haar te eten had uitgenodigd. Ik vroeg wat voor soort vrouw het was. Volgens mama was ze erg aardig en opgewekt, waardoor ze me direct aan Jessenia deed denken, en ook aan Vanessa en Amber, die Peter de 'zolderheksen' was gaan noemen.

Al die vrouwen waren aardig en makkelijk in de omgang, ondanks hun miserabele leventjes. Dat is wat vrouwen sexy maakt, concludeerde ik: geluidloos lachen, wel met hun mond open alsof ze lachen maar dan met hun hand voor hun mond. Ze waren scheutig met complimentjes en zaten de hele tijd aan je, alsof je een hond of poes was die ze naar believen konden aaien. Tegen jonge meisjes waren ze net zo voorkomend als tegen oude mannen; voor hen maakte het geen verschil of je een jong meisje was dat met hen dweepte of een oude man die hen als godin vereerde. Een seksgodin kon haar omgeving van een kille afstand bekijken en tegelijk met veel liefdevolle aandacht overstelpen; je moest zowel kinderlijk baldadig als oprecht vrouwelijk zijn; je moest net doen alsof je geen enkele verwachting koesterde terwijl je in wezen niets minder dan de hele wereld eiste; je moest plagen en charmeren en flirten en kirren en koeren en koketteren met iedereen die op je pad kwam.

De meeste mannen vielen hiervoor, maar Peter niet. Soms leek het wel alsof hij alles aan vrouwen nep en opzichtig vond. Hij haatte lange nagels, vooral kunstnagels, mascara en felgekleurde lippenstift. Hij haatte netkousen, permanentjes, valse wimpers, protserige halskettingen. Hij haatte lange oorbellen, oorringen en elke oorbel die niet klein of decent was. Hij haatte alle beha's behalve witte en roze. Hij haatte sportbeha's. Hij haatte lingerie. Hij hield niet van rood. Hij kreeg de kriebels van de schoenen met frutsels die ze in East Village verkochten. En hij had vooral een hekel aan hoge hakken.

'Gymschoenen,' zei hij. 'Die zijn pas sexy. Of blote voetjes. Niet die stilettokrengen waarmee je iemand dood kan steken.'

Hij hield niet van grote borsten. Hij vond die van mij nu heel mooi en hoopte dat ze nooit groter zouden worden. Volgens mij wilde hij zelfs stiekem dat ze kleiner waren. Hij wilde dat ik mijn schaamstreek consequent schoor. Ik mocht zijn elektrische scheerapparaat gebruiken. Hij begreep er niets van als meisjes hun schaamhaar bijschoren tot een driehoekje of andere vormen. Hij begreep niets van welke tatoeage dan ook, bij mannen noch bij vrouwen. Hij vroeg zich af hoe mensen het verzonnen om te sollen met Gods meest fijnbesnaarde creatie: het menselijk lichaam.

Vooral dat van meisjes. Waarom verfden meisjes hun haar? Waarom tekenden sommigen hun wenkbrauwen met een potloodje? Hij snapte ook niet dat er vrouwen waren die hun haar kort lieten knippen en het laatste modebeeld was hem eveneens een raadsel: vrouwen die mannenoverhemden met stropdassen droegen.

Hij ontwikkelde de rare gewoonte om meisjes en vrouwen die hij op straat tegenkwam fluisterend een cijfer te geven. 'Die krijgt een acht. Die daar, die haar collie uitlaat, een zes. Tweemaal een vijf bij de brievenbus.' Vrouwen van over de dertig waren de moeite van een cijfer niet eens waard, maar hij beoordeelde wel meisjes van vier. Elke keer als hij een onbekend meisje met een getal had gewaardeerd, zei hij dat ik een perfecte tien was. Dat zou me blij moeten maken, maar helaas: ik werd juist ongerust dat ik op een dag een lager cijfer zou krijgen. Als ik dikker zou worden bijvoorbeeld, of als mijn borsten groter werden, en wat als ik een groeispurt zou krijgen? Ik stelde mezelf gerust dat dit nooit zou gebeuren: ik had me gewoon vroeg ontwikkeld en mijn maximale lengte al bereikt. Hopelijk had ik alles al achter de rug wat me in zijn ogen minder waard kon maken.

Uit dit alles ontstond Nina: door vrouwen als Jessenia, Linda, Amber en Vanessa vanuit Peters perspectief te observeren, wat hij wel en wat hij niet leuk vond. Nina was een amalgaam van deze vrouwen en van degenen met wie ik papa altijd in de kroeg had zien flirten, als mama ziek was en we op kroegentocht waren. Nina was alles wat mijn moeder niet was. Listig, behaagziek en met haar op de tanden; niet 'slecht' maar 'ondeugend', niet 'kil' maar 'gehaaid'. Ze was een gloeiend kooltje maar zo zacht als boter. Een echte seksgodin. Nina was een kreng. Als ze geen kreng was, zou

Peter zich misschien ellendig of schuldig voelen over de dingen die hij deed.

Aldus stelde ik deze Nina samen in de zomer van mijn dertiende levensjaar – mijn meesterwerk van ultieme vrouwelijkheid. Ze was zo cool, ze was makkelijk verveeld. Ze was een popje van papier. Ze was lijm. Ze had geen inhoud. Ze was beeldschoon. Ze was jonger dan ik en ouder dan ik. Fris als een maïsveld maar zo oud als de regen. Ze was mij. Ze was mij niet. Haar haar was gitzwart, net als dat van Jessenia, of van Justine. Ze bestond uit vulsel. Ze was een wensbotje. Je kon alle kanten met haar op en ze zou nooit breken. Zo veerkrachtig was ze. Een echte taaie. Ze had geen liefde in zich maar wel eindeloos veel affectie. Geduld. Ze was lichtvoetig en geestig. En zorgeloos. Vooral wat haarzelf betrof. Zorgeloos over haar lichaam want daar stond ze boven. Het was zo prachtig, dat strakke, geile perfectetienlichaam; ze kon er vanaf de andere kant van de kamer naar kijken. Ze was zo bijdehand. Zo blasé. Ze droeg haar niets alsof het iets was.

Nina's enige missie was Peter plezieren. En om dat te bewerkstelligen, had hij veel intimiteit nodig. Intimiteit betekende hem aftrekken (door hem massage genoemd) of pijpen.

Nina's spoedcursus 'Hoe maak ik het een man naar de zin' bestond uit het bekijken van allerlei pornofilms, alsook Peters eigen pornografische homevideo's: een compilatie van softe tot stevige en harde seksscènes waarin vrouwen elke wens van de man vervulden. Hij zette de tv zachtjes zodat degene die iets in de keuken nodig had geen geluiden door de dunne muur heen kon horen. Hij hield er vooral van om vrouwen op hun knieën te zien terwijl ze een man pijpten en mannen die op hun gezicht ejaculeerden. Penetratie vond hij tot een bepaald punt interessant, daarna spoelde hij snel door.

Je had pornoactrices met een hele bos permanentkrullen en pornoactrices met steil witblond haar; er was er eentje met paarse oogschaduw zodat het net leek of ze kattenogen had, en een meisje dat alleen maar roze beenwarmers droeg. Een andere was weer erg bruin, tenger en blond, met de tatoeage van een kolibrie op haar schouder. Steeds als een man haar op zijn hondjes nam, leek die kolibrie op te fladderen; ik keek altijd naar die scène uit en beeldde me in dat de actrice zich door de regisseur alleen van achteren liet filmen zodat ze die mooie tatoeage kon laten zien. En al werd al die porno soms wat vervelend, ik werd er toch rustiger van, omdat ze me deed inzien dat de escapades van Peter en mij niet zo veel voorstelden.

Ik begon dezelfde symptomen te vertonen als mijn moeder, maar dan anders. Soms voelde ik mezelf afdrijven naar de periferie en kon daar niet eens meer warm of koud van worden. Hoe kon ik enig gevoel opbrengen voor iemand die zo stom was, zo impopulair? Een meisje zonder ruggengraat, dat haar moeder op straat in de steek had gelaten. Als ik niets omhanden had, zag ik in gedachten mijn moeder weer voor me, op de dag van haar zenuwinzinking: languit op straat als een offerandekip in een Santeria-ritueel die ik ooit op een stoep ontleed had zien worden. Zou mij hetzelfde boven het hoofd hangen? Het was me niet gelukt om haar van haar depressie af te helpen, en de gedachte dat ze in bed lag weg te kwijnen vond ik ondraaglijk.

Als ik bij Peter was, hoefde ik niet over mijn moeder na te denken. Hij was degene die me steeds voorhield in het nu te leven, niet in het verleden of in de toekomst. Volgens hem kon je alleen maar gelukkig worden als je je op het heden concentreerde en negatieve gedachten uitschakelde. Dus elke keer als ik iets naars over hem dacht, trok ik alle registers open om die gedachte zo snel mogelijk weer te verbannen. Peter beklaagde zich niet meer over mijn behoefte om uren achter elkaar over Het Sprookje te praten, omdat ik hem hiervoor ruimschoots compenseerde. De muizenissen rondom de personages waren alles voor mij. En dan was ik zo opgetogen dat het de seksuele gunsten van Nina meer dan waard was. We gingen de sprookjessessies zelfs op cassettebandjes vastleggen en schreven samen een romanversie die we *Het beest in ons* noemden. Ik zag hoe het oude Sprookje muteerde in een nieuw Sprookje, met een geheel nieuwe cast waartoe ook Nina behoorde. Dat nieuwe Sprookje was een arena waarin zij haar seksuele fantasieën met jongens van haar eigen leeftijd kon botvieren. Zo had je een jongen die gedwongen een elektronische halsband droeg waarvan zij de afstandsbediening bezat en die haar dagelijks oraal moest bevredigen. Ik speelde beide personages, zowel Nina als de jongen. Soms bevredigde ik Peter als ik in de huid van een jongen kroop die zich dan voordeed als meisje. In die rol ervoer ik een vorm van vrijheid die me deed denken aan hoe ik me vroeger voelde als ik met mama in het reuzenrad zat. En als ik die jongen was, stond ik verder van mijn eigen leven af dan ooit.

Tijdens massages hanteerde ik Peters penis als een jojo. Een jojo is een curieus ding omdat hij op de keper beschouwd niets doet. Hij komt net zo nutteloos omhoog als een emmer die je uit een opgedroogde put vist. Toch kunnen mensen trucjes met jojo's uithalen. Ik sloot mijn vingers om zijn penis en bewoog mijn hand op en neer. Ik schoof mijn lippen eromheen als een tandeloze ratelslang die een muisje verorbert. Eerst de kop: als een strak, roze helmpje met dat ene buitenaardse oog. Daarna de aderen, de bijeengetrokken huid vol rimpels, strak en bobbelig tegelijk, met daaronder dat stuk vel dat eruitziet alsof het ooit ernstig verbrand is, zo schrompelig als een hand die je heel even in het vuur hebt gestoken.

Omdat mijn neusholte vaak dichtzat, had ik moeite met ademhalen. Ik hield tussentijds op om in zakdoeken te spuwen. Ik klopte op zijn been als ik er een nodig had. Soms liet ik toe dat hij mijn hoofd naar beneden duwde, al had ik kramp in mijn kaken en moest ik kokken. Dan voelde hij zich schuldig maar ik zei dat het niet erg was, zolang hij maar zo snel mogelijk kwam. Mijn kaak begon dan te tintelen, en als de gevoelloosheid wegtrok was het alsof iemand er met een deegroller overheen was gegaan.

Hij genoot als ik vieze dingen zei. Of net deed alsof er naast Nina nog meer meisjes waren – iets wat ik zelf haatte. Wat ik het liefst deed, was op mijn buik liggen met mijn gezicht in het kussen terwijl hij me van achteren besteeg en net zo lang tegen mijn billen wreef tot hij kwam. Dat kostte mij tenminste geen energie, want sinds mijn moeder niet meer meeging vroeg hij bijna elke dag om seks. Als ik niet toegaf, viel hij meteen stil en huilde dat ik niet meer van hem hield of dat ik hem te oud of te lelijk vond.

Als hij zo tegen mijn billen wreef, hield hij mijn gezicht tegen het kussen gedrukt; alsof hij mijn gezicht niet wilde zien. Normaliter stond het hoofdeinde van het bed omhoog zodat we films konden kijken of lezen. Maar voor dit standje bediende hij het schakelkastje tot dat deel van zijn ziekenhuisbed piepend omlaag was gezakt. Dan trok ik mijn kleren uit en viel op het matras als een stapel jassen die uit een zak werd geschud. Ik drukte mijn gezicht in het kussen en ademde de lichte transpiratiegeur van mijn eigen haar in. Ik kon de veren van het matras tegen mijn naakte ribbenkast voelen; een geruststellend gevoel. Ik liet mijn haar voor mijn gezicht vallen en liet mijn geest zo leeg worden als een tv-zender met niets anders dan sneeuw.

Dat waren de vredige momenten. Zijn botten schoven over me heen als de botten van de walvis die Jonas omsloten. Ik zou in de zwarte zee van de maag genesteld zijn. Ik zou de pijl van zijn penis tegen de weke huid van mijn achterste voelen. Hij zou zijn gezicht in mijn haar begraven, zijn botten zouden in de mijne haken. Daarna kwam dat papperige gevoel. En dan de tissues.

Ik zou opstaan en mezelf in de spiegel bekijken. Altijd keek ik naar mezelf in de spiegel.

'Sta je jezelf weer te bewonderen, Nina?' vroeg Peter dan.

Totdat ik Nina ontdekte, was mijn leven ontspoord. Ik was de verpakking, de wikkel om een ijsje, het papiertje om een kauwgumpje, cellofaan, plastic, aluminiumfolie, een afsluitbaar zakje. Wegwerpmateriaal. De inhoud kon je opeten en dat ding waar het in zat was bestemd voor de prullenbak. Ik was een heleboel wegwerp-ikken. Ik dobberde op de vlakke, droeve gedaantes van schimmige meisjes naar rottend, vormeloos drasland totdat Nina, hun koningin en regentes, het roer overnam om over hen, en mij, te regeren. Ze zei dat ik mooi was. Ik geloofde haar. Ze zei dat ik macht had. Ik geloofde haar.

De Gemene Man, Peters fantoom, werd ongeveer rond dezelfde tijd geboren als Nina. Het begon met de schuine prietpraat die Peter tijdens de massages wilde horen. Als ik zo praatte, moest ik 'meneer' tegen hem zeggen. Ik mocht hem nooit Peter noemen of een van de namen bezigen die ik voor hem gebruikte in mijn brieven of waarmee hij zijn dagelijkse post aan mij ondertekende: Peter, pappie, GTB (Grizzly Teddy Beer), Victor. 'Zeg "meneer" tegen me,' zei hij. 'Doe net alsof je me niet kent. Ik zou iedereen kunnen zijn, los van ras, lengte, leeftijd. Ik kan de eerste de beste zijn.' Peter instrueerde me wat ik moest zeggen. Een van zijn karakteristieke fantasieën ging als volgt:

Meneer, mag ik je grotemannending zien?

Ik ben bang dat die te groot voor je is. Te groot voor je kleinemeisjesgaatje.

[snakkend naar adem] Meneer, hij is zo groot! Ik word er bang van!

Je hebt maar een heel klein jongemeisjesgaatje. Ik weet niet of hij wel past.

Ik ben zo bang, meneer. Mag ik er eerst aan zuigen?

Als je wilt.

Mag ik aan je grotemannending zuigen?

Misschien krijg je je mondje er niet helemaal omheen.

Ik kan mijn mond heel wijd opendoen. Voor mijn pappie.

O, wil je je pappie afzuigen?

Ik weet hoe ik hem helemaal in mijn kleinemeisjeskeel moet laten glijden. Die is zo strak. Net als mijn kleinemeisjesgaatje. Pappie vindt het lekker om op me te komen liggen en me heel hard te neuken. Het doet pijn maar ik vind het toch lekker. Ik vind het lekker om pijn te hebben als pappie me neukt want ik ben heel stout geweest.

En zo ging het maar door. Ik speelde de rol van prostituee, weesmeisje, buikdanseres, elfje, engel, nimf, geisha. Peter gaf zich uit voor klant, vader, priester, dokter, sultan, koning of de roemruchte Gemene Man. Als hij de Gemene Man speelde, duwde hij bij het pijpen mijn hoofd heel hard en snel op en neer. Als hij de Gemene Man speelde, deed hij net alsof hij wilde seks met me had terwijl ik op mijn buik lag te jammeren of deed alsof ik huilde.

Soms vroeg ik hem om me te likken, dat leek me wel zo fair. Hij likte me nooit, behalve toen die ene keer in het souterrain. Maar hij zei steeds dat hij het niet kon opbrengen: ik was toen jonger en inmiddels had ik de leeftijd van de tapdanseressen die hem vroeger altijd tot beffen dwongen. Hij zou proberen zijn angst te overwinnen en zodra het zover was zou hij het me laten weten.

Vaak werd ik door Peter voor de seks 'gecompenseerd'. Niet alleen door mee te gaan in mijn Sprookjesverslaving, maar ook in de vorm van ruilhandel, zoals drie films uit de videotheek achter elkaar kijken, drie keer de mooie route rijden op de motor of een forse milkshake als we weer eens naar een eetcafé gingen. Het waren dingen die hij evengoed wel had gedaan, maar ik beschouwde ze als genoegdoening. Ik was bang dat wanneer ik seksdingen zonder enige tegenprestatie bij hem deed, hij de conclusie zou trekken dat ik het zelf ook lekker vond. Terwijl hij natuurlijk moest beseffen dat het allemaal ten koste van mezelf ging en dat hij er dus iets tegenover moest stellen. Na seks had ik altijd hetzelfde gevoel als toen ik naar die misselijkmakende Garbage Pail Kids-poppetjes keek. Alsof er iets vreselijks in me kroop. Ik kon mijn aanblik niet verdragen. Hij ook niet, maar hij ontkende het. 'O liefje, je bent beeldschoon, een perfecte tien, elke man zou jou willen hebben, maar we doen nu al zo lang alsof we vader en dochter zijn dat het gewoon is gaan beklijven: je bent mijn dochter. Daarom moet ik pretenderen dat jij iemand anders bent.' Maar dat was een leugen. Ik wist echt wel dat ik met mijn dertien jaar al te veel vrouw was geworden voor zijn smaak.

Het was ook makkelijker voor mij als we gefingeerde namen gebruikten. Namen betekenden personages, en dan waren onze interacties speelser en dus sprookjesachtiger. De Gemene Man was elegant en had gladgeschoren kaken en zijn gezicht bleef altijd in de schaduw, net als bij mannen in een film noir. Maar Nina werd heel anders belicht, altijd met levendige technicolortechnieken. Ze leek op geen enkele actrice of mannequin die ik kende. Haar ogen waren intens amberkleurig en haar steile haar was glanzend diepzwart. Ze had het lichaam van een atlete, en dat werd grotendeels door haar los vallende haar bedekt, tot op haar billen, net als bij de buikdanseres die ik ooit met papa had gezien. Ze droeg nooit kleren, terwijl ik zelf bijna nooit naakt rondliep. Omdat Richard altijd pardoes bij ons aanklopte, leek het me beter om niet al te veel uit te trekken, dan hoefde ik me ook niet overhaast weer aan te kleden.

Ik verveelde me nooit als ik in de huid van Nina kroop, want ze vulde me helemaal op. Al was ze kleiner dan ik, haar aanwezigheid was als priklimonade in een blikje dat werd geschud. Bruisend bewoog ze zich door me heen, liet mijn bloed sneller stromen en mijn ogen oplichten. Haar hart was zo groot dat mijn wangen ervan gloeiden. Nina bestond bijna geheel uit hart; niet op die zoetsappige manier, maar hart in de zin van de grote grijze wolf. Nina was hart en mond en hand. Om haar op te roepen, liep ik eerst van Peters bed naar de houten deur om het kleine gouden slotje te vergrendelen, bleef dan een seconde of twintig staan en haalde driemaal diep adem. Haal diep adem, haal diep adem, zei zuster Mary altijd als ik me op dat witte bed in haar kleine kamertje uitstrekte; dan legde ze haar hand op mijn borst, misschien om mijn hartslag te voelen, en fluisterde 'haal diep adem, haal diep adem'. Wat viel me dat altijd zwaar, dat ene simpele dingetje: al die zware lucht in me opzuigen en vasthouden als een ballon. Ik was dan op het randje van tranen uit angst dat ik het niet kon en haar zou teleurstellen. Dus als ik bij die deur stond, haalde ik driemaal diep adem om mezelf moed in te spreken. Als ik daar zo stond, voelde ik hoe Nina bezit van me nam; ik zwaaide mijn lokken naar achteren en liep heupwiegend op Peter af. Ik klom in bed en haalde zijn penis tevoorschijn als een heks die de geest uit de fles laat; als Cleopatra die haar slang laat ontwaken. Cleopatra was overleden aan een slangenbeet, althans, zo wordt beweerd – zij is tenminste een mooie dood gestorven, zoals de vergiftigingsdood altijd heel mooi is.

19

De waterval

Het was zomer. We liepen een berg op om een waterval te kunnen bekijken. De dag ervoor had het zwaar geregend, dus het water viel met klaterende kracht en schuimend wit op de glad gepolijste bruine rotsen.

We gingen vlak bij op een rotsblok zitten, en luisterden naar het bruisende geluid van de waterval. 'We kunnen maar beter zo veel mogelijk genieten van de tijd die ons nog resteert,' zei Peter. 'Als je in een hogere schoolklas komt, kom je vast heel snel een leuke jongen tegen en ben je mij gauw vergeten. Denk aan dat ene spreekwoord: wat je liefhebt, laat dat vrij. Uiteindelijk zal ik dat bij jou ook moeten doen, liefste. Je kunt niet de rest van je leven bij een oude man blijven.'

'Nou, misschien dat ik af en toe een vriendje heb, maar echt serieus zal het nooit worden.'

Peter glimlachte stijfjes. 'Ik zou je niet eens kunnen onderhouden. Dat weet je toch? Niet van mijn karige loontje. Ik kan er nu al nauwelijks van rondkomen. Ik ben geheel afhankelijk van Inès. Vroeger betaalde ik haar honderd dollar voor de huur, maar zelfs dat kan er tegenwoordig niet meer vanaf. Gelukkig zijn er in en om het huis altijd genoeg klusjes voor me, anders kon ik helemaal niets voor haar betekenen. Maar ze is zo altruïstisch dat ze me zelfs dan niet in de steek zou laten. Ik mag me gelukkig prijzen met zo'n vriendin.'

'Als ik achttien ben, kunnen we trouwen. Dan ga ik wel op zoek naar een baantje om ons allebei te onderhouden. En dan keren we New Jersey voorgoed de rug toe.'

Peter grijnsde.

'Wat is er? Zou ik niet voldoen als echtgenote?'

'Nee, ik bedacht alleen dat driemaal misschien scheepsrecht kon zijn. Drie is altijd al mijn geluksgetal geweest. Ik ben twee keer getrouwd geweest. De eerste keer was ik nog maar eenentwintig en zij vijftien. Ik heb op de papieren de namen van haar ouders moeten vervalsen.'

'Waarom doe je dat niet ook voor mij? Dan hoef ik niet te wachten tot ik achttien ben!'

'Tja, het waren wel andere tijden. Tegenwoordig zouden ze me voor zoiets achter de tralies zetten.' Hij trok een gezicht. 'Haar ouders hebben het huwelijk laten ontbinden. Op haar verzoek. Ze was een ander tegengekomen. Hij was manager in een bioscoop. Ik heb me ooit een keer verstopt achter een boom voor het appartement waar ze samenwoonden, en met een verrekijker door hun raam gegluurd. Ze zaten samen in bad.'

'Hebben ze jou gezien?'

Hij schudde zijn hoofd. 'Ik heb ze ook een keer met de auto achtervolgd. Ik was echt van plan om ze van de weg af te rijden. Ik zat vlak achter hen, en ze gingen steeds harder rijden in een poging me te lozen. Maar ik bleef op het gaspedaal trappen, volgens mij reed ik op een gegeven moment honderdvijftig. Dat kat-en-muisspelletje heeft enige tijd geduurd. Die twee samen in de badkuip, dat was het enige waaraan ik kon denken. Wat haatte ik haar, zeg! Maar toch wist ik vanbinnen eigenlijk wel dat ik haar nooit iets zou kunnen aandoen, vraag me niet waarom. Ze was zo mooi, met dat gezichtje als van een porseleinen poppetje. Dus op een gegeven moment ben ik ermee gekapt. Ik hield gewoon nog van haar.' Hij bette zijn ogen met een zakdoek. 'Ik ben vast een echte romanticus.'

Hij sloeg zijn armen om me heen en samen keken we naar de waterval. Toen vroeg ik hem of dat de enige keer was dat hij bijna iemand had omgelegd.

'Nee, dat is al een keer eerder gebeurd. Mijn vader ranselde mijn broer en mij altijd af op zolder. Op een dag heeft hij me bewusteloos geslagen. Na de scheiding van mijn ouders werd het één onafgebroken snoer van familieleden, pleeggezinnen, en daarna het internaat. Ik heb nog kort bij mijn moeder gewoond; zij strafte me door me de hele nacht rechtop te laten staan. Soms was ik zo moe dat ik gewoon instortte en ter plekke op de grond in slaap viel. En raad eens waarom ik straf kreeg: omdat ik in mijn slaap had gelachen. Ze moest er 's morgens vroeg uit voor haar werk, dus ze had haar rust nodig. Het was waarschijnlijk de enige keer dat ik heb gelachen.'

Ik kneep in zijn hand, uit medelijden om zijn trieste levensverhaal. Niemand had ooit van hem gehouden en hij had altijd alles alleen moeten oplossen. Maar Peter was nog niet klaar. 'Toen ik dertien was en mijn broer zestien, stal hij een pistool en samen gingen we naar de hotelkamer van mijn vader. We wilden hem doodschieten, maar mijn vader was al vertrokken.'

'Zouden jullie het echt hebben gedaan?'

Hij knikte. 'Mijn broer had de eerste kogel afgevuurd en ik de tweede, en zo waren we om de beurt blijven schieten. Ik vond het zijn verdiende loon. Toen hij doodging, heeft hij ons nog geen stuiver nagelaten. De zonen uit zijn tweede huwelijk erfden alles.' Hij schudde zijn hoofd. 'Toch was hij niet altijd een kwaaie kerel. Toen ik een jaar of twaalf was, zijn we samen een paar keer naar een meer geweest om te zwemmen. Dat was echt leuk. Ik kreeg ook altijd heel veel kwartjes, echt stapels. Soms kon ik er wat mee, soms niet, want het waren valse muntjes.' Peter gooide een kiezelsteen in het water.

Die dag bij de waterval hoorde ik dat zijn tweede vrouw een Ecuadoriaanse was met een donkere huid, en toen ze door de racistische zuidelijke staten van Amerika reisden, konden ze nergens een hotelkamer krijgen. Dus vreeën ze maar in de auto. Met haar kreeg hij vier dochters. Ze deden aan katholieke anticonceptie: voor het zingen de kerk uit. Ik vroeg of hij nog steeds contact met ze had, en hij zei dat ze niet meer hier in de buurt woonden. Hij stuurde ze wel met elke kerst een kaartje, maar kreeg amper respons. Daar had hij moeite mee. Daarna vertelde hij ook nog over allerlei rare baantjes die hij had gehad. Aan zijn samengeknepen lippen kon ik zien dat zijn kinderen een pijnlijk onderwerp waren.

Om zijn grote gezin te onderhouden, had hij gewerkt als valetparkingmedewerker, taxichauffeur in New York en uiteindelijk als glazenwasser. Pas veel later begon hij aan zijn loopbaan als slotenmaker, nadat zijn tweede vrouw van hem was gescheiden. Maar hij was gewend om rond te trekken en overal baantjes te zoeken. Als kind verdiende hij al zijn eigen geld. Hij was van het jongensinternaat weggelopen (tot zes keer aan toe!) en had als schoenpoetser gewerkt. In zijn tienerjaren was hij bordenwasser, en toen hij dwars door het land ging reizen had hij niet meer dan een kwartje op zak. Voor hij zijn tweede vrouw ontmoette, zat hij zelfs een tijdje in de prostitutie in het homoseksuele circuit van San Francisco, waar hij zich liet betalen om mannen te pijpen. Zijn leukste baantje was de korte tijd dat hij als dansleraar werkte, het beroerdste dat van glazenwasser. 'Ik moest torenhoge gebouwen beklimmen met niets anders dan een nietig gordeltje om mijn middel.' We zaten nog steeds hand in hand bij de waterval. 'En ik was doodmoe, want mijn vrouw en ik bleven om de beurt 's nachts wakker voor onze oudste dochter, die toen last had van kolieken. Tjonge, wat kon die gillen en krijsen. En indertijd was het een stuk minder makkelijk dan nu. Je had bijvoorbeeld geen wegwerpluiers; alles moest met de hand worden gewassen. Ik had vier kinderen, jarenlang haatte ik mijn werk. Maar ik moest wel doorgaan om hen allemaal te onderhouden en ervoor te zorgen dat zíj allemaal naar school konden. Gadver, wat had ik een pesthekel aan die job. Ik moest al om vijf uur opstaan en me aankleden om op tijd te zijn. Ik haatte elke seconde. Je leert wel één ding: om nooit naar beneden te kijken. Dat deed ik één keer toch en alles begon subiet om me heen te draaien. Het was net alsof een of ander rotjoch een korf met een mierenkolonie ondersteboven had gegooid, en ik was die ene mier die onderop lag.' Hij stak zuchtend een sigaret op. 'Trouwens, toen ik een jaar of tien was daagde mijn broer me uit om op een stenen muur te klimmen, ongeveer net zo hoog als die van de watertoren bij het winkelcentrum, en net zo steil. Ik wilde indruk op hem maken, dus ik deed het nog ook. En toen had je de poppen aan het dansen, want ik keek dus naar beneden. Ik verstarde helemaal daar halverwege die muur. Alsof de tijd stil bleef staan. Mijn broer moest me weer naar beneden praten. "Blijf doorgaan. Niet naar beneden kijken."'

Ondertussen had ik er wel genoeg van om naar Peters deprimerende levensverhaal te luisteren, en wilde liever een beetje lol maken. 'Ik heb zin om langs de waterval omhoog te klimmen,' zei ik dus. 'Nu meteen. Ik wil je laten zien dat ik nergens bang voor ben.'

'Van mij hoef je niet, maar als je zin hebt: ga je gang. Als je het maar niet doet om indruk op me te maken.'

'Nou ja, misschien is het niet zo'n goed idee,' zei ik met

een blik op de waterval. 'Ik heb niet eens een badpak bij me. Ik zal zeiknat worden.'

'Dan ga je toch in je blootje?' grinnikte Peter. 'Doe maar als je durft!'

'Oké.' En ik begon mijn kleren uit te trekken.

'Ik maakte maar een grapje. Niet doen, Margaux!'

Maar het was al te laat. Ik zou Peter weleens laten zien wat ik allemaal durfde. Peter hield vol dat de waterval veel te dicht bij de rijweg lag. Automobilisten zouden me in mijn blootje zien en ik kon de grootste ongelukken veroorzaken. Maar ik maakte me geen zorgen. Zo bloot als een sprinkhaan klom ik langs de waterval naar boven. Ik hees me aan de puntig uitstekende rotsstenen omhoog en plantte mijn voeten stevig op de stenen. Het stromende water was ijskoud en de bemoste stenen voelden glibberig onder mijn handen en voeten. Maar ik vond het heerlijk, dat fysieke contact met de mossen en dat koude water. Nog leuker was dat Peter vanaf beneden naar me zat te kijken.

Toen ik helemaal boven was, zette ik mijn handen als een toeter tegen mijn mond en riep: 'Kijk eens, Peter!'

Ik was zo apetrots op mijn klimprestatie dat ik voor Peters huis pardoes van de motor af sprong en daarbij totaal de gloeiend hete motor vergat waar hij me altijd voor waarschuwde als ik een korte broek droeg. Ik brandde lelijk mijn enkel.

Ik hinkte aan Peters arm de trap op en ging languit op zijn bed liggen. De brandwond was nu al een lelijke blaar. Hij pakte een plastic kopje en een rol plakband uit de keuken. 'Die blaar heeft een beschermende en genezende functie. Ik zal dit kopje eroverheen zetten en vastplakken, zodat hij niet kapotgaat.'

Ik knikte, en huiverde even toen hij het kopje vastmaakte.

'En nu?' vroeg ik.

'Nu ga ik brandzalf halen. Dan geneest de wond sneller en doet het wat minder pijn. Blijf ondertussen stilliggen zodat je niet per ongeluk de blaar laat openbarsten.'

Toen hij terugkwam, maakte hij het kopje los. De wond zag er vreselijk uit: de blaar was groter geworden en er kwam wondvocht uit.

Peter deed er brandzalf op. 'Iedereen die motorrijdt krijgt vroeg of laat zo'n brandwond,' zei hij. Ricky kwam binnen om te kijken, iets wat hij zelden deed. Hij was al zestien en sinds kort schoor hij zich helemaal kaal. Hij had ook een wenkbrauwpiercing. De communicatie tussen Miguel en Ricky en Peter beperkte zich tot wat gegrom, maar we kwamen hen sowieso zelden tegen. Een enkele keer zeiden ze 'hoi' als ze mij alleen troffen, maar verder gingen ze zo in hun eigen wereld op, dat ik ervan overtuigd was dat ze amper van mijn bestaan op de hoogte waren.

'Zal ik er een litteken aan overhouden?' vroeg ik aan Ricky.

'Waarschijnlijk wel.' Hij haalde zijn schouders op.

'Heb jij er ook een dan?'

Hij schoof zijn geruite broekspijp omhoog en trok een Doc Martens-schoen uit. 'Yep. Kijk maar.' Hij wees op een cirkelvormig stukje huid boven zijn enkel dat witter was dan de huid eromheen.

'Wauw,' zei ik.

'Vroeger ging Ricky altijd mee op de motor. Weet je nog?' vroeg Peter aan Ricky.

Ricky gromde.

'En hij kwebbelde me de oren van het hoofd. Nu moet ik de woorden echt uit hem trékken.'

Ricky stak zijn hand in zijn broekzak en haalde een rolletje snoep tevoorschijn. 'Hier, en beterschap.' Hij liep de kamer weer uit. Ik vond dat zo lief dat ik de snoepjes nooit heb opgegeten, maar altijd in het houten doosje heb bewaard dat ik ooit op school had gemaakt.

Peters kamer stond blauw van de rook. Bovendien kwam de enige verlichting van die spookachtig witte gloeilamp onder dat blauwe kleed aan het plafond, zodat alles in de kamer in een bijna onaards waas was gehuld.

Ik had mijn moeder gebeld en haar over mijn brandblaar verteld. Ook zei ik dat Peter had voorgesteld om die nacht bij hen te blijven en op Inès' bank te slapen. 'Is die Richard er ook?' Ik antwoordde dat hij weer terug was bij Linda. Ik kon mijn vader op de achtergrond horen toen zij het aan hem voorlegde; hij schreeuwde dat hij me makkelijk op had kunnen halen als hij zijn Chevy niet had hoeven verkopen. 'Zoiets gebeurt alleen maar als mensen een korte broek aantrekken,' zei hij erachteraan. Mijn moeder was het daarmee eens. 'Je mag nooit meer in je korte broek op die motor. Je mag van ons daar blijven slapen, maar op één voorwaarde: nooit meer in je korte broek achterop.'

Zo kwamen we tot een overeenstemming, en voor het eerst konden Peter en ik een hele nacht samen doorbrengen. Misschien vond hij wel dat het moment was aangebroken om onze relatie te completeren door echt met me naar bed te gaan. Dan had ik weer een excuus om Winnie te bellen dat ik eindelijk volwassen was geworden. We spraken elkaar steeds minder en er vielen steeds vaker stiltes in onze gesprekken.

Inès en de jongens wisten niet dat ik in Peters kamer was, dus ik moest heel zachtjes praten. En Peter gaf me een lege vaas om in te plassen.

'Spannend!' zei ik. 'Het is net alsof ik onzichtbaar ben.'

'Laten we dat zo houden. Ik vind het ook hartstikke

leuk, weet je dat? Ik voel me net een tiener die zijn vriendinnetje voor zijn ouders moet verbergen. Wat zijn we toch stout.'

'Een prima moment om samen porno te kijken!' Ik trok de la van zijn notenhouten dressoir open, in de hoop dat hij in een romantische bui zou komen. Ik koos voor *Loves of Lolita*. 'Dat ziet er wel interessant uit, laten we deze bekijken.'

Hij schoot in de lach. 'Ik durf je die film nauwelijks te laten zien. Weet je dat Lolita overspel pleegt?'

'Wie belazert ze dan?' Ik was meteen geïntrigeerd.

'Haar vader. Ze doet het ook met hem. Net als wij. Voor een pornofilm is ie eigenlijk helemaal niet slecht, een beetje cult.' Hij stopte de band in de videorecorder. 'Artistiek verantwoord. Ik vind dat die actrices in pornofilms vaak zo verdrietig of verveeld kijken, alsof ze er helemaal geen plezier aan beleven. Ik raak er eerder depressief dan opgewonden van. Maar deze film is anders. Het meisje dat Lolita speelt is erg opgewekt: ze vindt de seks oprecht lekker. Ze pijpt tenminste niet op de automatische piloot. De meeste meiden kijken erbij alsof ze een vloer aandweilen of de vuilnisbak buiten zetten.'

'Misschien is het voor veel mensen hetzelfde,' zei ik schouderophalend. 'Routine.'

Peter drukte op de pauzeknop toen de film op het punt stond te beginnen, en keek me aan. 'Als ik ooit maar vermoedde dat het voor jou niet net zo fijn was als voor mij, zou ik er gelijk mee kappen. Dat meen ik.'

Het was niet voor het eerst dat we dit gesprek hadden.

'Je vindt het toch wel lekker?' vroeg hij.

'Ik vind het leuk om Nina te zijn.' Het leek erop dat Peters alter ego de Gemene Man alleen kon bestaan bij gratie van Nina en dat zij dus in leven moest worden gehouden. Alle

gunsten die ze hem verleende bezorgden hem een schuldgevoel en hij stond bij haar in het krijt. Zo hield ik de touwtjes
in handen.

'Nina.' Hij schudde zijn hoofd. 'Ze is ondeugend.'

'Zeker weten,' zei ik, 'en Nina zou het wel lekker vinden
als je haar tussen haar benen streelde terwijl we naar de film
kijken.'

'Oké. Maar doe je wel eerst de deur op slot?' Peter was nu
veel meer gebrand op dat ritueel dan ik. Het was een koud
kunstje voor me geworden om Nina tevoorschijn te roepen.
Maar Peter vond het nog steeds leuk als ik naar de deur liep,
het licht uitdeed, mijn haar naar achteren schudde en dan bij
hem in bed kroop.

'Ik kan nu niet lopen vanwege die brandblaar,' zei ik.
'Roep haar maar gewoon. Net als een hondje.'

'Voor mij is ze geen hond.'

'Een kat dan. Een wilde boskat.'

'Ni-na, Ni-na... O Ni-na, waar ben je?'

'Help, ik kan er niet uit,' piepte ik. 'Ik zit hier vast. Dat
komt door al die kleren, ik stik er bijna in.' Ik begon me te
ontkleden.

'Ben je er al, Nina?'

'Nee,' zei ik. 'Nog één dingetje.'

'Wat dan?'

'Dat plastic kopje op mijn enkel.'

'Je weet heel goed dat je dat moet laten zitten, Margaux.
Die blaar kan kapotgaan.'

'O nee, die naam! Noem me geen Margaux! Het lijkt wel
alsof ik oplos in een zuurbad!'

'Sorry,' zei Peter. 'Maar zeg, Nina, je moet wel begrijpen
dat de naam Margaux mij als muziek in de oren klinkt. Zo
heet het meisje van wie ik hou.' Hij zag dat ik het kopje weghaalde.

'Dat ziet er al een stuk beter uit,' zei ik als Nina en Peter startte de film weer.

'Ik hou wel van porno,' zei ik. Ik pakte zijn hand en legde die tussen mijn benen.

Hij lachte ongemakkelijk. 'We moeten wel oppassen met die blaar.'

'Gekke man.' Ik was nu helemaal Nina en voelde me glorieus. 'Hij zit een heel eind bij mijn poesje vandaan.'

Peter grimaste bij dat woord. 'Ik kan er niets aan doen. Je brandwond geeft me gewoon een rotgevoel. Ik voel me nou eenmaal verantwoordelijk voor je. Kun je niet gewoon dat kopje er weer op doen? Voor de zekerheid?'

Ik schudde mijn hoofd, en we keken zwijgend naar de film terwijl Peter me streelde. Lolita moet in het echt ongeveer negentien zijn geweest, maar dankzij speciale make-up leek ze veel jonger. Haar haar zat in twee staartjes en ze droeg een geruit schooluniform met witte kniekousen. Ze was nog magerder dan ik, maar Peter had gelijk: ze was heel vrolijk. Lachend ging ze met de ene na de andere man van bil: twee gozers die haar airconditioning kwamen repareren, een dokter die haar onderzocht en daarna haar vader. Hij gaf haar billenkoek omdat ze met anderen naar bed was geweest, en ze onderging haar straf pruilend omdat ze niet wist wat ze verkeerd had gedaan. Nadat Lolita klappen had gekregen, ging haar vader weer met haar naar bed om haar te laten zien dat hij nog steeds van haar hield en dat ze in zijn ogen niet was verpest. Na een tijdje duwde Nina Peters hand weg omdat ze niet geil werd van de film. Nina werd alleen maar opgewonden van fantasieën over mannen die werden gedomineerd.

'En, wat vond je van de film?' vroeg Peter.

'Wel leuk. Zeg, misschien moeten we ook een keer nichtenporno halen.' Ik zei het tussen neus en lippen door, al wilde ik het echt. Ik keek niet graag naar al die pijpende of neukende meisjes op hun knieën; de gedachte dat een man de rol van een vrouw kon overnemen, vond ik opbeurend. Ik wilde weleens zien hoe mannen dingen met elkaar deden die voor veel vrouwen kennelijk heel vervelend of zelfs vernederend waren. Ik wilde de geruststelling dat mannen en vrouwen niet wezenlijk van elkaar verschilden. In Peters wereld moesten vrouwen zich altijd aan mannen onderwerpen, en ik wist dat dat niet klopte. Ik had een keer stiekem een pornoblaadje van Richard uit de huiskamer meegenomen waarin allerlei dominante vrouwen stonden. Ik had graag zo'n soort film willen kijken, maar ik wist dat Peter nooit een tape zou huren waarop vrouwen de baas waren.

Peter stak nog een sigaret op. 'Ik zou wel een film met gays kunnen huren, maar ik zou me doodschamen bij de kassa.'

'En daar had je bij deze film geen last van? Dit gaat over een jong meisje.' Ik wees op de cover van de videodoos. 'Ze ziet er een stuk jonger uit dan ze in werkelijkheid is.'

Peter snoof. 'Je maakt zeker een geintje? Iedereen haalt dit soort films. Alle mannen zijn dol op jonge meisjes, of ze er nou eerlijk voor uitkomen of niet. De meesten liegen erover. Maar als mensen het niet leuk zouden vinden, hoe komt het dan dat er zoveel films in omloop zijn met oudere meisjes die zich kleden als een jonge blom, of zogenaamd minderjarige meisjes in sexy kleren? De hele samenleving is hypocriet, als je het mij vraagt. Als je er openlijk voor uitkomt dat je jonge meisjes leuk vindt, word je met pek en veren verjaagd.'

Nina voelde haar krachten verzwakken; ik dacht al aan het bloed en de pijn van de eerste keer waarover Winnie me had verteld. Winnie, mijn beste en tevens geheime vriendin, die altijd zo genereus was met adviezen hoe ik een beter mens kon worden. Terwijl Jill vanaf de wand op me neerkeek, vond ik haar honderd keer mooier dan ik. Ik bewoog me houterig en zonder Nina keek ik net zo nietszeggend uit mijn ogen als een zeug. De brieven van Peter waren bedoeld om mijn zelfbeeld op te krikken, maar sorteerden vaak onbedoeld het tegenovergestelde effect. 'Ik ben niet als je vader,' schreef hij. 'En ook niet als die kinderen uit jouw klas die je altijd sarren. Ik neem je zoals je bent.' Maar hoe was ik dan? Die woorden deden me altijd pijn, wat hij er ook mee bedoelde.

'Weet je waar ik zin in heb, Peter? Om op mijn buik te liggen zodat je boven op me kunt klaarkomen.' Ik wist dat hij dat niet wilde, uit angst die brandblaar open te stoten, maar het feit dat hij het niet wilde was nou exact de reden dat ik het wél wilde. Bovendien wilde ik dat hij me daarna uit schuldgevoel zou knuffelen en me bedanken. Ik besefte dat deze ruilhandel niet in balans was, maar ik had zijn liefkozing daarna nodig, zeker als Nina weer weg was.

Hij reageerde precies zoals ik verwachtte. 'Dat lijkt me geen goed idee, met die verbrande enkel van je.'

Maar na enig aandringen liet hij toch het bed zakken en ging op me liggen. Ik sloot mijn ogen en wreef met mijn vingers over het laken alsof ik erdoorheen een gat in de vloer wilde graven. Toen hij klaar was, was het kopje opzijgeschoven en lag mijn brandblaar open: het wondvocht druppelde langzaam op het laken.

20

'Duivelse machten'

Volgens de advertenties in *Teen* en *Seventeen* waren de sixties weer helemaal in. De modellen op Bergenline Avenue zagen eruit als hippies: in T-shirts met felgekleurde bloemprints en rokken tot op hun enkels, van voren dichtgeknoopt met lange kralenkettingen. Strakke stretchbroeken waren ook in de mode, evenals schoudervullingen en brede haarbanden. Wafelijzerhaar was uit, volle krullen waren in; evenals een korte pony, en heel veel haarlak al helemaal, vooral bij de meisjes uit Jersey. Voor mijn eerste schooldag had ik een zwart T-shirt met V-hals uitgekozen op een gebloemde legging. Ik bekeek mezelf in de passpiegel die in de slaapkamer van mijn ouders stond, waar ik na al die jaren nog steeds sliep. Ik had mijn elfentalisman omgedaan voor goed geluk en repeteerde onderweg naar school allerlei denkbeeldige gesprekken. Waar praatten kinderen van mijn leeftijd over? Als ze me met Peter samen hadden gezien, hoe zou ik hem dan moeten betitelen? Als mijn vader? Hij was oud genoeg om mijn opa te kunnen zijn.

Ik deed mijn haarband uit en liet mijn superlange haar los voor mijn gezicht vallen. Ik was bang dat ze me op het schoolplein zouden zien en gaan wijzen en joelen: 'Daar is ze! Die meid die altijd bij die ouwe vent rondhangt!'

De Sint-Augustinuskerk lag pal tegenover Washington School. Ik ging hyperventilerend op de trappen zitten. Ik deed mijn talisman af. Ze zouden het vast maar ouderwets vinden, meer iets voor een ouwe kerel. Met een zakdoekje wreef ik mijn mond schoon. Die rode lippenstift was veel te opzichtig. Zo zou mijn mond direct verraden dat ik ermee pijpte. Ze zouden na één blik op me doorhebben dat ik een snol was.

Ik dacht aan mezelf zoals ik languit op dat bed kon liggen: dan was ik niets meer dan een lichaam waarop iemand klaarkwam. Een rubberen pop met zo'n clownesk wijd opengesperde mond, zoals ik in Peters catalogi had gezien. Ik moest wel erg lelijk zijn – al zei Peter altijd dat ik mooi was –, anders had hij me wel willen zien als hij kwam. Ik wist dat alleen mannen als hij iets voor me konden voelen. Als ik Nina was, kon ik de smerigste taal uitslaan. Zelfs Peter stond af en toe met zijn oren te klapperen. Ik had onlangs zelfs een fantasie voor hem bedacht waarbij een groepje kleine elfjes op zijn eikel belandde en hun vleugels zachtjes ertegenaan lieten trillen. Duizend elfjes zo klein als kolibries. Nee, zo klein als kolibriehartjes.

Maar vunzige verzinsels betekenden nog niet dat ik een snol was. Ik was nog altijd maagd. Ik was niet als Nina. Bij die gedachte kikkerde ik weer een beetje op. Ik verzamelde al mijn moed om de straat over te steken en me in de schoolgaande drommen te mengen.

Zoals ik al had verwacht, werd ik weer de paria. Ik kon het niet opbrengen om met iemand een praatje aan te knopen. Als we bij Engels werkgroepjes moesten vormen, koos ik altijd een tafeltje voor mij alleen achter in het klaslokaal. Ik slaagde er nog altijd in goede cijfers te halen en had zelfs de hoogste score bij de CAT, de standaardtest die alle brugklassers op Washington School kregen.

Niet alleen was ik opgehouden met dagdromen over

schoolvriendinnen, ik ging niet eens in op vriendelijke toenaderingspogingen. Twee meisjes hadden me hun telefoonnummer gegeven, maar net als bij Justine kon ik me er niet toe zetten ze te bellen. Zo bang was ik dat ze alleen maar vriendin met me wilden zijn om me informatie te ontfutselen. Waarom zouden ze anders met zo'n rare freak als ik gezien willen worden? Ik droeg per slot van rekening een groot en sappig geheim met me mee en dat liet ik me door hen niet afpakken. Niet goedschiks, en ook niet kwaadschiks.

Begin december was Peter op een zondag op stap met Inès. Ik lag in zijn kamer onder een stapel dikke dekens te wachten tot hij weer thuiskwam. Ik had de radiator uitgezet omdat de kakkerlakken de warmte veel te lekker vonden. Ik trapte ze niet eens meer dood; het was dweilen met de kraan open om ze op te jagen en hun kadavertjes op te ruimen. Als ik lang genoeg naar de radiator keek, was het net alsof er geen kakkerlakken meer waren en ze dankzij dat hersentrucje van de aardbodem waren verdwenen. Net toen ik hierop zat te oefenen – staren naar het ongedierte tot het verdween, met mijn ogen knipperen om ze weer tevoorschijn te roepen –, klopte er iemand op de deur. Dat was vast Richard.

'Kom binnen.'

Hij droeg geen shirt, wel zijn gebruikelijke groene baret en legerbroek. 'Ik kwam even peukies bietsen.' Hij trok de bovenste la van Peters dressoir open. 'Verdomme, waar liggen ze nou?' Ik wilde overeind komen om hem te helpen zoeken, maar hij stak zijn hand op.

'Nee joh, blijf maar liggen. Volgens mij lig je wel lekker daar onder je dekens.'

Het duurde even voor ik doorhad dat hij met me zat te flirten.

'Denk je?' Flirten kon ik ook.

'Nee, echt, het ziet er erg knus uit zo. Wie bij jou in bed mag kruipen, is een bofkont.'

'Nou, wil jij bij me komen liggen dan? Heel even?'

Richard lachte. Hij leek wel in trance.

Ik klopte op het lege plekje naast me. Of beter gezegd, dat deed Nina. Ik voelde haar krachten; vliegensvlug nestelde ze zich in mijn lichaam. Ik genoot ervan zoals hij daar vastgenageld aan de vloer stond, met zijn ene hand nog steeds in de la. Toch was er nog een deel van me, het niet door Nina gekoloniseerde gedeelte, dat alleen maar een paar warme armen wilde om in weg te kruipen. Ergens scheen hij dat aan te voelen.

'Alsjeblieft, kom nou even,' zei ik uiteindelijk.

'Ik kan het echt niet maken,' zei Richard. 'Het spijt me.' Hij mompelde nog haastig een 'Blijf maar lekker warm onder de dekens liggen' en maakte zich uit de voeten, zonder sigaretten.

Peter en ik werden omringd door excentriekelingen, maar we probeerden ze te negeren. Wij hielden er immers ook niet van om bekeken te worden. Een paar huizen verder woonde een oude man die de godganse dag met een nijdige kop uit zijn raam zat te koekeloeren. Hij had altijd een vlekkerig hemd aan en fronsplooien in zijn voorhoofd, als een buldog. Peter had hem de bijnaam 'Arendsoog' gegeven, en als we met z'n tweeën waren, maakten we altijd grapjes over hem. Dan fronste Peter zijn wenkbrauwen, rekte zijn nek alsof hij uit het raam keek en gromde: 'Wie is daa-haar? Wie is daar da-han?' Maar op een gegeven moment wilde ik die man liever helemaal links laten liggen en niet eens meer grappen over hem maken: ik was ervan overtuigd dat ik degene was aan wie hij een spuughekel had.

Dan had je ook nog 'De Zegenaar', die de hele dag toko's

in het winkelcentrum afliep en alles aanraakte alsof hij het zijn zegen gaf. Peter en ik hadden hem een keer bij Fernandez bezig gezien: hij legde zijn handen beurtelings op blikjes Campbell, Alpo-hondenvoer, de Mariakaarsen van Santo Nino (die volgens ons al gezegend waren), de vloerreiniger van Fabuloso en de conservenblikjes van Similac. Maar de winkeliers duldden hem. Misschien waren ze hem stiekem wel dankbaar voor zijn heilwensen, wie weet. Of misschien omdat hij niet slecht gekleed was en zich waste. Eigenlijk zag hij er wel patent uit, in zijn tweedbroek en met zijn groene parapluutje met houten knop in de vorm van een vogelkopje.

Na een tijdje begon het me te dagen dat buurtbewoners Peter en mij ook als excentriekelingen beschouwden. Mensen staarden of keken snel de andere kant op. Ik hoorde hen fluisteren. Toen ik het onderwerp een keer aansneed, zei hij dat we volgens Inès maar beter niet te veel in winkelcentrum Pathmark konden rondhangen of samen over Bergenline wandelen, omdat we de geruchtenmachine aanzwengelden. Miguel en Ricky hadden al hun vrienden dan wel verteld dat ik hun pleegzus was, maar zij moeten het geroddel ook hebben opgevangen.

'Ach schat, Inès' collega's doen hun boodschappen in Pathmark, iedereen gaat ernaartoe. En noem mij een supermarkt waar níét wordt geouwehoerd. Allemaal praat van verveelde huisvrouwen die niets beters te doen hebben dan rebbelen,' zei Peter. Hij stond in de huiskamer met zijn watergieter tussen de klimplanten. 'Volgens mij heeft Inès gelijk. We moeten ons maar niet al te veel in het openbaar vertonen.'

'Wat zegt Inès dan over ons tweeën? Denk je dat ze het weet?' Want volgens mij moest ze nu wel doorhebben hoe de vork in de steel zat.

Hij schudde zijn hoofd. 'Ik heb haar verteld dat je vader je mishandelt. Ze heeft zelfs gezegd dat het maar goed is dat je bij ons kunt zijn omdat het bij jou thuis zo slecht gaat. Ze begrijpt dat ik als een vader voor je ben. Het is hetzelfde als al die vriendjes van Miguel en Ricky die hier logeren. Het enige wat ze niet leuk vindt, is als we te hard praten. Daar heeft ze een hekel aan. Maar wat zou ze er verder op tegen kunnen hebben?'

'Krijgt ze het gevoel dat ik in de weg zit?'

'Ze heeft alleen laten vallen dat je weleens wat rustiger de trap op mag lopen. En of je minder luidruchtig wilt doen. Je hebt er een handje van om hard te giechelen als je uitgelaten bent. En o ja, nog een opmerking over je kleren. Ik wist niet precies wat ze bedoelde. Had je soms laatst een rood shirtje aan waar SEXY op stond? Dat vond ze niet zo gepast.'

'Ze heeft een hekel aan me.'

'Ze wil alleen maar dat je je een beetje gedeisd houdt, Margaux.'

'Waarom zeg je niet tegen haar dat zij en Richard zich gedeisd moeten houden?'

'Omdat ik afhankelijk ben van haar, en niet andersom. Als ze me vraagt te vertrekken, zou ik me geen raad weten.' Hij inspecteerde of de klimplant voldoende in het zonlicht stond en gaf daarna de planten in zijn terrarium water. 'Nu beperkt het zich nog tot praatjes, maar het zou best weleens kunnen verergeren. Ik heb het je niet eerder willen vertellen, maar een paar weken geleden stapte er iemand op me af. Het was echt verschrikkelijk. Hij maakte me uit voor...'

'Wat?' vroeg ik. Ik ging rechtop in bed zitten en trok mijn knieën op.

'Kinderlokker.' Hij deed de deksel op het terrarium.

We zaten op Peters kamer. Paws lag op een stuk gedroogde runderhuid te knauwen. 'Waarom zei je dat?' vroeg Peter plompverloren.

'Wat zei ik dan?'

'Je zei iets in de trant van: "Ik wou dat die runderhuid jouw gezicht was." Zomaar.'

'Ik weet van niets.' Dat was niet helemaal waar. Ik herinnerde me vaag dat ik er zomaar iets had uitgeflapt. Ik moest denken aan die ene dag dat ik me zo had geërgerd aan Miguel op de trap. Geërgerd was niet het goede woord: eerder pislink.

'Echt niet?'

'Nee, niet echt.'

Hij zuchtte. 'Dan moet het iemand anders zijn geweest. Een duivels wezen. Het is mij ook weleens overkomen.'

'Wanneer?'

'Heel lang geleden heb ik mijn dochters pijn gedaan.'

Ik trok mijn knieën op en sloeg mijn armen eromheen. Vanaf het bed kon ik door het raam de rijp op de hemelboom zien. Ik had een hekel aan de winter; ik had het aldoor koud. De kakkerlakken kennelijk ook, want ze krioelden over de radiator heen, talrijker dan ooit.

'Ho even, wat bedoel je met "pijn gedaan"?'

'Ik wil er niet over praten.'

Hij legde het uit. Duivelse krachten slaan toe als je de deur op een kier laat staan. In de regel komen ze als het individu kwetsbaar is, zoals wanneer iemand veel heeft gedronken, of drugs gebruikt. Ik vroeg me af of ik ook iemand kwaad zou kunnen doen als ik door die duivelse kracht zou worden belegerd.

Maar later begreep ik dat mijn vrees ongegrond was. Mijn 'duivel' zat alleen Peter dwars, en niemand anders.

Toen ik later thuis in bed lag, vroeg ik me af wat Peter zijn dochters had aangedaan wat zo erg was dat hij er niet eens over kon praten. Hij bedoelde vast dat hij ze een tik had gegeven, of ze misschien wel echt had geslagen. Maar ooit had hij me verteld dat hij zijn kinderen nooit had geslagen, al had zijn vrouw het hem gevraagd. Om haar om de tuin te leiden, had hij zijn dochter meegenomen naar zijn kamer en met een stuk hout op het matras geslagen. Ik vond het absoluut bewonderenswaardig dat hij principieel weigerde geweld te gebruiken. Als we met zijn tweeën waren, wilde ik hem weleens tot het uiterste drijven. Papa zei ook dat ik lastig was. Toch beschouwde Peter mij nog altijd als zijn redder. Ik begreep niet precies wat hij daarmee bedoelde: waarvan redde ik hem dan? Van de duivel? Jarenlange godsdienstlessen hadden me geleerd dat in al onze slechte handelingen de duivel huisde. Als Peters kindertijd zo gruwelijk was, betekende dat dan automatisch dat de duivel eerder vat op hem kon krijgen? Het leek op de strijd die ik met mezelf uitvocht.

'Jij bent op eerste paasdag geboren,' zei Peter vaak. 'De dag van de wedergeboorte, van nieuwe hoop. Jij bent mijn wedergeboorte, mijn hoop en alles wat ik op deze aarde heb. Jij bent mijn eigen speciale godsgeschenk.'

Op een dag in januari gooide de mysterieuze duivel een ijzige sneeuwbal midden in Peters gezicht, die zijn oog op een haar na miste. Het gebeurde in 'The Place', een klein omheind stukje groen bij Union Hill High School waar we met de hond door de sneeuw renden en een sneeuwballengevecht hielden. Peter had net een donzig zachte sneeuwbal tegen mijn schouder gegooid, en ik op mijn beurt greep naar een stuk sneeuw met ijs dat ik als een pitcher naar hem toe smeet. Het kwam keihard tegen zijn linkerwang en liet een rode plek achter ter grootte van een hoef.

Hij wreef over zijn wang. 'Margaux!' riep hij uit. 'Dat deed pijn! Dat kostte me bijna mijn ogen!'

'O, het spijt me. Ik wist even niet meer wat ik deed. Je weet wel. Dat overkomt me soms.'

Hij bleef over zijn wang wrijven. 'Weet je nog wel dat je die ijsbal gooide?'

'Nee, het is net als die andere keer.'

We keken een paar minuten zwijgend naar Paws die in de sneeuw liep te happen. Aan de dakgoot van Union Hill hingen lange, kristalheldere ijspegels waarvan sommige in grillige vormen waren bevroren, met bulten als gezwellen of zo vlijmscherp als een sikkel. Als ik naar die puntige uitsteeksels keek, moest ik snel mijn blik afwenden om niet overmand te worden door gruwelijke fantasieën, zoals dat ik voor de spiegel mijn eigen oog uitstak en de wittige pulp uit mijn oogbal zag barsten, of dat ik mezelf in mijn eigen borsten of vagina stak. Ik zei tegen Peter dat ik bang was dat de duivel gedachten in mijn hoofd stopte, ziekelijke denkbeelden waartoe ik mezelf nooit in staat had geacht.

Peter was begonnen met het lezen van zelfhulpboeken, waaruit hij citeerde voor mijn moeder als ze weer eens jammerde dat ze vanwege haar mentale gesteldheid had gefaald als moeder. 'Geen fouten, geen schuld,' zei hij bijvoorbeeld tegen haar. Hij stal een exemplaar van *De kracht van positief denken* voor haar en leerde haar hoe ze op kussens moest slaan en schreeuwen om haar onderdrukte woede te kunnen uiten. Peter en ik staken witte kaarsen aan en baden om haar genezing. We voerden zelfs een bezweringsritueel uit met healingkristallen uit een van Inès' wiccaboeken. Maar niets hielp. In februari werd ze wederom opgenomen, voor de derde keer dat jaar. Peter ging elke keer met ons mee in de taxi. In de wachtkamer van de spoedeisende hulp had ze hem dingen uit haar verleden toevertrouwd die ze nooit eerder aan iemand had verteld. Toen zij en tante Bonnie negen jaar oud waren, waren ze door een man naar een schuur gelokt. Nadat hij eerst mijn tante had verkracht, had hij zijn vingers in mijn moeders vagina gestoken tot ze bloedde. Haar ouders gingen niet naar de politie omdat ze het niet voor de rechter wilden laten komen. Het leek hun het beste om het maar zo snel mogelijk te vergeten. Daarna viel mama soms flauw op school of begon ze zomaar te gillen, en dus namen mijn grootouders haar mee naar een psychiater. Die schreef haar Mellaril voor, een krachtig antipsychoticum dat haar het gevoel gaf dat ze slaapwandelde. Ze verloor elke lust om te spelen maar ze veroorzaakte ook geen toestanden meer: ze was, zo zei ze, een engeltje vergeleken met tante Bonnie, die weigerde de medicijnen te slikken. Mijn oma 'strafte' Bonnie door haar onder een ijskoude douche te zetten. Haar gekrijs galmde door het hele huis. 'Zo werden kinderen toen opgevoed,' zei mijn moeder.

'Vertel mij wat,' antwoordde Peter.

Ik had de gewoonte ontwikkeld om in mijn slaap te knarsetanden, af en toe zo hevig dat ik met pijnlijke kaken wakker werd. Ook verschenen er rode schrammen op mijn armen en bovenbenen. Soms was ik tien dagen achter elkaar ongesteld en ik kreeg vaak tussentijdse bloedingen.

Die winter kwam ik tot de conclusie dat Peter en ik niet meer in balans waren. Peter was me meer geluk schuldig dan hij me gaf, en dus vond ik dat hij maar moest kappen met zijn zondagse uitstapjes met Inès. Die had sowieso de pest aan me en wilde me dood. Als hij terugkwam, vertelde hij me alle nare dingen die ze over me had gezegd. Waarom moesten ze eigenlijk samen altijd op pad? Ik betwijfelde eerlijk gezegd of Inès had geëist dat hij haar mee uit nam; ze drong nooit ergens op aan, in tegenstelling tot Peter die mensen altijd dwong hun grenzen te verleggen. Kon het hem wel iets schelen dat ik elke zondag eindeloze huilbuien had omdat ik me zo ellendig eenzaam voelde? Ik moest hem laten weten dat ik er zwaar onder leed dat hij Inès telkens vooropstelde. Die vrouw deed helemaal niets voor hem, er was geen sprake van seksuele gunsten. Ze gaf niets, dus had ze ook nergens recht op.

Ik begon me in te beelden dat ikzelf die beruchte duivel was, en met een stem die diep uit mijn keel kwam zei ik dingen tegen Peter als: 'Ik walg van je' of 'Je houdt meer van je hond dan van mij' of 'Vroeger was je nog leuk, maar nu word je echt een ouwe lul'. Als Peter na zo'n uitbarsting in tranen was, gaf ik de kwade geesten de schuld. Natuurlijk wist ik dat er nooit een echte demon was geweest die bezit van me had genomen, maar dat weerhield me er niet van om over kwaadaardige wezens te dromen, of bang te zijn dat ik dreigde mijn ziel te verliezen.

21

Knappe meisjes

Het werd maart, en dat betekende dat de lente in aantocht was. Enerzijds werd Peter daar vrolijk van want dan kon hij zijn Honda Gold Wing weer uit het souterrain halen, waar hij sinds de eerste sneeuwbui was gestald. Maar maart herinnerde hem ook aan mijn verjaardag in april, en dat deprimeerde hem. De grote veertien zat eraan te komen. Peter zag met elke verjaardag van mij het Armageddon van onze relatie dichterbij komen. En hij liep al zo te mopperen over mijn leeftijd. Volgens hem had mijn vagina een bepaalde geur ontwikkeld sinds ik op mijn twaalfde was gaan menstrueren. Niet dat die onappetijtelijk was, zo verzekerde hij me, en de meeste mannen zouden er beslist enorm van opgewonden raken. Maar omdat hij was misbruikt door die tapdanseressen kon hij niet meer tegen de vaginale geur, en daarom kon hij het ook niet opbrengen me te beffen. Ik durfde hem er niet op te wijzen dat ik, in tegenstelling tot hem, wel bereid was om dingen te verdragen die me tegenstonden, zoals de pijn of de verveling als ik hem bevredigde, of het bedenken van akelige verhalen over prostituees en straatjongens. In onze nieuwste improvisatie speelde hij een sultan en ik het slavinnetje dat een dans met duizend sluiers opvoerde. Ik haatte het om een slavin te spelen. Dan moest ik neerknielen, 'meester' tegen hem zeggen en doen alsof ik zijn penis verafgoodde, terwijl ik eigenlijk vond dat de geslachtsdelen het minst aantrekkelijke onderdeel waren van een mannen- of jongenslichaam. Hoe kon iemand iets aanbidden wat op de snuit van een miereneter leek, met een harige dooraderde zak eronder?

Het gebeurde zelden dat hij me streelde terwijl Nina on- dertussen fantaseerde over nichtenseks (we hadden eindelijk gayporno in huis gehaald; soms moest Peter zijn blik afwen- den, maar hij spoelde de band niet snel vooruit zoals bij filmscènes met lesbische seks, die hij maar saai vond). Of ik fantaseerde over jongens van mijn leeftijd die vastgeketend waren en hondenriemen om hun nek hadden en door de roemruchte Gemene Man werden gedwongen om Nina te beffen.

Peter kon er beslist niet tegen als mijn schaamhaar aan- groeide. Op een dag draaide ik de zaken om. Als hij echt van me hield, zei ik, dan zou hij zijn ballen scheren. Hij voldeed aan mijn verzoek en schoor zich – heel voorzichtig – met een elektrisch scheerapparaat. Want al schreef hij elke dag op hoeveel hij van me hield, ik bleef behoefte hebben aan meer en meer bewijs.

Peter en ik verslonden boeken over mannen die relaties had- den met jonge meisjes, zoals *Belinda* van Anne Rice – dat ze onder het pseudoniem Anne Rampling had geschreven –, Marguerite Duras' *De minnaar*, de vele titels van V.C. An- drews en, uiteraard, *Lolita* van Vladimir Nabokov (al klaag- de Peter altijd dat Lolita niet van Humbert Humbert hield). Ook keken we naar de verfilming van Lolita, *Baby Doll* en *Pretty Baby* uit 1978 met Brooke Shields. *Pretty Baby* speelt zich af in New Orleans, begin twintigste eeuw. Het verhaal gaat over een fotograaf die verliefd wordt op de twaalfjarige prostituee Violet, met wie hij trouwt. 'Kijk, die twee zijn nou net als wij,' zei Peter nadat we hem voor het eerst hadden gezien. 'Dat is nou ware liefde.' We werden devote fans en Peter zette het beeld regelmatig op pauze zodat we hun gezichtsuitdrukking nauwkeurig konden bestuderen. We zagen hem zo vaak dat we er hele zinnen uit konden citeren, zoals Violets gezongen liefdesverklaring aan haar veel oudere minnaar. 'I love you once / I love you twice / I love you more than beans and rice!' Bij de voorlaatste scène kwamen bij Peter altijd de waterlanders, als Violets moeder haar komt weghalen uit het huis waarin ze samenwonen en de fotograaf schreeuwt: 'Dat kun je niet maken!' en daarna fluistert: 'Ik kan niet zonder haar leven.'

We mochten dan veel films over die liefde voor jonge meisjes zien, Peter hield ook rekening met mijn smaak. Keer op keer bekeken we de scène in *Risky Business* waarin Tom Cruise in zijn onderbroek een dansje doet. Dat ik helemaal weg was van Ralph Macchio verbaasde Peter niet, want die leek sprekend op Ricky. Hij vergeleek elke knappe jongen met Ricky, alsof hij een soort prototype was. Maar zelf had ik het liever niet over Ricky: ik werd er niet graag aan herinnerd dat ik verliefd op hem was.

Als Nabokovs Humbert Humbert gelijk had en een nimfijn een betoverd en volgzaam jong meisje tussen de negen en de veertien was, dan naderde ik met rasse schreden het eind van mijn nimfijnendom. En aangezien voor Peter nimfijnen van zeven het summum waren, zat de kans erin dat ze voor hem zelfs al eerder hun glans verloren. Als hij er niet bij was, zat ik vaak uren naar mijn foto's in hun ovale lijstjes aan de muur te staren en me af te vragen of ik op mijn achtste zoveel knapper was dan andere meisjes van die leeftijd. Hij had drie dikke fotoalbums boordevol foto's van mij toen ik zeven en acht jaar oud was. Toen was ik best wel knap, vond ik, met een blik in mijn ogen die kon variëren van een lome tevredenheid tot de branie van een scholiertje (op sommige kiekjes stak ik mijn kin baldadig naar voren) en gedachteloze, zelfverzekerde speelsheid. Op andere stond ik er weer muizig bij, met appelwangetjes, of als een vosje met alerte ogen: een meisje met een verhoogde hartslag, een meisje met bloesemkonen en pikzwart haar. Je kon het zo gek niet bedenken of het was vereeuwigd en gefossiliseerd: voorovergebogen om een veter te strikken, applaudisserend, bij het voederbakje van de parkieten, een dennenappel oprapend. En heel veel foto's waarop ik aan een ijshoorntje zat te likken. Daarnaast nog een dik album met foto's van mij op mijn twaalfde. En het Skate Girl-album. Maar na mijn twaalfde was het afgelopen met de albums. Er waren nog wel een heleboel foto's gemaakt, maar die zaten los in de houten doos die ik op school bij handenarbeid voor Peter had gemaakt.

Eentje sprong in het oog: een polaroidfoto van mij in mijn badpakje waarop ik acht was en me stevig vasthield aan de gietijzeren picknicktafel in de tuin. Het nimfachtige kind met het donkere haar stond daar zo fier als een strijkstok. Op geen enkele andere foto keek ze zoals op deze: ongewoon assertief, met een schrander, gehaaid soort zelfverzekerdheid. Het was een blik van pure macht: zich bewust van haar smalle lijfje met die pril ontloken bekoring, ledematen zo sierlijk als een dwarsfluit, haar haar vochtig en door de war. Dat hautaine kleine kind, dat inzicht... hoe kwam ze zo wijs? Waar had ze zo leren kijken? Is ze op een avond naar mijn veertienjarige ik gekomen met zand op haar knieën en een ongepolijst smoeltje, zweefde die geest van vele zomers geleden mijn slaapkamer in als een soort van succubus, liet ze haar borst door de mijne beroeren als een levensader om dat lome, blasé en elektrisch geladen schepsel Nina te wekken, die in me rond bruiste als een opgeschud blikje gazeuse? Heeft Nina als een bedwelmende en bedwelmde petemoei haar handen om dat achtjarige, zongebruinde gezichtje gelegd, haar vol op haar halfgeopende mond gekust en gefluisterd: *Margaux, jouw toekomst, dat ben ik...?*

Peter ging de muren van zijn kamer opnieuw schilderen toen ik aangaf dat die vaalgele kleur me deprimeerde. De nieuwe kleur die hij had uitgekozen was een grijsgroen dat deed denken aan een doorgesneden avocado. 'Ik wil geen al te overheersende kleur,' lichtte hij toe. 'Alle aandacht moet uitgaan naar die mooie gezichtjes aan de muur.' Daarmee bedoelde hij mij, Karen, Paws en Jill. Jill. Weerzinwekkende, lieftallige, blozende Jill, die zoveel mooier was dan ik omdat haar ogen blauw waren en haar haren blond. Wat had ik veel liggen staren naar die achtjarige geest die nu waarschijnlijk ongeveer net zo oud was als ik.

'Ik trek het niet meer, Peter.'

'Wat is er?' Hij liet de kwast met trage bewegingen op en neer gaan. De dag ervoor had hij de muren in de grondverf gezet, en ze waren klaar voor een nieuwe laag verf.

'School.' Het was het eerste wat in me opkwam.

'Doen ze nog steeds vervelend tegen je?'

'Ik stond in de rij en iemand gaf me van achteren een harde duw. Er stonden er een paar bij te lachen. Ik kon niet zien wie het gedaan had.'

'O ja, dat is echt moedig. Iemand van achteren aanvallen.'

'Vertel mij wat. Deze school is niet veel beter dan Holy Cross. Trouwens, volgens mij hebben ze ons samen gezien. Ze weten dat jij niet mijn vader bent.'

'Over een paar maanden doe je examen en dan kunnen ze allemaal de pot op.' Ik had hem al verteld dat papa me naar een katholieke school wilde sturen in West New York, die ver genoeg buiten de achterklapradius lag.

Ik verzamelde al mijn moed en zei: 'Peter, ik wil niet dat je straks de foto van Jill weer ophangt als de verf droog is. Ze behoort tot het verleden en ze lijkt niet eens op het meisje op de foto.'

Hij schraapte zijn keel. 'Ik heb een paar foto's van jou hangen en maar eentje van Jill.'

'Ze zijn gedateerd. En er hangen geen recente foto's van mij.'

'Ben je soms van slag door wat er op school is voorgevallen? Reageer je niet op mij af, wil je?'

'Het enige wat ik vraag is om die foto niet meer op te hangen. Is dat al te veel gevraagd? Je zegt toch altijd dat je alles voor me overhebt?'

'Je zit de boel te manipuleren. Je zit mij te manipuleren.' Hij schilderde gewoon door.

'Ik probeer je helemaal niet te manipuleren. Maar die foto zit me dwars. Telkens als ik, je weet wel, iets voor je doe, dan zit ik naar die foto te kijken.'

'Probeer je me nu een schuldgevoel aan te praten? Is dat het? Want je voelt je rot om iets wat helemaal buiten mij om gaat. Ik heb niets te maken met die kids op school of dat incident van vandaag...'

'Soms denk ik dat je me gewoon gebruikt. Dat je helemaal niet van mij houdt.'

'Waarvoor zou ik jou gebruiken?' Hij draaide zich om. Eindelijk had ik zijn aandacht. 'Nou?'

'Alsof ik een object ben, en niet echt een persoon. Meer een pop.'

'Ik geloof mijn oren niet! Jarenlang maakt je vader je direct of indirect wijs dat je geen cent waard bent. Die klasgenoten van je bezorgen je een waardeloos gevoel. Maar ik heb je altijd een gevoel van eigenwaarde gegeven. Alles wat ik doe is erop gericht om jou gelukkig te maken!' De tranen kwamen in zijn ogen, en toen ik hem aan wilde raken duwde hij mijn hand opzij. 'Vanaf het moment dat ik 's morgens mijn ogen opendoe totdat ik ga slapen, draait alles om jou! Het eerste wat in me opkomt 's morgens is om met een kop koffie en een sigaret een brief aan Margaux te schrijven. Kijk eens naar al die schrijfblokken!' Hij wees op een krat vol schrijfblokken met brieven. 'Mijn kamer is één grote tempel die aan jou is opgedragen!'

Hij had gelijk. Alles wat ik was, lag in deze kamer opgeslagen. Als ik Peter niet had om me te zien en te vereren, hoe kon ik dan bestaan?

22

De bruiloft

Ik slenterde over New York Avenue, een oude man schopte tegen een bierflesje. Een paar duiven zaten in een stuk yuca te pikken en lieten het als een hockeypuck heen en weer rollen. '*¿Qué hora es?*' Een in zwart geklede bejaarde vrouw tikte me op mijn schouder. Zwarte rubberen zolen, zwarte jurk. '*¿Qué hora es?*'

Ik weekte me los uit mijn trance. '*No español*,' zei ik. '*No hablo español.*'

Ze knikte en raakte toen heel even mijn gezicht aan. '*Qué linda*,' zei ze zachtjes, en ik begreep dat ze dat zei omdat ik mijn examenfeestjurk aanhad.

Ik had de jurk van Yolanda gekregen, die bij Peter in de straat woonde. Yolanda was van de roddelaars de enige die aan onze kant stond. Ze bleef altijd even staan om een praatje te maken als ze ons tegenkwam op straat. Ooit zei ze dat ze het echt erg vond dat we zoveel te verduren hadden, en dat alleen maar omdat we een vriendschap onderhielden die andere mensen raar vonden.

De in het zwart geklede vrouw liep weg en ik bleef blozend achter. Ze vond me mooi in deze jurk. Yolanda had hem aan me gegeven voor een eindejaars- of examenfeest, maar ik wist dat ik daar nooit heen zou gaan. Ik had hem aangehad op mijn veertiende verjaardag en nu had ik hem aan op mijn bruiloft. Het was een geval van chiffon met witte kraaltjes en pofmouwen en een gedeeltelijk doorzichtig lijfje. Mijn schoenen had ik ook van Yolanda gekregen: witte crêpesandalen met zijden bandjes versierd met glanzende rijnstenen.

Ik moest oppassen dat ik niet uitgleed op het brede groene bordes van de Sint-Augustinuskerk. Ik was niet gewend om op hoge hakken te lopen. Ik droeg altijd gympen omdat ik nooit naar feesten of danspartijtjes ging. Gymschoenen waren de enige schoenen die Peter sexy vond. Opeens maakte ik me zorgen of deze schoentjes wel zo'n goede keuze waren.

Maar Peter overlaadde me met complimentjes toen ik hem in het voorportaal van de kerk ontmoette. Hij had zijn trouw- annex begrafeniskostuum aan, het pak dat hij ook voor het etentje met papa had aangetrokken. Hij had zijn kunstgebit ingedaan en rook naar Brylcreem. We doopten even onze vingers in de wijwaterfontein voordat we de kerk ingingen.

In deze kerk werd de mis in zowel het Engels als het Spaans gehouden, maar toen wij de kerk op die dinsdagmiddag in juli binnenkwamen, was er geen dienst. Er was niemand, op een dakloze na die daar in een flanellen pyjama lag te slapen. 'Ik ben blij dat hij er is,' fluisterde ik. 'Hij kan onze getuige zijn.'

We namen plaats op een bank halverwege het gangpad. Peter pakte een bijbel met zwartleren omslag. Hij las hardop de drieëntwintigste psalm voor. Ik zei hem na. 'Hij doet mij nederliggen in grazige weiden / Hij voert mij aan rustige wateren / Hij verkwikt mijn ziel.'

Ik zag de Gold Wing voor me, zwart en zilver. Ik zag het struikgewas op River Road, barstensvol donkerrode bramen. Ik zag Peters kamer met overal beeldjes van meisjes: dansend, schapen hoedend, dieren voerend. Ik zag de wereld in de helder verlichte terrariums en het bakstenen huis met personages uit Het Sprookje. Al wat heilig was, was het mijne. Het was mijn eigendom. Ik zat in de kerk. Ik was een bruid.

Ik was ook nog maagd, net als de moeder van God; ik had nog nooit gemeenschap gehad. Ik droeg een smetteloos witte jurk. Peter had een foto genomen van mij in die jurk waarop ik naast een taart stond met veertien kaarsjes erop. Het licht was uit zodat het donker was in de keuken, en op de foto kon je alleen heel vaag de omtrek zien van de buffetkast waar Inès' borden en schalen in stonden, haar soepterrine, fluitketel, theekopjes, koffiepot, schalen en borden, zo stil als ijsschotsen. Wat een vreemde foto was dat. Mijn ogen waren twee zwarte spikkels: het leken wel de gaten die in de grond achterbleven na een kampvuur. Normaliter zag ik eruit als veertien, maar op die foto leek ik volgens Peter wel zeventien of achttien. 'Met die jurk heb je het lichaam van een volwassen vrouw. Sinds wanneer ben je zo volgroeid?'

Maar het lag niet aan mijn lichaam. Het was mijn gezicht dat zo volwassen was geworden. De ogen. Peter wilde alleen maar een foto van me nemen als ik lachte, maar het was maar een zweem van een glimlachje. Er stond ook een hartvormige ijstaart op met een laag aardbeien. Peter en ik samen. Niemand anders was op ons feestje aanwezig. Het was op die ene dag in Inès' keuken net zo stil als vandaag in de kerk.

We spraken de huwelijksgelofte uit. Peter schoof de ring om mijn vinger. We gaven elkaar geen kus, want ik was bang dat iemand ons zou kunnen zien.

In de slaapkamer van mijn ouders stond hun grote tweepersoonsbed, dat te groot was voor mij alleen. Of misschien was het niet groot genoeg. Ik viel elke avond aan de rechterkant in slaap en werd wakker aan de linker, helemaal vastgedraaid in mijn quilt, met krasjes op mijn armen, buik en benen omdat ik daar 's nachts mijn nagels in had gezet. Mijn moeder sliep nog steeds in de serre naast de keuken die papa voor haar had gemaakt, maar toch bewaarde ze al haar lp's in haar slaapkamer. Want daar lag ze overdag urenlang naar die muziek te luisteren en zwijgend naar de ronde tl-verlichting aan het plafond te staren.

Papa kwam op een zaterdagavond de kamer in, toen ik net V.C. Andrews lag te lezen bij het bedlampje. Hij zei eerst niets, maar bleef naar de platenspeler staren. Hij had duidelijk gezopen.

Na een tijdje zei hij: 'Zeg, tussen jou en mij, ik ga die lp's wegdoen. Ze maken haar gek! Alleen jij en ik weten hoe ze dan is, toch? Nou, jij kunt je tenminste nog bij die ouwe kerel verschansen, maar ik zit hier in de hel met een gestoorde vrouw opgescheept. Je ziet er zongebruind uit. Ik ben al in geen jaren meer op het strand geweest, weet je dat? Ik begin onderhand zelf in een geest te veranderen. Ik geef je mijn geld, mijn bloed, zodat jij kunt leven. Besef je dat wel? Jij leidt maar een zorgeloos leventje. Je krijgt amper haar gezicht te zien. Je hoeft die lijdensweg niet mee te maken. Je bent zo'n zwakkeling, ga je schamen! Je geeft geen zak om je eigen moeder want je schaamt je voor haar. Mijn vader was suikerpatiënt en raakte verlamd toen ik acht jaar was, maar ik heb hem nooit in de steek gelaten! Ik hielp mijn moeder in de keuken! Je moet je schamen dat jij je er zo makkelijk van afmaakt. Jij maakt het allemaal nog veel erger voor haar. Door die zwangerschap en de postnatale depressie is ze van het padje geraakt. Neem dit advies van mij aan, van iemand die het kan weten: neem nooit kinderen en trouw nooit. Ze heeft ons allemaal aangestoken. Onze levens zijn vervloekt. Een vloek met vier muren en een venster, waar je doorheen kan kijken naar het soort leven dat je had kunnen hebben.'

Hij ging zitten en staarde naar zijn schimmige evenbeeld in de spiegel. Toen hij weer sprak, was zijn stem zacht en kalm. 'Ooit had je het over demonen die in deze kamer huisden. Hier in dit vertrek, toch? Ik hoorde je een keer tegen je moeder zeggen dat er een stem uit de airconditioning kwam. Maar knoop dit goed in je oren voordat je weer met zoiets naar je moeder rent: blijf eerst even stilstaan en luister gewoon goed. Dan zul je ontdekken dat het gewoon een voorbijrijdende vuilniswagen was, een hond die ergens stond te janken of je eigen gebrul. Alleen een wereld zonder geluiden is ondraaglijk. Ik heb geleerd mijn nachtmerries te omarmen. Je moeder droomt helemaal niet, vertelde ze me ooit. Ze heeft er niet één, nooit.'

Hij was serieus, maar ook zo ongewoon kalm dat ik vond dat dit het juiste moment was om hem te vertellen dat ik de mist in was gegaan: ik had een spijkerbroek een maat te klein gekocht en was er veel te snel uit gegroeid.

Hij zat op de rand van het bed zwijgend naar me te luisteren onder het zwakke licht van het bedlampje.

'Kijk maar,' zei ik. Ik haalde snel de spijkerbroek uit de kamer ernaast. Ik ging voor hem staan en probeerde me erin te persen – de tranen kwamen in mijn ogen. 'Ik dacht dat het mijn maat was. Ik was er zo zeker van. En ik heb het kassabonnetje niet meer...'

Papa stond op. 'Je doet net alsof het mijn schuld is! Maar dit heb je zelf gedaan! Waarom heb je de verkeerde maat gekocht? Je hebt geen hersens, net als je moeder, je hebt haar stupiditeit geërfd! Zal ik jou eens wat vertellen? Ik koop voortaan jouw broeken!'

'Nee, dat wil ik niet! Ik koop zelf mijn broeken op Bergenline!'

'Waarom? Zodat je merkkleertjes kan dragen?'

'Jij draagt zelf merkkleren! Jij hebt echt dure spullen!'

'Ik moet er representatief uitzien voor mijn werk! Jij hebt niet eens een baan. Je doet niks anders dan mij het leven zuur maken! Dat is jouw fulltimebaan! Om mijn leven tot een hel te maken! Met jouw gedrag maak je je moeder hartstikke gek en moet ze steeds worden opgenomen!'

'Hou je bek toch!' Ik kon het niet uitstaan dat hij mij daar de schuld van gaf. 'Het komt door jou, met je losse handjes!'

'Waag het niet om zo'n grote mond tegen me open te trekken! Anders geef ik je geen zakgeld meer en krijg je huisarrest!'

'Ik ga nog liever dood dan bij jou thuis te zitten! Als ik steeds van jou moet aanhoren hoezeer jij ons haat, eindig ik zelf ook nog in een kliniek!'

Hij balde zijn vuisten. Ik schreeuwde: 'Ga je gang: ik hoop dat je me doodslaat! Ik wou dat ik nooit geboren was!' En dat meende ik nog ook.

Hij drukte zijn handen tegen zijn hoofd en draaide zich om. 'Je bent een verwend nest, weet je dat? Je maakt je moeder hartstikke gek, ja? Je hebt mijn leven geruïneerd, rotmeid die je bent!'

Ik rende naar beneden en sloot me in de badkamer op. Toen ik hem schreeuwend op de deur hoorde bonzen, greep ik de radiatorombouw en begon eraan te schudden. 'Hé daar! Maak de boel niet kapot!' Hij rukte aan de deurklink. Ik schopte met mijn kousenvoet tegen de ijzeren radiator, maar voelde geen pijn. 'Kom eruit, jij! Ik geef je wel geld! Maar kom die badkamer uit, nu!' Ik deed de deur open en zag hem daar staan. We keken elkaar recht in de ogen. Hij wendde zijn blik af, grimaste en haalde zijn portemonnee uit zijn broekzak.

'Ik ben gewoon je bankloket,' mompelde hij. Hij telde de bankbiljetten af en wierp me tussentijds boze blikken toe. 'Je hebt geen greintje fatsoen. Geen trots. Geen waardigheid.

Geen klasse. Geen geweten. Geen gevoel. Geen zelfrespect. Je bent een monster.'

Ik liep op hem af. 'Geef het me in mijn hand. Gooi het niet op de vloer.'

'Je kunt je maar beter gedragen,' mompelde hij terwijl hij me met afgewend gezicht het geld gaf. 'En laat me nu met rust. Verdwijn alsjeblieft uit mijn ogen! Ik word al ziek als ik naar je kijk.'

Later die avond hoorde ik papa in de keuken over me praten tegen mama. Hij dacht dat ik sliep. Ik hoefde alleen maar even naar het toilet, maar toen ik mijn naam opving sloop ik de trap af.

Ze lag op haar bedbank in de serre, hij was een paar oorbellen aan het bewerken op de tafel. 'Wat heb je ze verteld?' hoorde ik haar vragen.

'Als iemand ernaar vraagt, zeg ik dat hij haar oom is, jouw halfbroer. Geef jij dat ook even aan haar door.'

'Maar wat zeggen ze dan precies?'

'Dingen als "Louie, wie is toch die vent die altijd bij je dochter rondhangt? Klopt dat wel? Vertrouw je hem?" Als er al in de kroeg over ze wordt gepraat, betekent het dat ze echt te veel tijd met elkaar doorbrengen. Waarom is dat eigenlijk? Ik dacht dat ze vooral met de vriendin omging, of met de zonen van die lui.'

'Ze laten samen de hond uit. En je weet hoe graag mensen de zaken verdraaien.'

'Vooral als het mij aangaat. Mensen zijn jaloers omdat ik aanzien heb in deze stad, en veel vrienden. Iedereen kent me. Ik ben populair. Maar nu begint die kerel van de broodjeswinkel me ook al raar aan te kijken. Terwijl ik daar altijd kom! Ik ben een goede klant van hem. Enfin, mijn punt is dat mensen beginnen te roddelen. Ze moet niet meer zo vaak naar hem toe gaan. Misschien moet ze over een tijdje maar helemaal de banden met dat gezin verbreken.'

'Het zijn de enige vrienden die ze heeft, Louie.'

'Dat weet ik. Daarom heb ik haar ook niet verboden om er zo vaak heen te gaan. Ik dacht dat het een fase was waar ze wel overheen zou groeien. Maar het is nu een obsessie geworden.'

'Maar wat moet ze dan?'

'Ik snap het gewoon niet. Wat is er zo aantrekkelijk aan dat huis dat op instorten staat? Wat moet een meisje van haar leeftijd daar in vredesnaam altijd? Hij is aardig, die oude kerel, maar het kan nooit goed voor haar zijn. Waar praten ze over als ze de hond uitlaten? Waarschijnlijk loopt hij altijd te jeremiëren over zijn leven voor hij dat ongeluk kreeg of voor zijn scheiding. Daar wordt een jong meisje toch alleen maar depressief van? Wat steekt ze er nou van op? En zelfs al is hij geen flinke vent en niet helemaal oké, wat gaat er in zijn hoofd om? Ze is nu al wat ouder. Meer vrouw dan jong meisje.'

'Wat insinueer je nu?'

Papa lachte. 'Het is uitgesloten dat een jonge meid gevoelens heeft voor zo'n uitgerangeerde ouwe kerel. Dat zou niet normaal zijn. Maar dat oude mannen heimelijk gevoelens hebben voor jonge meisjes komt wel vaak voor.'

'Zo zit het helemaal niet. Het is allemaal heel lief en onschuldig.'

'Oké, oké.' Papa stak zijn handen in de lucht en ging weer door met zijn oorbellen. 'Ik geloof je. Ik wil het liever niet eens over dit onderwerp hebben, want ik word er onpasselijk van. Enfin, waar het op neerkomt is dat jij haar moeder bent. Zorg jij er maar voor dat ze daar wat minder vaak over de vloer komt.'

'Wat kan ik eraan doen? Je weet dat ze niet naar me

luistert. Het zal van jou moeten komen.'

'Van mij?' Papa legde de oorbellen weer op tafel en zette zijn vergrootglasbril af. 'Ik heb geen enkele zeggenschap over haar.'

'Nou, ik dus ook niet. Ze heeft mijn horloge kapotgemaakt. Ze smeet het tegen de muur en nu is het stuk. Ik weet niet eens meer waar de ruzie over ging.'

'Soms heb ik het gevoel dat ze dit hele huis gaat slopen, met mij erbij! Dat heb ik in de film gezien! Van die kinderen die hun eigen ouders vermoorden. Ze slaat door, begint te gillen en dingen kapot te gooien. Ik kan niet eens fatsoenlijk met haar praten. Als ik haar in het weekend zie, zegt ze niet eens goedemorgen.'

'Waarom zeg jij het dan niet eerst tegen haar?'

'Ze is totaal van god los. Ze wil meer zakgeld. Dan kan ze nog meer hamburgers en pizza's met die kerel gaan kopen! Terwijl ze hier kan aanschuiven voor een gezond maal dat ik zelf heb gekookt.'

'Volgens mij gaan ze naar tenten als El Pollo Supremo en El Unico. Daar is het echt niet slecht.'

'Ik kan het me niet veroorloven!'

'Louie, als jij nou eens gewoon begint met goedemorgen tegen haar te zeggen. Iemand moet de eerste stap zetten. En je kunt haar maar beter proficiat wensen de volgende keer dat ze jarig is.'

'Alsof ze mij heeft gefeliciteerd! Ik was jarig en ze zei geen boe of bah. Met kerst, idem dito. Ik heb haar een ketting cadeau gegeven, die ene met dat gouden kruis en een diamant in het midden. Ze heeft me niet eens bedankt!'

'Toch draagt ze hem, hoor.'

'Niet één woord van dank. Ik kan haar maar beter "het Spook" noemen want meer is ze niet.'

'Nou, ik weet wel dat wanneer je haar verbiedt om Peter

303

te zien, dat ze dan dood zal gaan van ellende. Ze zal ophouden met eten, dat weet ik nu al. Ze loopt misschien wel weg. Dat gezin is alles wat ze heeft.'

'Ze loopt als een spook door dit huis, behalve als ze praat, met die harde kijfstem. Ze loopt hier rond alsof alles haar eigendom is. Laat gewoon haar kom cornflakes staan zodat ik de boel achter haar kont kan opruimen. Alsof ik haar slaaf ben of zo. Ze laat haar papieren en boeken op tafel slingeren. Ik zeg dat ze die papieren moet opruimen, anders doe ik het zelf. Begint ze meteen te schreeuwen dat ik van haar spullen af moet blijven! Ze is losgeslagen, totaal verwilderd.'

Ik vertelde Peter over het gesprek dat ik had afgeluisterd. We vonden allebei dat we extra voorzichtig moesten zijn in het openbaar. Maar dat zou nu nog moeilijker worden omdat Peter niet meer op zijn motor kon rijden. Hij had al chronische pijn vanwege zijn rugletsel, maar volgens hem zat hij ook in het eerste stadium van reuma. Het leek Inès een goed idee om de Gold Wing te verkopen zodat ze een auto konden aanschaffen en Peter vond dat ook, maar daar bleef het bij. Hij bleef hopen dat zijn klachten vanzelf zouden verdwijnen zodat hij weer op het zadel kon plaatsnemen.

Bovendien kregen we steeds vaker en ook steeds heftiger ruzies omdat hij elke dag – of om de dag – seksuele eisen stelde zonder er iets voor terug te willen doen, omdat hij me een schuldgevoel probeerde te bezorgen als ik nee zei, omdat hij elke zondag Inès mee op stap nam en omdat ik me steeds naar zijn fantasieën moest voegen. Hij had zelfs al een paar keer geprobeerd me te wurgen, wat een wonderlijke gewaarwording was: mijn hoofd klapte heen en weer alsof het van rubber was en ik zag voor mijn wazige ogen hele spikkelregens van zwarte puntjes uit elkaar ploffen.

Na een echt venijnige ruzie legde hij zijn hoofd tegen mijn

borst en begon te huilen. 'Ik ben bang dat ik op een dag zo kwaad word dat ik je per ongeluk vermoord. En dan moet ik zelfmoord plegen want ik kan niet zonder je leven. Ik hou zoveel van je, ik wil je nooit meer pijn doen! Drijf me niet meer tot die staat waarin een boze geest bezit van mijn lichaam kan nemen! Breng me niet in die toestand waaruit ik niet kan ontsnappen: dat ik een rood waas voor mijn ogen krijg en ik je alleen nog maar wil kapotmaken omdat je me zo zit te stangen. Je kunt zo wreed zijn, je kunt me het gevoel geven dat ik niets waard ben. Was het allemaal maar weer net als vroeger, toen je nog een klein meisje was. Soms denk ik dat we weer net als vroeger kunnen zijn als we allebei dood zijn, en ik haat mezelf om die gedachte want ik hou van je en je bent zo jong en ik maak liever mezelf van kant dan dat ik jou een haartje zou krenken. Je hebt je hele leven nog voor je, lieveling, en ik trek het niet meer. Ik doe geen oog meer dicht en soms wil ik niet eens 's morgens opstaan. Dan kan ik er alleen maar aan denken dat je door zult gaan zonder mij omdat je nog zo jong bent en volop uit vriendjes kunt kiezen en dat ik hier dan lig weg te rotten in mijn kamer met mijn foto's en herinneringen aan jou.' Ik wist dat dit de andere kant van Peter was, de kwaadaardige, die mij pijn had gedaan; de Peter die in zijn jeugd zo was beschadigd dat hij niet anders kon dan om zich heen slaan.

'Dat zal echt niet gebeuren, Peter,' zei ik met mijn armen om hem heen. 'Over mijn lijk, en het jouwe. Je wurgt mij of houdt een kussen tegen mijn gezicht gedrukt, en dan sla je de hand aan jezelf. Net als Romeo en Julia. En dan gebeurt er precies wat je al zei, dan wordt het zoals vroeger, net alsof je een sneeuwbol heen en weer schudt waarin alles zichzelf herhaalt, keer op keer, het zal zo prachtig zijn.' Ik bleef zijn gezicht en zijn haar strelen.

'Wat hou ik toch van je,' zei hij. 'Maar ik verdraag het

niet als je met die bijl boven mijn hoofd zwaait, alsof je mijn beul bent die het blad staat te slijpen. Ik zou het niet uithouden in de gevangenis, dat weet je.'

De bijl was ons geheim. Als we ruzie hadden, wilde ik weleens de controle verliezen en dreigen om alles tegen de politie te vertellen. Maar dat zou net zo destructief voor mezelf uitpakken, want als Peter gearresteerd zou worden zou ik me zo schuldig voelen dat ik van een brug zou moeten springen. Ik zou nooit de enige persoon op deze wereld kunnen verraden die echt om me gaf.

23

De bekentenis

Eindelijk hadden we een plekje op loopafstand gevonden waar we samen konden zijn, elkaars hand vasthouden en de romantische gesprekken voeren waar we zo naar verlangden. Om ons toevluchtsoord te bereiken, moesten we een lange aluminium trap af met gietijzeren sierhek op Boulevard East. We gingen eerst langs een snackbar voor limonade en een hotdog, en daalden daarna de tweehonderdeenentwintig wenteltraptreden af met de hond. Peter werd zo moe van die intensieve onderneming dat hij zich weleens op een tree liet zakken en voor de grap net als Paws met zijn tong uit zijn mond zat te hijgen. Dan moest ik hem een kus geven om hem weer op krachten te laten komen, net als jaren geleden. Paws had inmiddels een grijze neus gekregen van ouderdom, en hij plofte gretig naast Peter neer terwijl ik naast hen stond te popelen om door te gaan. De trap was bedoeld voor forenzen die gebruikmaakten van de veerboot, maar voor ons was het een voorportaal naar een privéstulpje in een uithoek waar niemand ons kon zien of horen. Ik kon daar ons Sprookje zo platvloers invullen als ik wilde want er was toch niemand in de buurt (Het Sprookje ging, in tegenstelling tot ons seksleven, nooit over Peters fantasieën maar over Nina en haar wapenfeiten), dus het was de moeite van die moeizame afdaling beslist waard, evenals de uitputtende terugtocht via een lange, omslachtige route door Weehawken. Als we thuiskwamen, smeerde ik meestal eerst zijn rug in met babyolie en kon hij op zijn elektrische deken bijkomen terwijl ik hem voorlas. 'Zorg je wel goed voor me, mammie?' grapte hij dan, en ik vond het prettig als hij me zo nodig had. Wie had er anders over zijn rug moeten wrijven? Wie las hem voor tot ze schor werd en hij op haar schouder in slaap viel? Wie moest er anders naar El Unico om wat te eten te halen als hij te veel pijn had om zijn kamer te kunnen verlaten?

Hem pijpen en masseren maakten deel uit van dit algehele onderhoud, althans, voor mij viel dat er ook onder. Peter mocht zich dan vrolijk vergelijken met de Tin Man, die de smeerolie van liefde en aandacht nodig had, door me zo over hem te ontfermen had ik eindelijk een doel in mijn leven, een kompas. Ik zag mezelf graag als zijn engelbewaarder. Volgens hem was ik op mijn mooist als ik een duif met een gebroken vleugel verzorgde, een piepend kuikentje dat van zijn moeder was gescheiden of een schildpad die op zijn rug lag en door mieren werd aangevallen.

Ik was nog maar veertien, maar ik voelde me veertig. Ik zorgde voor Peter als een leeuwin voor haar welp: een uit de kluiten gewassen, onbeholpen, gewond en afgepeigerd welpje wiens betraande kopje ik bij me op schoot nam en wiens ogen ik bette met een zakdoekje. Hij vergoot tranen om zijn eigen verwoeste leven dat ook andere levens had verwoest. In ons nieuwe bastion onthulde hij geheimen die hij nooit eerder aan iemand had verteld, en ik probeerde te luisteren zonder te oordelen, zoals de Bijbel voorschreef. Ik probeerde zijn bekentenissen te interpreteren alsof ze deel uitmaakten van Het Sprookje of uit een roman kwamen die ik onlangs had gelezen of uit een film die we pas hadden gezien. Of als een religieuze scène waarin Lots dochters hem verleidden in een grot, of het verhaal van Jacob die geitenhuid over zijn

hals en handen deed om zijn vader te misleiden voor een zegen. Mijn leven was al als een uitgehold stuk fruit; de schil
begon in te zakken en in dat interval zat de empathie waar
Peter zijn hele leven naar had verlangd en nooit van iemand
had gekregen. Misschien was 'empathie' ook niet het goede
woord. Wat hij me vertelde, was eerder een bevestiging van
mijn Bijbelse inzichten: de slechte Peter had onder invloed
van de duivel verschrikkelijke dingen gedaan. Zijn oprecht-
heid was het bewijs dat de goede Peter eindelijk over de
slechte zegevierde, want dat was, voor mij, de hele bedoeling
van een biecht: te begrijpen wat je verkeerd had gedaan zodat je ophield met zondigen. Eén biecht in het bijzonder
bleef me achtervolgen: hoe hij als jongetje een kat had opgehangen. Hij had hem in de sneeuw gevonden en naar binnen
gebracht om hem melk en tonijn te voeren, maar het dier
had hem tot bloedens toe in zijn arm gekrabd. Hij had de
kat gedood omdat hij dat verraad niet kon verdragen, niet
nadat iedereen in zijn leven zijn vertrouwen al had beschaamd. 'Heb je echt een kat vermoord?' bleef ik maar vragen. Hij verzekerde me dat hij zich daar vreselijk schuldig
om had gevoeld, maar toch was ik er ondersteboven van.
Een ander verhaal was dat hij zijn eigen hamster had doodgeschoten. Toen hij tien was, wilde hij een luchtbuks kopen
van vijf dollar. Omdat hij dat geld niet had, heeft hij zich
verkocht aan een oudere man, die hem in een hotelkamer
anaal penetreerde. De bloedspetters zaten tegen de muur.
Hij kocht de buks, schoot zijn hamster dood en gooide het
wapen weg.

Tijdens een ander bosuitstapje vertelde hij dat zijn liefde
voor jonge meisjes was begonnen met de negenjarige Sylvia,
het nichtje van zijn tweede vrouw. Ze was bij hem in bed gekropen en had hem gestreeld, en hij had haar niet tegengehouden. Hij vond het erg prettig, net alsof ze een spelletje

deden, zoals die ene keer dat hij met zijn twaalfjarige buurmeisje, dat nog maagd was, ondeugend was geweest. Ze hadden geprobeerd te vrijen maar haar vagina was te droog. Na dat incident met Sylvia begon hij aan zijn eigen dochters te zitten. Het was heel onschuldig, zei hij, en volgens hem vonden ze het net zo fijn als hij. Toen zijn vrouw erachter kwam, vroeg ze meteen een scheiding aan.

'Dat begrijp ik niet,' zei ik. 'Je zei dat ik de enige was met wie je dat deed, maar nu blijken er ook andere meisjes te zijn geweest. Ik dacht dat ik speciaal was. Je zei dat je verliefd op me was geworden.' Nu ik erover nadacht, voelde ik me net een energiebron waar te veel apparaten tegelijk op waren aangesloten, alsof mijn hersens kortsluiting maakten.

'Ik hou van je,' zei Peter. Zijn stem brak. 'En jij bent ook speciaal. Ik hou ook van mijn dochters en ik wilde ze alleen maar laten zien hoeveel. Nu besef ik dat ik dezelfde symptomen had als iemand die verslaafd is aan alcohol, gokken of drugs. Er bestaat geen therapie voor mensen als ik en ik voel me geïsoleerd van de rest van de wereld. Ik heb het gevoel dat ik een outcast ben die nooit ergens bij zal horen, wat ik ook doe.'

Peter pakte mijn hand. 'Ik moet hiervan genezen. Ook al moet ik het in mijn eentje doen.' Hij zweeg even. 'Of help jij me?'

'Jawel,' zei ik zwakjes, al wist ik niet zeker wat hij van me verlangde.

In september vond ik een gaypornoblaadje in het bos, doordrenkt van de regen, en ondanks de mieren die aan de glanzende bladzijden vastkleefden bladerde ik erdoorheen. Peter keek met schuine ogen hoe ik pagina na pagina omsloeg vol nichten met genitaliën als boeketten, gespierde gasten met lichamen als minizonnestelsels, en de smalle, gladde knulletjes die 'twinks' werden genoemd. Ik vond de twinks het leukst, met hun nog niet volgroeide lichamen en haarloze torso's, hun knappe gezichten en hun dartele, ingetogen, weerspannige, immer op seks beluste blik. Op één foto stond een pezige spierbundel die het haar van een twink vasthield terwijl die hem enthousiast pijpte. Er sprak een zekere tederheid uit die foto, vond ik, een uitwisseling van energie; het was een bijna vaderlijk plaatje. De twink keek door zijn lange wimpers naar de man op, op zoek naar een teken van genegenheid en aanmoediging, en de man die het genot onderging zag welwillend op hem neer. Ik trof elders in het blaadje nog meer van die liefdevolle scènes aan: mannen die elkaar zonder schaamte of angst kusten, mannen die elkaar beminden met handen en lippen.

'Ik moet je iets vertellen,' zei Peter. 'Over een droom die ik een paar weken geleden had.'

Dat verbaasde me. Immers, het eerste wat we deden als we elkaar zagen was over onze dromen vertellen en proberen ze te duiden.

'In mijn droom zag ik een engel die in een blauw licht stond. Haar jurk leek een beetje op jouw trouwjurk. Ze wierp me een blik toe die van elk moralisme was verstoken.' Hij slikte en ik gaf hem snel een papieren zakdoekje. 'Ze bekeek me niet alsof ik een walgelijke man was, een slechterik. En ik was ook niet bang. Ik deed een stap naar haar toe. Achter haar zag ik een ladder staan.' Nu begon hij te snikken, en ik sloeg mijn armen om hem heen.

'Praat er maar niet over als je er zo overstuur van wordt.'

'Ik moet je over die ladder vertellen. Er ontbraken een paar sporten. Zij stond daar in haar blauwe gloed en keek me volkomen bedaard aan. Na een poosje raakte ik danig in paniek. Weet je, terwijl jij op school zat, heb ik van die boeken gelezen over hoe kinderen seksualiteit opvatten...'

'Hoe zat het met die ladder?'

'Die kon ik niet helemaal goed zien, omdat het bovenste gedeelte in mist was gehuld. Net zoals de mistbanken in Manhattan, waardoor het net lijkt alsof het is verdwenen. En toen die engel naar me bleef kijken, begreep ik waar de ladder voor stond. Voor jouw leven, lieveling. En die ontbrekende sporten zijn de jaren die jij door mij hebt moeten missen.'

'Ik heb geen idee waar je het over hebt.' Ik voelde hoe mijn energiebron weer overbelast raakte.

'Ik zal het je uitleggen. Het leven bestaat uit diverse stadia, dat zijn die sporten. Je begint met poppen in je kindertijd. Later, als je wat rijper wordt, ga je naar jongens kijken. Dan word je tiener en ga je met ze uit en zo. Maar jij hebt die sporten overgeslagen. Wat we moeten doen, is teruggaan om die sporten te repareren. Dus moeten jij en ik ophouden met vrijen. Net als in een ontwenningsfase. Onze liefde moet heel zuiver en spiritueel worden. Dan ben ik als het ware je vader.'

'Je bent al als een vader.'

'Ik bedoel dus als een vader met wie je niet naar bed gaat.' Hij wierp een blik op Paws, alsof die hem uit de brand kon helpen. 'We moeten ermee stoppen. Ik ben begonnen met de reparatie van het poppenhuis. Je weet wel, dat ene van hout waar ik ooit speciaal voor jou aan ben begonnen maar dat ik nooit heb afgemaakt. Dan zou jij ermee kunnen spelen. Ik kan een paar poppetjes voor je kopen. En daarna moet je uitgaan met jongens van je eigen leeftijd. Dan ben ik de trotse pa die nerveus afwacht wanneer zijn dochter thuiskomt zodat ze hem alles over haar date kan vertellen.'

'Er is wel een jongen bij mij op school die ik leuk vind. Maar hij vindt mij niet leuk. Ik heb dat in vertrouwen aan een meisje verteld, en die heeft het meteen aan hem doorverteld. Mijn god, wat heb ik de pest aan die school. Ik zou het liefst van school afgaan, maar ik ben nog niet oud genoeg.'

'Heb je me wel gehoord? We mogen niet meer vrijen.'

'Maar we zijn getrouwd!'

'Niet volgens de wet.'

'Het is niet eerlijk! Dit is ziek! Ik kan niet weer een klein meisje spelen! En nu vertel je me dat ik geen vrouw mag zijn!' Ik wist dat het heel belangrijk was dat ik doorging met leven en dat ik het meisje dat ik ooit was, achter me moest laten, en nu verlangde hij van me dat ik weer terugging.

'We kunnen weer opnieuw beginnen. Dat weet ik zeker. Maar deze keer pakken we het goed aan.'

'Je laat me gewoon in de steek, net zoals iedereen me in de steek laat! Ik ben nu te oud en dit is jouw manier om me te lozen! Je hebt geen zin in gedoe! Het geroddel van de mensen en Inès die je onder druk zet! Ze wil me weg hebben, dat weet ik zeker! Toen we nog in het souterrain waren, ging alles goed. Jij en ik, samen in dat souterrain...'

'En dit is precies waarom we moeten stoppen,' zei Peter bevend. 'Moet je jouw reactie eens zien!'

'Hebben Miguel en Ricky soms iets over me gezegd?'

'Nee, dat zweer ik. Ze praten niet tegen me, niet echt althans.'

'En dat komt door mij, wedden? Iedereen heeft een hekel aan me! En Inès, die lieve Inès van jou, zegt geen woord tegen me!'

'Inès is verlegen. Zo is ze altijd al geweest. Ze hoort ons weleens ruziemaken en dat zit haar niet lekker.'

'O, moet ik me nou schuldig voelen? Wat ben ik toch een onruststoker, het spijt me enorm. Spring maar gewoon voor haar in de bres. Waarom leef je niet gewoon je prettige leventje met haar? Dan verdwijn ik wel van het toneel. En maak je geen zorgen: of ik nou dood ben of levend, jij hebt mijn foto's nog. En die spreken je nooit tegen!'

Voordat hij kon reageren, rende ik het bos in, over het pad, langs de parkeerplaats, tot ik uiteindelijk bij de werf belandde, waar ik op de rand van een verlaten pier ging zitten, uitkijkend over de grijze Hudson River, totdat Peter strompelend en met Paws aan zijn riem bij me kwam zitten en me smeekte niet in het water te springen.

24

De onbekende in de spiegel

In november kocht Peter een auto, een Ford Granada uit 1978, en mijn moeder werd weer opgenomen wegens een depressie en achtervolgingswaanzin. Papa maakte me om halfzes 's morgens wakker. Ze had bekend dat ze chloor had gedronken en ze was aan het overgeven; we moesten direct met haar naar de kliniek, dus of Peter bereid zou zijn om te komen, zelfs op dit uur? Ik zei dat Peter een auto had, en papa keek opgelucht.

Voordat hij de slaapkamer uit liep, zei hij: 'Ik ben continu thuisgebleven omdat ze suïcidaal was. Ik ben al drie weken niet meer op stap geweest. Avond na avond heb ik dat gezwatel van haar moeten aanhoren. Zelfs een borrel kon me niet meer rustig krijgen; het was alsof mijn poriën bloed uitzweetten. Dat geklets over de maffia. "O heremetijd, de maffia heeft het op Margaux gemunt!" Ik kon honderd keer uitleggen dat het maar gewoon neptelefoontjes waren, zij bleef erbij dat het de maffia was. Ik weet niet of ze het nou echt geloofde of alleen maar mij op de kast wilde krijgen. Ook beweert ze dat mensen op straat hun ogen afvegen omdat ze tranen met tuiten zouden huilen. Of dat de politie haar komt arresteren. "Waarvoor?" vraag ik dan, maar dan geeft ze geen antwoord. Ze loopt op straat in zichzelf te zingen en zet ons finaal voor schut! Nog even en we moeten gemaskerd de straat op zodat niemand ons herkent. Ook roept ze dat ze het dak op gaat en zichzelf in de fik wil steken als een heks op de brandstapel, zonder te beseffen dat wij dan ook door de vlammen worden verteerd!' Hij zweeg even, en boog zich bevend over mijn bed. 'Laatst was ik op mijn werk. Ik moest naar het toilet, en zag daar mijn spiegelbeeld. Ik kon niet geloven dat ik zo lijkbleek zag. Ik leek wel een mummie van tweeduizend jaar oud. Je kunt je niets engers voorstellen dan in de spiegel te kijken en daar een volslagen onbekende te zien die jouw kleren draagt. Ik spetterde koud water op mijn gezicht. Ik dacht: ik moet mijn stropdas recht-trekken. Ik moet me vermannen. Dit is mijn lot. Ik moet er niet langer bij stilstaan. Maar weet je wat me daar in die toi-letruimte overkwam? Er stroomde water over mijn gezicht. Eerst dacht ik dat het kraanwater was, maar toen besefte ik dat het uit mijn ogen kwam. Het waren tranen, ik kon ze niet meer tegenhouden! Wat is er in godsnaam met me aan de hand? Wat is er gebeurd?' Hij stond op. 'Laten we haar wegbrengen, met z'n allen. In die nieuwe auto van hem – wat had hij ook alweer, zei je?'

'Een Granada.' Maar ik wilde helemaal nergens met papa naartoe. Ik kon er niet tegen als hij over mijn moeder praat-te, en hij deed niet anders. Papa had het beeld van mijn moe-der, brandend op het dak, in mijn hoofd geplant. Ik wendde mijn blik af maar kon het niet uit mijn hoofd krijgen.

'Dan gaan we met z'n allen in de Granada om haar op te laten nemen in de kliniek van St.-Mary's, en daarna gaan we een hapje eten samen. Wat dacht je van City Island?' Een be-roerdere plek bestond er niet, dacht ik. We gingen daar vroe-ger altijd met z'n drieën naartoe, hij, mama en ik.

Hij zag dat ik een gezicht trok en zei bijna smekend: 'Dan gaan we de meeuwen patatjes voeren. We bestellen gebak-ken garnalen, en pina colada's voor jou. Toen je nog klein was, wilde je altijd de papieren parapluutjes bewaren. Je had een blikje waar er wel vijftien in zaten. Toen ik ze op een keer vond, dacht ik nog: wat moet ze ermee? Spaart ze die soms op voor een leven waarin het elke dag regent?'

Ik had een slappe vilthoed opgezet voor we naar City Island gingen, en de zeewind dreigde hem steeds van mijn hoofd te blazen. Papa en ik waren bezopen; hij had ook geprobeerd om Peter te laten drinken, maar die had als excuus dat hij moest rijden. Papa was zo lazarus dat hij met mij ging neusjevrijen en Peter nam een foto. Aan de houten picknicktafel zaten hij en papa druk te bediscussiëren wat ze het beste met mama konden doen als ze niet beter werd. Naar een overheidsinstelling? Elektroshocktherapie? Of moest ze gewoon andere medicijnen hebben? Ik liet ze maar praten. Ik legde de schuld bij mezelf. Was ik maar vaker thuisgebleven. En de neptelefoontjes kwamen van mijn klasgenoten, daar was ze paranoïde van geworden. Een paar jongens hadden ons nummer op een fotokopie gevonden waar al onze telefoonnummers op stonden, zodat scholieren elkaar konden waarschuwen als er een les uitviel. Hoe voorzichtig Peter en ik de laatste tijd ook waren geweest, mensen hadden ons samen gezien. De bellers hadden gedreigd dat ze me zouden verkrachten en gevraagd of ik soms met die ouwe kerel neukte. Eén keer raakte ik er zo overstuur van, dat ik de telefoon in de vriezer had gelegd zodat we hem niet meer hoorden rinkelen.

Het begon al te schemeren. Terwijl zij samen zaten te praten, liep ik naar de afrastering en zag de meeuwen over het groenige water scheren; er hing een geur van zilte lucht, gebakken garnalen en mensenmassa's. Ik stopte een kwartje in de verrekijker en speurde de hele horizon van links naar rechts af. Af en toe verscheen er een eenzame boot in mijn blikveld, een houten paal of een witte meeuw die op de golven dobberde. Peter kwam achter me staan. 'Je vader is zo starnakel dat ik hem hopelijk vanavond niet zijn huis in hoef te dragen. Maar raad eens? Hij heeft zich zowaar gedragen. Ik vraag me af wat hij voor man had kunnen zijn als het in zijn leven anders was gelopen.'

'Wat heeft dat voor zin? Hij is zoals hij is.' We keken zwijgend om de beurt door de verrekijker. Peter bleef er steeds nieuwe kwartjes in stoppen totdat hij door zijn muntgeld heen was.

We liepen weer terug naar de picknicktafel achter Tony's restaurant, waar papa met zijn gouden tandenstoker tussen zijn tanden zat te peuteren. 'Een van die meeuwen heeft hier net een patatje uit de schaal gepakt. Hij kwam aanvliegen en bietste het pal voor mijn neus weg. Dat zie je bijna nooit! Zou dat soms geluk brengen, Peter? Een teken dat er betere tijden zullen aanbreken?' zei hij met een wrang glimlachje. Daarna onthaalde hij ons op het foefje van de munt onder drie notenbakjes die hij bliksemsnel heen en weer liet schuiven, om te testen of onze ogen zijn handen konden volgen. Ik won elke keer van Peter, die zich verdedigde door te zeggen dat zijn ogen en reflexen niet meer zo goed waren als vroeger.

Op weg naar huis was Peters favoriete liedje, 'Hotel California', op de radio en papa zong dronken mee over wijn, messen en een beest dat je niet kunt doden, hoe vaak je het ook neersteekt.

Die winter hield Peter zich aan zijn woord: we waren niet intiem met elkaar. Peter knuffelde en zoende me niet meer omdat hij dan in de verleiding zou worden gebracht, en ik smachtte ernaar. Er werd geen porno meer gekeken en het lezen van liederlijke boekjes was finito. Ik miste de meisjes uit de pornofilms ook. Het was alsof ze vriendinnen van me waren geworden, zo vaak hadden we ze bekeken. Ik had voor elk van hen achtergrondverhalen bedacht, en redenen waarom ze in de seksindustrie waren beland, manieren om happy te zijn ondanks het afkeurende oordeel van de samenleving. Hij vond dat het maar afgelopen moest zijn met al die seks en al dat geweld, ook in Het Sprookje, omdat al die praat over geweld hem gewelddadig maakte. Maar waar bleef het verhaal dan zonder het geweld en seks? Ik bleef aan mijn boek werken als hij met Inès op stap was, en bij wijze van protest tegen dit nieuwe reglement sausde ik het extra op. De hoofdzonden in mijn roman waren: een groepsverkrachting, zes moorden, drie zelfmoorden, drie ontvoeringen, vier gevallen van incest en een trio.

Peter wilde zelfs dat ik me anders ging kleden, meer als 'jongedame'. Op de vlooienmarkt kocht hij een zakkige jurk met grijze, rode en zwarte strepen die tot over mijn knieën reikte. Wat hij eveneens van me eiste – al was het te absurd voor woorden –, was dat ik weer met het poppenhuis en de grijze viltmuisjes ging spelen alsof ik zeven was. Ik heb het één keer gedaan om hem een plezier te doen, en daarna weigerde ik het mordicus. Ik was nog nooit zo in de war geweest en ergerde me aan de manier waarop hij bepaalde of we intiem waren of niet, net zoals hij indertijd ook al had bepaald dat we ermee begonnen. Wat dacht hij wel niet? Dat ik een of ander opwindpoppetje was waar hij naar believen mee kon spelen om het daarna in een stoffig hoekje te gooien? Ik miste enorm dat hij me nooit meer omhelsde, streelde of me Vrijkonijntje noemde, zijn schatje. Niemand anders deed het.

Peter zei dat hij meer psychologie- en zelfhulpboeken had gelezen, en de memoires van een meisje dat door haar vader was verkracht. Vooral dat laatste had hem enorm aangegrepen. Hij zei dat het hem misschien wel genezen had van zijn jongemeisjesverslaving. Hij was er dermate van onder de indruk dat hij het boek kon verdragen noch weggooien, dus plakte hij het maar met cellotape vast onder zijn matras.

Wellicht dat hij geïnspireerd was geraakt door deze leesstof, want hij wilde ook gaan schrijven: een roman over misbruikte zwerfjongeren, getiteld *Uitgebuit*. Hij vroeg of ik hem wilde uitschrijven omdat ik zo'n mooi regelmatig handschrift had. We kibbelden nu alleen nog maar over zijn roman, waar Peter totale controle over wilde hebben. Hij dicteerde wat hij opgeschreven wilde hebben, en als ik de zinnen poëtisch opdirkte noemde hij dat 'bloemig'. Ik hield dus maar voor me dat ik zijn stijl nogal kleurloos vond, anders zou hij me vast weer trakteren op een van zijn uitzichtloze zwijgsessies. We speelden vaker een potje schaak, en soms ook scrabble. Tot zijn verbazing zette ik hem een keer schaakmat door zijn koningin met mijn paard te slaan. Door het van hem af te kijken had ik de paardensprong onder de knie gekregen, het paard was het meest verraderlijke schaakstuk. Hij schudde me de hand, maar zei er meteen bij dat hij alleen nog maar wilde scrabbelen of jokeren. Dat ik hem met schaken had verslagen, was voor hem een deprimerend signaal dat hij zijn scherpte kwijtraakte. Het was lastig om bordspelletjes op dat hobbelige matras te doen, maar ik vertikte het om in de keuken te gaan zitten. 'Je hebt geen lepra,' had Peter gezegd. 'Richard zit toch altijd in de huiskamer en Miguel en Ricky bemoeien zich met niemand.' Maar ik wilde niet eens door de keuken of de kamer lopen om bij de auto te komen. Het liefst zou ik een tunnel graven van de slaapkamer naar de Granada.

Als ik naar het toilet moest en er zat iemand in de keuken, dan plaste ik in het vaasje dat in Peters kamer stond. Als iedereen naar bed was, leegde hij het in de toiletpot. Peters kamer was letterlijk onze wereld, op de parken, eetcafés en drive-insnackbars na. Alles wat we nodig hadden lag in die kamer: boeken, een videorecorder, een tv-toestel, ons ouijabord, scrabble, een schaakspel en een stok kaarten voor poker of jokeren. Die winter hielden we ons niet met seks bezig maar legden ons toe op meditatie, visualisatie en zelfs astrale projectie. Peter zei dat zijn geest al een keer uit zijn lichaam was getreden en naar het plafond was gezweefd zodat hij op zijn eigen bewegingloze lichaam had kunnen neerkijken. Hij was zo vastbesloten dit proces te herhalen, dat hij er een boek op nasloeg van een of andere goeroe die beweerde dat het hem meer dan honderd keer was gelukt.

Peter was altijd degene die in de keuken koffie voor zichzelf zette en frisdrank of roomijs voor me meenam. Als hij de kamer uitging, deed hij altijd meteen de deur weer achter zich dicht zodat niemand me zou zien. Aan mijn kant van het bed lagen mijn Oreo's, crackers, zoutjes, vijgenkoekjes, pretzels en snoepgoed. Ik had een hele voorraad papieren zakdoekjes, een extra stel kleren inclusief ondergoed, maandverband, een string, rollerskates en mijn schooltas met boeken. Als Peter met Inès in de keuken zat, maakte ik mijn huiswerk of zat te blokken voor proefwerken.

Hoe meer tijd we in die kamer doorbrachten, des te leuker Peter hem trachtte in te richten. Hij hing nog meer kerstversiering op: flonkerende slingers om de ovale fotolijstjes en gekleurde strengen kerstlichtjes rondom het tv-toestel. Hij kocht drie kleine groene hagedissen om het terrarium op te leuken. Ook bevestigde hij nog meer planken aan de muur, die hij vol zette met porseleinen figuurtjes tot er geen plekje meer onbedekt was. Alleen aan mijn kant van het bed bleef de muur leeg, alsof hij verwachtte dat ik die zelf zou decoreren.

Peters mosterdgele Granada was vanbinnen overal bedekt met een laagje hondenhaar. De bekleding zat vol vlekken, van de tomatenketchup en de zoetzure saus. Het handschoenenkastje puilde uit van de zakjes zout en suiker en servetjes van de snackbar. Die Granada was ons tweede huis, en ik was geheel afhankelijk geworden van de dagelijkse routine van onze uitstapjes, zodat mijn dagen nog enige structuur hadden.

Peter luisterde graag naar zijn cassettebandjes die een eigenaardige mengelmoes vormden: Willie Nelson, Neil Young, Fats Domino, Pink Floyds *The Wall*, de Eagles en Beethovens Pianosonate nr. 14. Hij zei dat hij bij Beethoven een gevoel kreeg dat hij niet exact kon omschrijven, maar 'sublieme wanhoop' kwam er het dichtst bij in de buurt. Hij heeft die tape keer op keer voor me afgespeeld, totdat ik begon te begrijpen wat hij daarmee bedoelde. De hoop opgeven leek sinds kort een eenvoudige en billijke keuze. Als ik me echt wanhopig voelde, probeerde ik niet langer energiek tegen de stroom in te zwemmen, dan liet ik me gewoon meevoeren. Als ik weer eens in de greep was van een depressie en eruit probeerde te klimmen, gebeurde juist het tegenovergestelde: dan was ik net als een schildpad die op het dwaze idee was gekomen uit zijn schulp te kruipen, zich niet realiserend dat dat schild niet zomaar een ornament was of een overjas, maar dat het vastzat aan de ruggengraat en de ribbenkast; iets wat men als eigendom moest claimen, anders zou er nooit rust in de tent komen.

In het voorjaar dat ik mijn vijftiende verjaardag vierde, kwamen tante Bonnie en oom Trevor onverwachts op bezoek uit Ohio. Drie dagen later waren ze alweer vertrokken, nadat mijn vader oom Trevor had meegenomen naar de kroeg. Volgens mama had pap te veel gedronken en hadden ze woorden gehad. Bitter constateerde ik dat die man altijd alles moest verpesten. Ik was dol op tante Bonnie. Ze was bruisend, je kon met haar lachen en ze had van die mooie dansende krullen en een zangerig nepaccent uit het Zuiden. Ik beeldde me altijd in dat mijn moeder net als tante Bonnie had kunnen zijn als ze niet zoveel verkeerde medicijnen had geslikt. Vroeg mijn moeder om mijn naam op haar kerstkaart te zetten, dan schreef ik altijd: 'Voor mama nr. 2'. Als jonge vrouw was Bonnie verslaafd geweest aan alcohol, maar tegenwoordig wist ze die zwakte de baas te blijven met vrijwilligerswerk, het schrijven van kookboeken en het bijwonen van kerkdiensten. Ze had nooit kinderen gekregen, en ze zei altijd dat ze heel gelukkig was maar dat heel erg miste. Op haar vijftigste wilde ze nog graag een baby adopteren, maar dat was te duur en de wachtlijsten waren te lang.

Peter vond ze een 'schat van een man'. Ze ontmoette hem een keer tijdens een lunch bij El Pollo Supremo. Ze vertelde dat ze vroeger op school erg verliefd was geweest op een jongen die ook een motor had. Peter had de zijne al verkocht, maar tijdens de lunch had hij het er steeds over, alsof hij indruk op haar probeerde te maken. Als tante Bonnie met hem praatte, was het net alsof ze het tegen een tienjarige had. Toen ik erover nadacht, besefte ik dat Inès precies hetzelfde deed.

Peter hield de laatste tijd wel het stuur van de Granada vast alsof hij zijn handen op de handvatten van zijn motor legde. Ook waagde hij zich aan een middagje rollerskaten, al zei hij erbij dat hij na één flinke smak in een rolstoel kon belanden. Onder de flitsende glitterdiscobol en het stroboscooplicht op de skatebaan zag ik de maniakale blik in zijn ogen, en toen hij zag dat ik bewonderend naar een breakdancende tienerjongen keek, probeerde hij zelfs een paar dansbewegingen te maken. Ik wist niet hoe ik hem duidelijk moest maken dat hij daar echt te oud voor was, en dat hij niet alleen gevaarlijk bezig was maar mij ook voor schut zette. Toen het uur aanbrak dat de baan alleen open was voor 'stelletjes' en hij mijn hand probeerde vast te pakken, deed ik net alsof ik trek kreeg. Peter ging een pretzel voor me halen terwijl ik triest in mijn eentje langs de kant zat en allerlei meisjes met hun vrienden of vriendjes van hun eigen leeftijd voorbij zwierden.

Op de dagen dat ik geen school had, stond ik altijd vroeg op om pagina's van mijn roman uit te typen op de elektrische schrijfmachine die ik van mijn vader had gekregen. Die zomer sliep ik echter tot één uur 's middags, tot Peter me op kwam halen voor ons middagritje. Mijn huid begon er ruw uit te zien en mijn nagels werden steeds brozer. Maar erger was dat ik mijn omgeving als steeds vijandiger ervoer. Het leek alsof de veel te groene grashalmen wilden opspringen om in me te snijden, liedjes die ik eerst mooi vond krasten nu over mijn trommelvlies tot de vellen erbij hingen en mijn hele lichaam voelde ontwricht, wanordelijk, alsof mijn botten door elkaar waren gegooid. Ik kon naar een scheur in de muur staren of naar de palm van mijn hand met het gevoel dat ik niet genoeg kracht in mijn ogen had om mijn blik af te wenden. Ik moest aan dit leven ontsnappen, maar ik was te bang om er zelf een einde aan te maken. Volgens mijn katholieke opvoeding – die ik tot op zekere hoogte nog steeds als norm probeerde te hanteren – was zelfmoord een doodzonde met het hellevuur in het verschiet. Al begreep ik niet echt dat iemand nog extra gestraft moest worden als die het al zo voor de kiezen had gehad. Ik zag de dag dat zelfs dat gruwelijke vooruitzicht geen gewicht meer had met rillen en beven tegemoet, als de pijn zo hevig werd dat mij geen andere keus resteerde dan net zo'n actie te ondernemen als mijn moeder.

Mijn moeder had kortgeleden, begin juni, een tweede zelfmoordpoging ondernomen. Ze liep van huis weg, vond een muur in Weehawken en sprong ervan af. Ze brak haar enkel. We gingen vaak bij haar in de inrichting op bezoek, en elke keer voelde ik me ellendiger – en papa ook. 'Ik trek het niet meer om almaar die gestoorde lui te zien,' zei hij op een avond tegen me in de keuken. 'Het lijkt wel alsof ik door een van de kringen van Dante loop. Dat geluid van de lunchkarretjes, de geur van eten en ongewassen lichamen; ik krijg er het zuur van. Gezichten zonder een spoortje gezond verstand, mensen die knorren als een varken, schreeuwen als een zombie of je aanstaren alsof jij de oorzaak bent van al hun misère. Ik kan je vertellen dat er heel wat geschifte lui in die inrichtingen rondlopen, maar je moeder is een van de geschiftste. Ik ben van mijn levensdagen niet zo'n verknipt, neurotisch persoon tegengekomen. Als ik één ding bij haar ontdekt heb, is het wel dit: ze wil alles ondersteboven. Vuil in plaats van proper, liever kapot dan compleet, chaos boven orde. Ziek zijn ervaart zij als gezondheid. Begrijp je me? Neem nooit haar gedachtegang over en word nooit zoals zij. Misschien is het niet haar bedoeling, maar ze maakt iedereen in haar omgeving net zo ziek als zijzelf.' Het was weer hetzelfde liedje: hij gaf mama de schuld voor haar geestelijke toestand terwijl hij er de oorzaak van was. Ik werd onpasselijk van dat gedraai. Hij realiseerde zich niet eens dat mama een normaal leven had kunnen leiden als ze hem maar op afstand had kunnen houden. 'Maar jij, jij bent ook niet vrij te pleiten,' vervolgde hij. 'Jij bent een vloek die op ons gezin rust. Ik ga je iets vertellen en je kunt maar beter luisteren. Je onbezorgde leventje is voorbij. Die man heeft een auto: zorg dat hij je minstens een paar keer per week naar haar toe brengt. Wees haar een beetje tot steun! Denk aan haar! Al heeft ze niet goed voor je gezorgd, ze heeft haar best gedaan. Ze heeft je negen maanden lang gedragen, dus dat ben je aan haar verplicht. Ik leg mijn molensteen om jouw nek. Jij bent degene die ze wil zien. Haar eigen vlees en bloed!'

Goddank wilde Peter wel steeds mee op bezoek bij mama. Dan speelden ze een spelletje pingpong. Hij stelde een keer voor een bordspel te doen zoals monopoly, dammen of trik-trak. Maar bij elk spelletje ontbraken er stukken, dus ping-pong was onze enige optie, al kon mijn moeder niet heel lang op haar enkel staan en waren haar bewegingen moei-zaam. Volgens de verpleegster van de psychiatrische inrich-ting had mama nog geluk gehad dat ze niet verlamd was geraakt, en dat ze het überhaupt had overleefd. De verpleeg-ster zei ook dat ze het had getroffen met zo'n toegewijde dochter en zorgzame echtgenoot, en het haar herstel zou kunnen bespoedigen als we regelmatig bleven komen. Toch vroeg ik me meer dan eens af of onze bezoekjes zoveel nut hadden, en of ze wel blij was om ons te zien. Ze kon nauwe-lijks glimlachen en had een starende, wezenloze blik in haar ogen, als een baby. Maar wat snoezig is bij een baby, is bij een volwassene doodeng. Haar trage lach kwam verkrampt over. Ze liep te sloffen alsof haar ledematen waren verbrij-zeld en haar dunnende grijze haar hing in slappe, ongewas-sen pieken langs haar gezicht. Ik kuste en knuffelde haar, maar dat leek haar niet op te beuren. En ik wist wel beter dan verwachtingen te koesteren. Ik probeerde geen afgrijzen te voelen, maar je moest wel een hart van steen hebben om er een ander gevoel bij te krijgen. Overal waar je keek, zag je menselijk leed.

'Ze is heel sterk,' zei een verpleegster een keer over mij. Als ze eens wist. Ik kwam alleen maar omdat mijn vader me anders een slechte dochter zou vinden. Van dezelfde verpleegster moest ik op een dag meehelpen mama onder de douche te zetten; ik moest de washandjes en shampoo aangeven en ervoor zorgen dat ze haar hoofd goed inzeepte. Ik wist vast wel hoe dat moest, voegde de verpleegster eraan toe. Het was zo vermoeiend om me beter en sterker voor te doen dan ik was. En wat voor nut hadden deze visites? Mijn moeder werd er niet beter van maar van mijn vader moest ik ermee doorgaan, anders zou onze omgeving er wat van zeggen. Dat was het enige wat hem interesseerde, de mening van anderen. Als we allebei dood neervielen, zou hij zich vooral druk maken of we wel met de juiste make-up werden begraven. Hij was me nu al aan het begraven. En die psychiaters en verpleegsters waren geen haar beter dan pa. Hun zieke glimlachjes leken wel op hun gezichten geschilderd en in plaats van naar een echte oplossing te zoeken bleven ze haar volpompen met medicijnen die niet werkten.

Ze liep altijd met ons mee naar de lift met een lege blik die de verpleegsters als 'affectieve stoornis' omschreven. 'Maak je geen zorgen, ik kom weer gauw,' zei ik terwijl ik ondertussen verwoed op de knopjes drukte. Zodra de schuifdeuren dichtgingen, stopte ik mijn gezicht tegen Peters borst en drukte hij op het knopje BG voor begane grond. Het kon me op dat moment niet schelen wie er bij ons in de lift stond. Ik liet mijn tranen de vrije loop met Peters armen om me heen. Daarna gingen we altijd naar een eettentje waar ik een enorme vanillemilkshake bestelde, die ik binnen een paar minuten verzwolg. Op sommige dagen was ik zo van streek, dat mijn maag niets anders verdroeg dan milkshakes.

Ik probeerde me in de kliniek altijd zo veel mogelijk af te sluiten van mama's paranoïde geraaskal, maar één ding kon ik maar niet uit mijn hoofd zetten. Het was de beschrijving van een hallucinatie die ze op haar kamer had gehad. Ze had trommelmuziek gehoord. Toen een van de bewakers haar had horen kermen, liep hij haar kamer in. Ze had al haar kleren uitgetrokken en zat geknield boven een plas urine, overtuigd dat ze net een nieuwe baby had gebaard.

Rond dezelfde tijd begon ik op een plan te broeden hoe ik mijn moeder en mezelf voorgoed uit Union City kon krijgen. Als ik me zou laten bezwangeren, zou mijn vader terugkeren naar Puerto Rico – waarmee hij nu aldoor dreigde – en dan kregen tante Bonnie en oom Trevor vast medelijden met ons omdat we nergens anders heen konden. En was het niet uit medelijden, dan was het wel Bonnies verlangen naar een adoptiebaby dat haar over de streep zou trekken ons in huis te nemen. En kennelijk wilde mijn moeder ook een baby, anders had ze die waanvoorstelling niet gehad. Peter wilde niet met me naar bed, dus ik moest een manier vinden om hem op andere gedachten te brengen. Pa had zich in zijn hoofd gezet dat mama naar een inrichting moest waar ze haar elektroshocks zouden geven, maar ik was ervan overtuigd dat ze dan in een plant zou veranderen, net als die man uit *One Flew over The Cuckoo's Nest*. Ik mocht dit niet laten gebeuren, ik móest actie ondernemen.

Zoals ik had voorspeld maakte Peter zich zorgen dat hij me nooit meer zou zien als ik naar Ohio vertrok. Ik verzekerde hem dat ik op mijn achttiende weer terugkwam om met hem te trouwen; hij werd oud en als hij nog iets van betekenis wilde doen, was dit zijn laatste kans. Bovendien zou dan na zijn dood een deel van hem altijd bij mij blijven. Ik voelde me niet schuldig dat ik hem zo om de tuin leidde, niet nu er zoveel op het spel stond. En had hij mij ook niet in de val gelokt met zijn groene bonen toen ik acht was? Mijn moeder en ik verkeerden in een crisissituatie; als ik geen actie ondernam zouden we door het leven onder de voet worden gelopen. Het belangrijkste was om te overleven.

Op een avond waren we er maar weer eens over aan het bakkeleien dat Peter op zondag altijd met Inès op stap ging. Hij drukte een kussen op mijn gezicht toen ik dreigde Inès over onze relatie te vertellen. Steeds als ik probeerde te schreeuwen, duwde hij het kussen harder op mijn gezicht. 'Kreng!' fluisterde hij. 'Je bent een kreng, een echt kreng!' Ik hoorde geblaf en voelde daarna iets zachts bij mijn arm friemelen. Toen hij het kussen wegtrok, zag ik dat Paws op bed was gesprongen en zijn tanden in Peters arm had gezet. Hij begon te huilen, aaide de hond ruw door zijn vacht en liep toen de kamer uit. 'Dank je, dank je, je bent mijn beste vriend,' zei hij bij de deur.

Hij kwam weer terug met een vleesmes in zijn hand, dat hij aan mij gaf, viel op zijn knieën en smeekte me hem te doden.

'Hier, steek hier maar,' en hij zette het mes tegen zijn adamsappel. 'Vergeef je me? Als je dat niet kunt dan moet je misschien mijn strot afsnijden. Dat verdien ik.'

Ik kon geen woord uitbrengen, en ik wilde ook niets zeggen. Ik maakte aanstalten het mes weg te leggen.

Hij greep stevig mijn pols vast. 'Vergeef je me?' vroeg hij weer.

Ik knikte vermoeid en hij liet me los. Het mes legde ik naast zijn sigaretten. Ik was blij dat ik het niet meer vast hoefde te houden. De lampen in het terrarium schenen zo fel dat het licht wel blauw leek. Ik voelde een innerlijke rust die aan euforie grensde. Zo voelde ik me vaak na zo'n hevige ruzie.

Peter zat nog altijd op zijn knieën. 'Liefste, ooit kon ik je laten lachen. Hoe kan ik je weer gelukkig maken?'

Ik gaf geen antwoord en bleef naar mijn handen staren, naar de strakgespannen stukjes huid tussen mijn gespreide, lange, smalle vingers. De handen van een pianiste, had Peter ooit gezegd. Ik bestudeerde mijn linkerhandpalm en herinnerde me dat Grace ooit had verteld dat mijn levenslijnen de letter M vormden, wat betekende dat de Maagd Maria mij beschermde. Ik vond de M en hoopte vanuit de grond van mijn hart dat ze het bij het rechte eind had.

Ricky en Miguel gingen die zomer het huis uit. Voor mij eens te meer een bewijs dat mensen bereid moesten zijn grote risico's te nemen en radicale veranderingen teweeg te brengen. Ricky had besloten bij zijn vriendin Gretchen in te trekken. Peter mocht haar niet, hoewel ze op mij een stuk minder labiel overkwam dan zijn vorige meisje, Audra. Ooit was Miguel Peter haastig komen ophalen omdat Audra en Ricky ruzie hadden en zij een zakmes had getrokken. Ik ging met ze mee. Tegen de tijd dat wij aankwamen, dreigde Audra haar hals af te snijden ten overstaan van het veelkoppige publiek dat was toegestroomd om te kijken. Ricky wilde haar het mes ontfutselen, en liep daarbij een flinke jaap op in zijn hand. Vervolgens legden ze hun ruzie weer bij, alsof ze bloed moesten zien om eraan herinnerd te worden dat ze eigenlijk heel veel van elkaar hielden.

Het werd boven zo stil als een graftombe toen Ricky het huis uit was (en daarmee eindelijk een einde was gekomen aan mijn schaamte en zelfkwelling elke keer dat ik hem zag). Zijn nieuwe meisje, Gretchen, was een Cubaanse goth-chick die altijd in het zwart was gekleed behalve op begrafenissen, zei Peter – dan droeg ze wit. Ze had prachtig haar maar toch droeg ze altijd een pruik. Ook dat was iets wat Peter niet begreep. Hij noemde haar sarcastisch 'de pruikenheks'. Ze had een zoontje van drie dat ze met behulp van haar ouders opvoedde (zij betaalden ook haar flat). Ze ging nog maar heel kort met Ricky toen ze er al op stond dat hij 's nachts bij haar bleef. Ik vermoedde dat het tussen Peter en Gretchen niet echt boterde, maar het was me een raadsel hoe ze elkaar überhaupt buiten mijn medeweten om hadden leren kennen. Ik had haar zelf maar een paar keer gesproken en vond haar net zo aardig als de rest van de zoldermeisjes.

Richard was in een kampeertent in Bear Mountain State Park gaan wonen, in de hoop dat de natuur hem van zijn cokeverslaving af zou helpen. Het ging al een tijd bergafwaarts met hem. Hij hing altijd halfnaakt thuis rond met een sik als die van Charles Manson, een legerbroek en een ketting van arendsklauwen om zijn nek. Hij was volkomen opgegaan in wat hij de spiritualiteit van de indianen noemde: hij waste zich niet meer en praatte altijd over het beest in zijn geest. Zijn laatste stap was om een tent op te slaan op een kampeerterrein, met een hele voorraad ingeblikt eten en een verrekijker om naar roodstaarthaviken en aalscholvers te turen. Ik wenste hem het allerbeste. Soms ging Inès een weekendje naar hem toe. Als ze terugkwam, zag ze er heel erg blozend en gelukkig uit. Niemand kon haar zo blij maken als Richard, zei Peter: hij was haar drug zoals Gretchen Ricky's drug was, ik Peters drug en hij de mijne.

Miguel bleef in zijn eentje op zolder achter. Hij werd steeds bleker en stiller. Hij had zijn lange haar afgeknipt en kwam alleen nog maar naar beneden om te eten of om naar zijn werk bij Circle Cycle te gaan. Als hij me tegenkwam, zei hij zachtjes 'hoi' of maakte een plechtig handgebaar dat wel op een saluut leek. Daar was ik hem dankbaar voor.

25

Van school af

In augustus ging ik een paar keer met Peter naar Coney Island voor de hotdogs van Nathan's, een ritje in de achtbaan (al was hij daarna altijd dagen aan bed gekluisterd) en een duik in de zee. Ik moest van hem ook de carrousel in, maar dat wilde ik niet. Zag hij niet dat ik daar echt te oud voor was? Zoals gewoonlijk gaf ik hem zijn zin omdat dat een stuk makkelijker was dan zijn gedrein te moeten aanhoren. Tussen de flonkerende spiegels en pastorale schilderingen op de draaimolen zat ik met mijn gezicht verborgen achter mijn warrige lange haar waar de zilte geur van de Atlantische Oceaan in hing. Ik had de gewoonte ontwikkeld om mijn ogen als een langharige bordercollie te verschuilen, en zelfs als het bewolkt was droeg ik nog een zonnebril.

Peter had het op die uitstapjes vaak over die bende uit Brooklyn met wie hij op zijn vijftiende omging. Bij wijze van inwijdingsritueel werd er met handgemaakte geweren – waarmee ze niet konden richten – op hem geschoten terwijl hij doodstil was blijven staan. Het was doodeng om zich niet te verroeren terwijl de kogeltjes hem om de oren floten. Ze sloegen hem elke dag in elkaar totdat hij bereid was lid te worden. Om geld te hebben voor de kermisattracties in Steeplechase Park roofde de bende tasjes op Mermaid of Neptune Avenue.

Een keer stond ik pootje te baden in de zee. Toen Peter

naar het toilet moest, kwam er een knappe latinojongen in zijn doorweekte basketbalshorts naar me toe. De branding maakte te veel lawaai voor een gesprek, dus ik gluurde alleen maar naar hem. De golven weken terug en de kleine zandkorreltjes schuurden tintelend langs mijn voeten. De wolken waren wit en ijl, bijna alsof ze werden verzwolgen door de enormiteit van de blauwe hemel en de oceaan. In de verte klonk het geraas van de gammele achtbaankarretjes die omhoog en omlaag scheurden.

Eindelijk zei hij iets tegen me. Hij wees op zijn shorts. 'Had ik maar iets anders aan.'

Ik kon nauwelijks een woord uitbrengen in de nabijheid van zo'n mooie jongen. 'Hoezo?' piepte ik.

Hij haalde zijn schouders op. 'De matrix gunde me de tijd niet om mijn zwembroek te pakken.'

'De matrix?'

'Mijn moeder.' Hij schoor zich nog niet, en had alleen maar wat zijdezacht perzikdons op zijn bovenlip dat vast lekker voelde bij het zoenen. Ik voelde me een beetje als een zeemeermin die voor de voeten van een mensenjongen was aangespoeld. Hij keek naar me, zijn ogen tot spleetjes geknepen, alsof iets in me zijn nieuwsgierigheid had gewekt.

Een stukje verderop renden drie kleine kinderen de golven in om hun emmertjes met zeewater te vullen voor hun zandkastelen. Ik kon vaak op een onverklaarbare manier droevig worden bij de aanblik van spelende kinderen.

'Hoe heet je? Heb je broers of zusjes?' vroeg ik met onvaste, stokkende stem.

'Danny. En ik heb één broer.'

'Ik ben enig kind.'

'Aha, een prinsesje. Een door en door verwend prinsesje.' Hij glimlachte hoofdschuddend. 'Ik verstond je naam niet.'

'Michelle.' Die leugen stelde me direct op mijn gemak.

'Jemig, moet je die kwal daar eens zien. Wat een joekel.'

'Waar zit hun mond eigenlijk? Eten ze met hun lichaam?' Ik kon even geen beter antwoord verzinnen.

Hij keek in de verte. 'Is die man die op ons afkomt je vader?'

Ik gaf geen antwoord en staarde in het zand. Mijn grootste zorg was dat Peter mijn echte naam zou roepen.

'Hij kijkt nijdig. Ik zei toch dat je een prinsesje was?' Danny lachte en dook de golven in.

Peter bracht me elke dag naar de katholieke highschool in de naburige stad West New York, totdat ik er op een winterse ochtend de brui aan gaf. Ik was vijftien en zat nog maar in de tweede, dus wettelijk was ik nog te jong om al van school te gaan. Ik zat bij mijn vader thuis op de trap, in mijn nachtjapon met beertjes en witte huissokken. Mijn moeder was al opgehaald met de bus in het kader van haar dagprogramma van Mount Carmel Guild. Haar psychiater had daarop aangedrongen, hoewel ze had aangegeven dat ze te gedeprimeerd was om het huis uit te gaan voor muziek-, kunst- of groepstherapiesessies.

Papa liep in zijn werkkleding onder aan de trap schreeuwend te ijsberen toen er op de deur werd geklopt.

'Peter,' zei hij, 'moet je dat nou eens zien! Daar zit ze op de trap. Ze is gek geworden, net als haar moeder! Ze verzet geen stap meer! Neem jij het maar van me over! Ik kan hier niet meer tegen! Ik krijg nog een hartaanval! Zeg jij maar tegen haar dat ze naar school moet gaan! Zorg dat ze die trap af komt! Die kop van haar alsof ze hier de baas is, het is onuitstaanbaar! Ze bezit nog geen steen van dit huis!'

'Margaux.' Peters stem klonk effen. Hij had zijn leren jack aan. 'Mijn auto staat verkeerd geparkeerd bij de brandkraan. Wat wordt het: ja of nee? Anders moet ik ergens anders parkeren.'

'Natuurlijk gaat ze!' Papa stormde de trap op en greep mijn arm vast. 'Kleed je aan, nu! Ik moet naar mijn werk.'

'Doe dat dan maar, want ik blijf hier. Zet je auto maar ergens anders, Peter.'

'Weet je het zeker?' vroeg Peter.

'Ja, ik blijf zitten waar ik zit.'

'Goed dan.' Hij liep weer naar de voordeur.

'Wacht eens even!' Papa wees naar hem. 'Breng jij haar eens aan haar verstand dat ze naar school moet! Naar jou luistert ze wel.'

'Ik kan haar moeilijk dwingen. Als ze zich eenmaal iets in haar hoofd heeft gezet, is het verspilde moeite.'

'Aan wiens kant sta je eigenlijk?' Papa wierp hem een boze blik toe. 'Heb jij nog wat gezond verstand of wil je dat ze haar leven vergooit? Dat ze net zo zal eindigen als haar moeder? Wat doe je hier eigenlijk? Heb jij ook niet het beste met haar voor?'

Peter zweeg. Papa draaide zich weer om. 'Luister eens goed naar je vader, jij. Ik zal je meer zakgeld geven. Dan heb je meer te spenderen. Wees nou een brave meid en trek je kleren aan.'

'Nee. Ik ga niet meer naar school.'

'Waarom niet? Ligt het soms aan de leraren?'

'Nee, aan mijn klasgenoten. Ik val uit de toon. Ik val overal uit de toon.'

'Je moet je niets van anderen aantrekken. Wat maakt het uit wat mensen zeggen? In Puerto Rico lachten ze me uit vanwege de kleur van mijn haar. Ik was zowel op school als bij mijn bloedeigen familie een paria omdat ik de enige was met rood haar. Maar ik deed altijd wat mij werd opgedragen. Ik was mijn ouders nooit tot last. Iedereen wordt weleens gehoond. Ik ben mijn hele leven het mikpunt van hoon geweest, maar ik heb altijd mijn rug rechtgehouden. Ik sta nu in deze stad bekend als de echtgenoot van dat maffe wijf. Maar denk maar niet dat ik me daarom ga verbergen. Ik ga zelfs vaker op stap, om ze te laten zien dat ze mij niet klein zullen krijgen. Zodra je in je schulp kruipt, wordt het alleen maar erger. Ik wil dat je een goede opleiding krijgt en een goede toekomst.'

'De toekomst interesseert me geen moer.'

'Waarom niet?'

'Wat kan jou dat schelen? Je houdt toch niet van me.'

Hij pakte mijn arm en schudde eraan. 'Wie heeft je dat op de mouw gespeld? Nou? Je bent mijn dochter, ik móét wel van je houden! Je bent mijn eigen vlees en bloed en ik moet ervoor zorgen dat je goed terechtkomt.' Hij wendde zich weer tot Peter. 'In de hel is een speciale plek gereserveerd voor mensen die geen standpunt innemen. Je hebt mijn vrouw heel vaak naar de kliniek gebracht en mijn dochter steeds meegenomen om haar op te zoeken. Daar ben ik je dankbaar voor. Je hebt mijn dochter steeds naar school gebracht en daar ben ik je ook dankbaar voor. Maar nu laat je wel je ware gezicht zien!'

'Ik ga hier niet met je over in discussie, Louie. Ik wil net zo graag als jij dat Margaux een goede schoolopleiding krijgt. Maar ze heeft me verteld wat ze allemaal op school moet doormaken en ik weet dat ze eronder gebukt gaat.'

'Zeg, wat ben jij voor intrigant? Hebben jullie dit soms samen bekokstoofd?'

'Nee. Maar ik begrijp wel hoe ze zich voelt.'

'Laat ik hier duidelijk over zijn: je hebt het beste met haar voor, of niet. Zo simpel is het. Maar als zij zo koppig blijft weigeren, moet je haar niet meer meenemen naar de speelhal. Daar gaan jullie toch ook vaak naartoe?'

'Klopt.'

'Ik vond een fiche in haar broekzak toen ik haar was deed, daarom weet ik dat. Ik ben haar bediende. Ze is vijftien en leidt een leventje als de koningin van Sheba. Hoe zou tuchtschool haar bevallen? Als ik de politie bel en ze haar naar een inrichting voor jeugdige delinquenten brengen...'

Ik stond op. 'Bel de politie maar! Ik weet zeker dat je graag wilt dat iedereen ziet hoe ik hier schreeuwend en tegenstribbelend het huis uit word gesleept. Want het kan mij niks verdommen wat anderen daarvan vinden! In tegenstelling tot jou! Wat kunnen mij die buren schelen?'

'Weet je wat? Ik ga naar mijn werk. Ik heb het helemaal gehad met jou. Ik laat geld op het aanrecht achter, en daarmee uit. Zolang je maar bij mij uit de buurt blijft! Vanaf nu wil ik je niet meer horen! Jij komt voortaan op je tenen deze trap af! Als je tegen je moeder praat, fluister dan! Als je de telefoon gebruikt, bel dan in een andere kamer! Ik wil je stem niet meer horen! Ik wil niet meer weten dat je bestaat! Ik heb je gewist, met onmiddellijke ingang! Hoor je me? Voor mij ben je dood!'

Papa hield zich aan zijn woord. Hij praatte niet meer tegen me en stak geen vinger uit voor mijn thuisonderwijs. Peter en mijn moeder regelden alles: ze belden naar instanties en wisten ergens een diagnose te ritselen die me kwalificeerde als 'schoolfobisch', zodat ik gratis thuis les kon krijgen van leraren van mijn highschool. Ik kreeg Engels en meetkunde van een echtpaar in de zestig. Ik ging zo naar de lessen van meneer en mevrouw Bernstein uitkijken dat ik na twee keer niet eens meer in mijn nachtjapon wilde verschijnen, maar me netjes aankleedde en mijn nagels lakte als ze langskwamen. Ik trok zelfs die jurk met grijze, zwarte en rode strepen aan waarvan ik had gezworen dat ik hem nooit zou dragen. Toen ik een glimp van mezelf opving in de spiegel, in die jurk en met mijn haar in een paardenstaart, leek ik zelf wel een jonge lerares. De individuele aandacht van deze leraren deed me goed en ik haalde bijna alleen maar tienen. Maar toen mama dat tegen mijn vader probeerde te vertellen, stak hij afwerend zijn hand op.

Papa deed nog steeds mijn was, en als ik een bord op de keukentafel of op de vloer van mijn slaapkamer liet staan, dan was het de volgende ochtend opgeruimd. Tijdschriften of boeken die ik op tafel liet slingeren, raakte hij niet aan maar hij zeurde er wel over tegen mama, die het dan weer aan mij vertelde. Ik liet steeds meer dingen achter op de vloer in de huiskamer: oude studieboeken, beoordeelde proefwerken, paperbacks, schrijfblokken met lange en korte verhalen en oude nummers van *Cosmopolitan*. Ook liet ik kleren op een stoel in de woonkamer liggen. Als ze in de was waren geweest, vouwde hij ze op en legde ze in de garderobekast. Maar uiteindelijk belandden ze weer op die stoel. En hij zei er nooit iets van.

We communiceerden alleen maar via briefjes. Ik begon ermee toen ik geld voor gymschoenen nodig had. Hij liet geen geld achter, en toen ik mama vroeg waarom, zei ze dat ik een te slordig vodje papier voor hem had achtergelaten. Dat vond hij niet getuigen van respect. Ik schreef mijn verzoek dus opnieuw op, deze keer op een keurig recht afgeknipt stuk gelinieerd papier, en de volgende dag lagen er drie spiksplinternieuwe briefjes van twintig op het aanrecht. Daarna begon hij kliekjes in afgesloten tupperwarebakjes voor me neer te zetten. Ik vond 's morgens briefjes op de keukentafel met de tekst EET JE PASTA OP of GEVULDE PAPRIKA, RECHTS ACHTER DE MELK. Soms had hij zelfs een bord met meloenschijven, avocado of mango voor me in de koelkast gezet.

Toen ik zestien werd, was ik nog steeds maagd. Peter had op mijn verzoek tien perfecte pogingen ondernomen, maar telkens als hij me wilde penetreren vernauwde mijn vagina zich en ging het niet. Ik slikte spierverslappers die Peter uit het veteranenziekenhuis had meegenomen, en we draaiden romantische muziek en staken kaarsjes aan. Ik probeerde me de sexy boswachter uit Tallman Park voor de geest te halen. De jongen die ik aan zee had ontmoet en die mij aan mijn lot had overgelaten, was nog steeds een pijnlijke herinnering, al was het alweer maanden geleden. Peter zei dat hij oprecht had gewild dat ik zijn telefoonnummer had gevraagd, maar waarom was hij dan zo resoluut op ons af komen stappen? Hij had zich even onder de pier kunnen verstoppen om daar te wachten totdat wij klaar waren. Maar ach, wat deed het er nog toe? Peter en ik zouden ons plan om mij zwanger te maken ten uitvoer gaan brengen. Dan kon ik voorgoed aan Union City ontsnappen. Als ik eenmaal weg was, zou ik een ander persoon zijn. Ik had niet eens geweten hoe ik dat joch moest aanspreken. Soms dacht ik aan mijn dwaze prietpraat over kwallenmonden en zijn afscheidstekst dat ik echt een prinsesje was. Alsof hij suggereerde dat er iets mis was met me, dat ik kwetsbaar was, onwerkelijk, een poppetje zonder ziel. Door hem wist ik weer waarom ik moest vluchten. Op school had ik geleerd dat bevrijde slaven uit het Zuiden zich soms niet van hun meesters konden losmaken. Voor mij was dat het bewijs dat je datgene wat je gewend was, maar moeilijk kon achterlaten, hoe beroerd het ook geweest was. We konden gewoon niet in Union City blijven, mama en ik. Maar zelfs al dicteerde mijn verstand me wat ik moest doen, mijn lichaam wilde niet meewerken.

Na de zoveelste mislukte poging zei Peter dat we het maar moesten opgeven. 'Je raakt niet opgewonden van me. Dat komt door mijn uiterlijk.'

De lijnen in zijn gezicht waren scherper dan een paar jaar geleden. Vroeger was hij ondanks de groeven nog steeds een knappe man, maar door de diepe rimpels in zijn voorhoofd had hij tegenwoordig een permanent mistroostige uitdrukking op zijn gezicht, en omdat zijn wangen waren gaan hangen, leken zijn voorheen volle lippen nu zo dun als rubberen strips en was zijn kin teruggeweken. Alsof zijn hele gelaat was bezweken onder het gewicht van zijn moeizame bestaan. Ik durfde het niet tegen hem te zeggen, maar hij leek ouder dan de meeste andere mannen van zestig.

'Je bent een heel mooie man, Peter,' zei ik.

'Nee, dat ben ik niet,' zei hij. 'Niet meer.'

Het was rond deze tijd dat iemand een maatschappelijk werkster had ingeseind om onze relatie eens nader te onderzoeken. 'Ik ga niet weer naar de gevangenis. Ik pleeg nog liever zelfmoord,' had Peter gezegd toen we onze spullen in grote zwarte zakken stopten. Paws keek bij de deur van zijn kamer toe. In de ene zak zaten al onze schrijfblokken, in de andere de fotoalbums en de houten doos met losse kiekjes. De kleren die ik in deze kamer had liggen, waren ook haastig in vuilniszakken gepropt, evenals onze romans en de op tape vastgelegde romans. Liefdesbrieven, prullaria, gelamineerde haarlokken, video's, Peters pornofilms, het houten poppenhuis, de grijze viltmuisjes, onze boeken over oudere mannen met jonge meisjes: alles wat ons maar enigszins in diskrediet kon brengen zat in zakken.

'Heb je vastgezeten? Wanneer dan?' Ik geloofde mijn oren niet. Hij leek wel zo'n Russische pop: elk geheim zat verstopt in de buik van de volgende, een eindeloze doolhof waar ik nu al zeven jaar lang in rondrende.

'In de twee jaar dat ze jou en mij uit elkaar hielden. Het was niet mijn schuld.' Peter veegde nijdig zijn tranen weg. 'Waarom kunnen ze ons niet gewoon met rust laten? Ze hebben het recht niet in onze privéspullen te snuffelen.'

'Daar heeft ze toch wel gerechtelijke toestemming voor nodig?'

'Als het afgedwongen moet worden, ja. Maar ze kan ook vriendelijk vragen of ze aan mijn spullen mag zitten.'

'En dan zeg je vriendelijk nee. Je staat in je recht.'

'Dan zou ik me verdacht maken, en dat maakt de zaken er niet rooskleuriger op. Misschien word ik dan wel voor het gerecht gedaagd. De zaak Weehawken versus Peter Curran. Het keurige, rechtschapen volk tegen de grote boze wolf. Want zo zien ze mij. Dat we van elkaar houden, doet niet ter zake. Dat heeft voor een rechtbank geen waarde en kan niet als bewijsmateriaal worden opgevoerd. Het hoe en waarom tellen nooit mee.'

'Waarom zat je in de gevangenis, Peter?'

'De twee pleegkinderen van ons, Renee en Jenny, die hier een paar maanden logeerden. Weet je nog dat ik een keer de telefoon aan Renee doorgaf? Nou, Jenny, de jongste, liep een keer bij me naar binnen toen ik net in mijn nakie zat. En toen ze weer terugging naar haar familie, heeft ze dat verteld. Ik had mijn deur niet op slot, dus zij kwam zomaar naar binnen. Door zoiets leer je wel om je deur altijd op slot te doen.'

'Kreeg je daarom geen pleegkinderen meer?'

'Dat was niet mijn eigen keus. Al werd de aanklacht weer ingetrokken, ik mocht me niet meer als pleegvader opgeven,' zei hij, maar ik meende me te herinneren dat hij had gezegd dat het kwam doordat het afscheid hem steeds zo zwaar viel.

'Maar je hebt toch niets met hen gedaan, hè? Met Jenny of Renee?'

'Welnee! Ik vertel jou toch alles, Margaux? Waarom zou ik dat ene ding geheimhouden en over de rest vrijuit praten? Je hebt mijn hele levensverhaal gehoord. Jij bent mijn rechter, mijn jury en zelfs mijn beul als je dat verkiest.'

'En hoe zat het met Karen?' Mijn hart bonsde. Alleen al de gedachte aan Karen was genoeg om mijn adem te laten stokken.

'Margaux! Kom op nou! Nee, dus. Ik ben hier niet voor in de stemming. Ik was onschuldig bevonden. Ik heb maar een paar dagen vastgezeten, maar ik heb iets vreselijks meegemaakt. Er is iemand afschuwelijk mishandeld door een paar medegevangenen, en terwijl hij daar bloedend op de vloer lag hebben ze over hem heen staan pissen. Ze hebben mij met de dood bedreigd. Als ik ooit vast kom te zitten, scheuren ze me aan repen.'

De rest van de avond moest ik aan Karen denken. Zat ze wel op een veilige plek? Was ze gelukkig? Ik hoopte alleen maar dat het met haar beter ging dan met mij. Waarom zou hij mij wel mee naar het souterrain nemen en haar niet? Dus ik vroeg het hem een paar dagen daarna nogmaals, maar hij bleef volhouden dat hij haar nooit had aangeraakt. Hij had mij toch, zijn ware liefde, en hij had dus niemand anders nodig, zei hij. Toch bleven de vragen door mijn hoofd spoken. Ik moest me geestelijk voorbereiden op het bezoek van de maatschappelijk werkster aan mijn ouderlijk huis. Ze zou een heel tactisch ondervragingsarsenaal hebben om me dingen te laten bekennen. Volgens Peter zou ze hem als schurk proberen af te schilderen, en woorden als 'verkrachting' gebruiken. Zodra ze de benodigde informatie had verzameld, zou ze hem aanklagen en werd Peter waarschijnlijk doodgeslagen in de gevangenis. En als ik aan mijn vader dacht, begon mijn hart ook te bonzen. Iedereen zou hem achter zijn rug uitlachen dat hij zijn dochter bij een ouwe vent liet rondhangen. Ik was de woorden van mijn vader nog altijd niet vergeten: een verkrachte vrouw kan beter dood zijn.

De maatschappelijk werkster bleek een kordate vrouw van in de zestig te zijn. Ze belde bij ons aan op donderdagochtend om elf uur. Mijn vader was op de zaak en mijn moeder zat weer in de inrichting. De maatschappelijk werkster had een geel aantekeningenblok en een scherp geslepen potlood bij zich. Ze droeg pumps, een kaki broek en een blauwe bloes met lange mouwen. Ze begon meteen een reeks vragen op me af te vuren zonder antwoord te geven op mijn vraag wie haar had gebeld. Al mijn antwoorden schreef ze netjes op. Ze wilde weten of Peter me ooit had aangeraakt, en stelde de vraag een paar keer en dan steeds anders geformuleerd, en telkens als ik ontkende, vroeg ze: 'Weet je dat zeker?'

Wat hadden we precies voor relatie? wilde ze weten. Waar praatten we over? Wat deden we elke dag? Ze keek me recht in de ogen terwijl ze me ondervroeg. Ook zei ze dingen als 'Het is jouw taak om andere meisjes hiervoor te behoeden', wat ik dus echt idioot vond. Ik nám andere meisjes al in bescherming. Ik voldeed aan al zijn fantasieën zodat hij zich niet aan andere meisjes hoefde te vergrijpen. Ik was al een grote meid en kon me wel redden. Als Peter ziek was, dan was ik zijn medicijn.

'Je houdt iets voor me achter,' zei ze.

Wie had ons erbij gelapt? Een willekeurige roddeltante? Richard? Of was het Jessenia vanwege de huurverhoging van een halfjaar geleden? Of was het soms een wraakactie van Linda jegens Inès, omdat die samen met ons de pineut zou zijn? Misschien had mijn moeder wel gebeld. Misschien had ze iemand gebeld tijdens een van haar gestoorde waan-voorstellingen. Of was het mijn vader geweest? Iemand die een tijdje bij Peter op zolder had gewoond en had gedacht dat er iets niet pluis was? Peter hield vol dat het Gretchen was, Ricky's vriendin. Ze zou ooit een insinuerende opmerking hebben gemaakt, maar hij wist niet precies meer welke want hij had het verdrongen. Maar als zij het was, die pruikenheks, dan vervloekte hij haar in alle toonaarden. Hij zou haar met blote handen willen wurgen. Ik had geen idee wie erachter zat. Het kon net zo goed mijn eigen moeder zijn.

Hoe meer vragen ze me stelde, des te ontwijkender werd ik, totdat ze er uiteindelijk het bijltje bij neergooide.

De maatschappelijk werkster was ook al bij Peter geweest en had de foto's van de jonge meisjes aan de muur gezien en de beeldjes van meisjes die hij in zijn paniek over het hoofd had gezien. Hij vertelde me hoe hun gesprek was gegaan en ik speelde keer op keer de dialoog in mijn hoofd af.

Waarom heb je geen foto's van jongens aan de muur? Van je stiefzonen, of beeldjes van jongens?

We zijn uit elkaar gegroeid. U ziet dat ik ook geen foto's van mijn eigen dochters heb. Daar word ik alleen maar droevig van, omdat ze me dan zouden herinneren aan wat ik moet missen.

Ik heb met ze gesproken. Volgens een van uw dochters zou u haar seksueel hebben misbruikt. Ze zei het niet met zoveel woorden, maar insinueerde het wel.

Ze zijn gewoon boos op me vanwege de scheiding. Dat is mijn schuld niet.

Geeft u alstublieft antwoord op de vraag waarom u geen foto's van jongens aan de muur hebt hangen.

Is het niet mijn recht om mijn kamer in te richten zoals ik zelf wil? Is er een wet die mij die vrijheid ontzegt?

U geeft geen antwoord op de vraag. U heeft in deze kamer ontelbare foto's en beeldjes van jonge meisjes. Alleen van meisjes, niet van jongens of volwassenen.

Ik heb het recht om mijn kamer in te richten zoals ik dat zelf wil. Ik zal al uw vragen beantwoorden, maar mijn manier van mijn huis decoreren is helemaal mijn eigen zaak. En het is ook niet relevant. Als ik hier ergens een hok had met zwepen en kettingen en een verzameling meisjesonderbroeken, was het een ander verhaal.

Waarom hebt u een ouijabord?

Dat is van Margaux.

Waarom bewaart Margaux haar spullen in uw kamer?

Haar vader wilde het niet in zijn huis hebben. Hij is erg bijgelovig en bang voor spoken.

Wat betekent dat bord dat boven uw deur hangt, waar SLAVENKWARTIER op staat? Waar verwijst dat naar?

Dat is gewoon een grapje. Het slaat op mij. Ik ben gepensioneerd maar ik doe van alles in en om het huis. Als een soort alternatieve baan.

En uw eerste baan is het amuseren van Margaux? Wat geeft ze u ervoor terug?

Gezelschap. We vinden het gewoon leuk om samen dingen te doen. We zijn elkaars beste vrienden.

Er zijn niet veel zestigers met een beste vriendin van zestien jaar.

Ik denk dat u het ongebruikelijke met het criminele verwart.

En ik denk dat u dat meisje seksueel misbruikt.

Margaux. Noem haar Margaux, zo heet ze.

Ik denk dat Margaux een van uw slachtoffers is. U bent een gladjanus. U doet dit al heel lang zo. U hebt gauw alle verdachte spullen uit uw kamer gehaald.

Volgens Peter was ze aan het eind van het gesprek ronduit

venijnig geworden omdat ze wist dat ze het niet van hem had kunnen winnen. Ze had hem gevraagd of hij bekend was met de zaak-Patty Hearst, of met het stockholmsyndroom. Hij zei van niet. En toen had ze gezegd: 'Nou, dan heb ik medelijden met je op de dag dat dat meisje bij zinnen komt.'

Toen ik die avond uit de badkamer kwam, stond mijn vader bij het kookstel een sigaret te roken. Hij keek me aan en drukte zijn peuk uit in de asbak.

'Kom eens hier.' Zijn stem kwam diep uit zijn keel. 'Ik moet met je praten.'

'Ik ben moe. Morgen...'

'Nee, nu!'

'Oké dan. Gaat het soms over mijn moeder? Wanneer komt ze weer thuis?'

'Je weet heel goed waar ik je over wil spreken. Die vrouw, die maatschappelijk werkster, zit me op mijn nek. Ze probeerde me met allerlei vragen een hoek in te drijven! Ze wilde alles weten over de relatie tussen jou en die kerel. Ik heb je eer bewaard. Ik zei dat je onschuldig was. Ik hield vol dat je een prima meid was. Maar nu wil ik de waarheid weten. Heeft die ouwe man aan je gezeten?'

'Ik ga naar bed,' zei ik. Ik draaide me om, maar hij stond in een oogwenk achter me en greep me bij mijn schouders.

'Ik heb je in bescherming genomen!' bulderde hij. 'Ik heb je goede naam hooggehouden! Was dat terecht? Ben je het wel waard? Zeg me de waarheid!'

'Laat me los!'

'Dat lelijke wijf zei dat ze met een dochter van die man had gepraat. Hij heeft zijn eigen dochter verkracht, daar kwam het op neer. Zijn eigen dochter!'

'Het is niet waar...'

'Wat is er niet waar? Dat van zijn dochter of wat ze over jou zeggen? Want het is maar dat je het weet, maar het kan me niets schelen wat die man met zijn dochter heeft uitgespookt, hoor je me? Die dochter laat me siberisch! Dat zijn mijn zaken helemaal niet. Al heeft hij al zijn dochters verkracht, ja? Het enige wat mij interesseert is wat zich tussen jou en hem heeft afgespeeld.'

'Laat me los. Laat mijn schouder los. Je denkt dat je de baas over mij kan spelen. Je denkt dat ik net zo met me laat sollen als mijn moeder.'

'Draai er niet zo omheen!' Hij rammelde me nu door elkaar. 'Schei daarmee uit, verdorie! Je kunt naar de hel lopen, met je verwaande air. 's Kijken hoe het je daar vergaat. Jij en die ouwe vent, hoe zit dat? Jij en die oude, sneue, zwakke, gerimpelde, tandeloze ouwe kerel. Heb je hem aan je laten zitten? Je kunt maar beter antwoord geven want ik blijf hier desnoods de hele nacht staan. Kijk me aan, goddomme! Ik wil de waarheid horen! Ook al betekent het dat je niet langer mijn geld waard bent of het onderdak dat ik je verschaf! Neem van me aan dat ik me van je afkeer zonder een greintje medelijden! Dan kun je met die ouwe knar gaan hokken. Of voor mijn part straatsnol worden en die griezel onderhouden. Want als je niet wilt deugen, dan zal ik de dag vergeten waarop je bent geboren! Ik schrap je geboortedag gewoon van mijn kalender!'

'Er is niets gebeurd. Er was nooit iets aan de hand,' zei ik, en ik stond er versteld van dat ik zoveel verdriet voelde. Wat ik al jarenlang vreesde, kreeg ik nu voor de kiezen: dat hij nooit meer van me zou houden; wat zich in het souterrain heeft afgespeeld, waarvan hij niets wist maar een vermoeden had, maakte dat ik dood voor hem was.

'Je lijkt wel een robot! Je zou jezelf eens moeten horen. Er zit geen greintje overtuiging in je stem. Ben je soms op deze uitvluchten getraind? Als een marionet? Stroomt er nog wel bloed door je aderen of ben je volgestopt met leugens? Herhaal je als een papegaai wat je moet opdreunen zonder dat er enige hersenactiviteit van jezelf aan te pas komt? Je kunt maar beter wat overtuigender worden, dame. Als je liegt, komt dat voor jouw eigen rekening! Jij zult degene zijn die daar last van gaat krijgen, niet ik! Het zal je vanbinnen wegvreten, hoor je me? Het zal in je ingewanden gaan voortwoekeren!'

'Hoe moet ik het dan zeggen? Welke woorden moet ik kiezen opdat je me gelooft? Ik ben niet schuldig! Ik ben niet schuldig!' Ik voelde me licht worden. Zijn greep op mijn schouders verslapte en ik zonk neer op de vloer. 'Ik ben onschuldig! Onschuldig! Onschuldig!'

Hij sloeg zijn armen om me heen. 'Niet huilen, meissie. Niet huilen.'

'Ik ben onschuldig, papa! Onschuldig. Zie je dat niet? Echt niet?'

'Ik weet wel dat je onschuldig bent. Ik heb je op de proef gesteld. Ik wist dat je me de waarheid zou vertellen. Die lui, die maatschappelijk werkers, zij zetten zich niet in voor gezinnen, ze proberen hen te verscheuren! Sensatie willen ze! Het zijn net paparazzi. Dat wijf was een beest, een lelijk ding. Dat smoelwerk. Dat haar! Lieve help, zo lelijk als de nacht. Net een pad. En zoals ze razendsnel in dat notitieblokje zat te krabbelen. En die starende blik! Hoe durft ze mijn dochter van wangedrag te beschuldigen? Ik zou de instanties moeten bellen en een aanklacht indienen over hoe ze mij behandelde. Als een tweederangs burger!'

'Zo deed ze ook tegen mij. Alsof ik een crimineel was.'

Hij gaf me een zakdoekje. 'Maak je gezicht schoon. Snuit je neus. Maar zeg, misschien is het nu eindelijk eens afgelopen dat jij daar de deur platloopt. Misschien is dit een les...'

Ik schoot woedend overeind. Papa had zich net uitgesloofd om me duidelijk te maken dat hij me niet kon accepteren zoals ik was, en nu wilde hij de enige persoon van me afnemen die dat wel deed. 'Nee, papa, dat gaat niet gebeuren. En daar heb jij niets over te zeggen. Je hebt nu geen enkele reden om me tegen te houden.'

26

De vrouw in de boom

Dat najaar raakte ik helemaal in de ban van de muziekbands Hole en Veruca Salt. Ik deed dezelfde donkerrode lippenstift op als Courtney Love en Louise Post. Ook was ik bezeten van de blonde, lekkere, broeierige en eeuwig zevenentwintigjarige rockster Kurt Cobain, die zichzelf in april door zijn hoofd had geschoten. Peters opmerking dat Kurt veel te jong was overleden, beantwoordde ik met een schamper lachje: het was immers een wonder dat hij het in deze rotwereld nog zo lang had uitgehouden. Misschien had Kurt nog minder eigenwaarde dan ik, want daar gingen al zijn songteksten over. Hij voelde zich waardeloos en viel buiten de maatschappij. In de auto duwde ik de ene Nirvana-tape na de andere in de cassettespeler terwijl we het huis steeds verder achter ons lieten, hoewel sommige songs Peter op de zenuwen werkten. Tijdens de rit van veertig kilometer naar Palisades Park, met Paws op de achterbank, zong ik uit volle borst met mijn nieuwe idolen mee en voelde me weer net zo uitgelaten als in de tijd dat we nog volop met Het Sprookje bezig waren.

Bij Overlook Lodge, een eettentje waar ze gegrilde hamburgers verkochten, veel te dure patat en koekjes voor de honden die een heleboel mensen daar uitlieten, vertelde de eigenaar ons het een en ander over de verontrustende geschiedenis van Palisades Park. Zelfmoorden waren hier niet ongewoon, vanwege de kliffen die uitkeken op de Hudson River. Het akeligste verhaal ging over een mager vrouwtje dat op de grote rivierkeien beneden op de oever te pletter wilde vallen; helaas werd haar val gebroken door boomtakken en hing ze daar met verbrijzelde botten urenlang totdat ze uiteindelijk stierf. Omdat ze zo fragiel was en weinig woog, was ze blijven steken en braken de takken niet door.

Het was herfst, en dat was de tijd voor buizerds en visarenden met hun onmiskenbare M-vormige vleugels. In de zomer plukte ik hier altijd wilde frambozen te midden van rondfladderende dagvlinders. Ik had PETER EN MARGAUX '95 met een sleutel in een van de picknicktafels gekrast. We hadden geheime beekjes ontdekt en stenen verzameld voor helende wiccaspreuken.

Ik vond het hier fijn. Hier had ik het gevoel alsof ik op een schip zat dat steeds verder van de werkelijke wereld af dobberde. De enige twee met wie ik tegenwoordig nog contact had waren Peter en Paws. Het thuisonderwijs verliep uitstekend, maar omdat ik nu zestien was, mocht ik officieel van school af en werden de thuislessen door de schoolraad stopgezet. Ik had in november mijn tentamens gehaald, maar ik had nog geen idee wat ik met dat papiertje aan moest. Ik miste mijn leraren, vooral het echtpaar Bernstein, maar ik hield mezelf voor dat het me niets kon schelen. Als een zeeman midden op de oceaan of een astronaut op de maan deed ik mijn best om dat gruweleiland ver achter me te laten: papa's huis in Union City, de psychiatrische inrichtingen, de ruzies met Peter en die afschuwelijke scholen. In Palisades Park kon ik dat allemaal loslaten. Ik ging nauwelijks met mensen van mijn eigen leeftijd om, dus ik hoefde ook niet te treuren om feesten, dates en dansavondjes die ik moest missen.

Ik wist dat Peter jaloers was op mijn obsessie voor Kurt Cobain, dus ik was verbaasd dat hij een keer met de *Hit Parade* uit Barnes & Noble aankwam en me vroeg om het lovende artikel over Nirvana voor te lezen. Hij prikte zelfs een zwart-witposter van een lachende Kurt aan de muur.

'Ta-da!' riep hij uit en haalde zijn hand van mijn ogen. 'Weet je nog dat die maatschappelijk werkster zei dat ik geen jongens aan de muur had? Nou, daar is hij dan, lieverd, speciaal voor jou!'

Het viel hem zelf niet op, maar door die poster leek alles in zijn kamer opeens erg gedateerd. En al betrof het iemand die niet meer op deze wereld was, het bood me toch enige troost omdat Kurt me eraan herinnerde dat er naast Peter toch nog andere mannen waren die iemand als ik zouden accepteren zoals ik was, omdat ze zelf ook beschadigd waren. Peter scheen het niet erg te vinden om hem aan de muur te hebben. Hij staarde er af en toe naar met een ondefinieerbare blik, en zei dan dat Kurt net een klein jongetje leek dat helemaal ondersteboven was van de lichtjes in het circus.

Door Nirvana's en Holes zwartgallige muziekstijl laaiden mijn eigen wraakgevoelens jegens Peter in alle hevigheid op: de ondertiteling waarvoor ik al die tijd blind had willen blijven, werd nu keer op keer hardop voor me gezongen. Met als gevolg dat we nog meer ruzie kregen, en onze ruzies werden ook steeds gewelddadiger. Op een avond zaten we te bakkeleien in de auto omdat hij aangaf niet meer met me naar bed te willen. 'Je had het beloofd!' schreeuwde ik. 'Net zoals ik mijn belofte aan jou heb gehouden op je verjaardag, weet je nog? En ik was nog maar acht. Wat ben je dan? Een pedofiel. Een pedo, dat ben je. Pedo!' Peter stopte zijn vingers in zijn oren, en toen ik probeerde zijn handen weg te trekken, stompte hij me vol in mijn gezicht. Het bloed spatte over mijn shirt en over het dashboard.

Peter nam me snel mee naar het parkeerterrein van het winkelcentrum om gaasverband en pleisters te halen. Hij moest even wachten omdat hij te overstuur was. Ik hield zakdoekjes tegen mijn neus gedrukt; ik kon nauwelijks geloven dat mijn bloed op het handschoenenkastje zat. Mijn neus voelde alsof hij volgespoten was met novocaïne. Ik staarde naar mijn verpeste shirtje. Dat moest ik gauw weggooien voor iemand het zag, en ik hoorde mezelf hardop die bezorgde woorden uitspreken. Hij zei dat hij eerst een van mijn shirts uit zijn kamer zou pakken voor hij me thuis afzette.

Hij leunde met zijn voorhoofd tegen het stuur. 'Je maakt me helemaal gek. Noem me alsjeblieft niet zo, ik smeek je, laat het verleden rusten. Mijn dochters kunnen me niet vergeven en jij bent nu ook al zo haatdragend geworden. Zijn al onze mooie momenten dan vergeten? Dat vroeg ik ook aan mijn dochter toen ik haar aan de telefoon had. Ik weet nog dat ik op haar trouwdag stiekem de kerk binnen glipte en weer ben weggegaan zodat ze me niet zou zien. Ik hield van je, oprecht, en ik heb je nooit kwaad willen doen. Vergeet dat nooit.'

Ondanks mijn belofte kon ik het verleden niet achter me laten. Na alweer een heftige woordenwisseling stompte Peter me een blauw oog, dat ik onder lagen make-up moest wegwerken. Tot tweemaal toe moest hij de voorruit in de Granada laten vervangen omdat hij hem kapot had geslagen. Een keer probeerde ik de auto met ons erin tegen een boom te zetten. Een andere keer kerfde hij met een mes mijn gezicht uit de grote ovale foto van mij als achtjarige, die al die tijd bij hem aan de muur had gehangen. Toen kreeg hij er spijt van en plakte de foto, met lijst en al, onder zijn matras, samen met die memoires die hij niet weg had willen doen en een ingelijste foto van zijn dochters.

Op een decemberavond zat ik bij hem op zijn kamer en controleerde met behulp van een thermometer of ik ovuleerde. Ik had in een boek over vruchtbaarheid gelezen dat je dat zo kon meten. Mijn temperatuur was ietsje hoger, wat betekende dat mijn baarmoedermond voldoende was gezwollen en mijn oestrogeengehalte hoog was – plus nog een scheutje brandy van mijn luteïniserende hormonen: ik was gereed voor bevruchting. Het maakte niet meer uit dat alle dromen die ik had gekoesterd in nachtmerries waren veranderd: verlaten kermisattracties met seriemoordenaars, treinrails en oceaanbodems. Ik droomde nu van onbekenden die me verkrachtten in een park, dakloze vrouwen met dobbelstenen in plaats van ogen, mijn lichaam dat van onder tot boven bedekt werd door kakkerlakken, drooggevallen bergkloven, zonlicht dat werd geblokkeerd door luiken. Ik schreef in mijn dagboek over een droom waarin ik een strop aan een van de balken in het souterrain bevestigde, HOER en SLET met bloedrode lippenstift op mijn borsten kalkte en me daarna verhing zodat iedereen me daar zou kunnen zien.

Maar vanavond was ik er klaar voor om moeder te worden en een kind te krijgen dat eeuwig en onvoorwaardelijk van me zou houden. Zodat ik zowel mijn eigen droom als die van mama en tante Bonnie kon verwezenlijken. De tweelingzussen zouden weer herenigd worden: we zouden een liefdevol gezinnetje vormen in Ohio. Zelfs papa zou er gelukkig van worden omdat hij eindelijk kon leven zoals hij altijd al had gewild: zonder die twee blokken aan zijn been. Het vooruitzicht van bloed en pijn kon me niet van mijn plan afbrengen: ik was sterk genoeg. Ik had net twee kalmerende pillen geslikt uit Peters voorraad, een joint gerookt die hij had gekregen van Ricky's vriend die verderop in de straat woonde, en een breezer gedronken terwijl we twee uur naar Nirvana-tapes hadden geluisterd.

Natuurlijk had Peter nog steeds ernstige twijfels. Als mijn plan zou werken, zou hij alleen achterblijven. Hij zou in zijn eentje de beeldjes op hun sokkels moeten verplaatsen, iets wat een obsessie van hem was geworden omdat hij maar niet de perfecte rangschikking wist te vinden. Na het bezoek van de maatschappelijk werkster had hij de muren een nieuw verfje gegeven: ze waren nu knalroze, als een kinderfietsje. Hij was ook begonnen met het bouwen van een stenen muur, om jongeren te ontmoedigen die na een avondje uit bij hem in de tuin neerstreken met hun drank en sigaretten, lege blikjes in de hangmat achterlieten en hun peuken in de hemelboom uitdrukten. Hij hield daar niet mee op toen de muur hoog genoeg leek. En toen hij niet hoger kon, ging hij hem in de lengte uitbreiden, ondanks Inès' waarschuwing dat hij zijn rug voor niets stond te verpesten. Uiteindelijk kreeg de muur iets van een oude vestingwal. Ik beeldde me in dat de muur – als ik eenmaal met mama bij tante Bonnie zou wonen – zo lang zou worden dat hij uiteindelijk de hele tuin omsloot, het roestige kippengaas verving en overwoekerd zou worden door druivenranken, het soort klimop dat bij Inès associaties opriep met spookhuizen.

Die avond klapte hij het bed neer en lag ik daar spiernaakt, mijn schaamhaar keurig afgeschoren en mijn haar in twee vlechten met harde bolletjes aan het elastiekje zodat ik er zo meisjesachtig mogelijk uitzag. Toen hij op me af liep, met een intens droevige uitdrukking op zijn gezicht, zijn sproetige lichaam bleek en oud, voelde ik me als een egel die zijn warme lichaam oprolde om elke stekel op te zetten. Op de achtergrond klonk *In Utero* van Nirvana. Ik keek naar mijn poster van Kurt. Hij straalde en had zijn handen om de knieën van zijn gescheurde spijkerbroek geslagen. Peter wilde in zijn kamer alleen maar blije gezichten om hem heen.

'Ontspan je alsjeblieft, schatje,' zei hij terwijl hij probeerde me te penetreren.

'Ik doe mijn best.'

'Beeld je in dat je een jongen bent. Dat je met Kurt naar bed gaat, of dat jij hem bent.'

'Dat kan ik niet. Ik weet wat er nu gaat gebeuren. Ik probeer me goed te houden, uit alle macht.'

'Ik weet het, liefje.'

'Maar ga door, ook al doet het pijn. Verkracht me, net zoals Kurt zegt. Denk niet aan mij maar aan mijn lichaam. Zelfs als het pijn doet, zal ik het nog lekker vinden.'

'Je lijkt Nina wel. Je praat alsof je ook zo'n bikkel bent geworden. Je bent toch nog geen bikkel? Niet zo'n ruige chick?'

'Het is maar een klein gaatje. Mijn babymeisjesgaatje. Ik ben zo nauw, ik ben nog maar acht. Kom papa, ik wil je. Je hebt een magische toverstaf, papa. Ik wil je toverstaf in me voelen. Ik wil jouw baby.' Ik was nu precies twee keer zo oud als toen ik voor het eerst dat soort dingen ging zeggen.

Peters slap geworden penis begon weer hard te worden.

'Praat door, op die manier.'

Ik sloot mijn ogen zodat ik zijn lange, oude lichaam, vermoeide gezicht en oude huid niet hoefde te zien. 'Ontspan je, schatje. Als ik voel dat je gespannen bent, word ik slap. Als het zo doorgaat, moeten we ermee kappen vanavond.'

'Onmogelijk, ik ovuleer maar één keer per maand.'

'Laten we vanavond iets vrolijks doen. Dan proberen we het morgen nog een keer. Zullen we scrabbelen of jokeren? Iets waarbij we kunnen ontspannen. Ik krijg last van mijn rug.'

'Nee.' Mijn behoefte om de cirkel rond te maken die op

mijn achtste was begonnen, was te groot. Ik was nu zo vastberaden dat ik me zelfs niet door mijn verstarde spieren uit
het veld liet slaan. Ik zat op hem, zoals hij had gevraagd omdat hij last had van zijn rug. Mijn vagina was droog, dus gebruikten we vaseline. Tijdens de seks probeerde ik tevergeefs
aan Kurt te denken: deze kamer was te werkelijk voor mij.
Ik zag de beeldjes op hun sokkels, de gezichten in het helwit-
te lamplicht, de rondspringende krekels in het terrarium, als
prooi voor de hagedissen. Ik hoorde buiten de kamer iemand kuchend de koelkast opendoen, en voelde schaamte.
En pijn. Ik probeerde strijdlust in mezelf op te roepen om
mijn angsten de baas te worden, ik wilde zo graag naar en
niet weg van die gloeiende, dieprode kern van pijn. Later
zou ik de edele barensweeën van de geboorte ervaren en uit
dat ene verwoeste meisje zou een vrouw herboren worden.
Ik voelde geen opwinding, slechts blijdschap dat zijn penis
nu in me was omdat zijn poging om leven te verwekken de
genoegdoening zou zijn voor mijn vele, vele geschenken aan
hem in de afgelopen jaren. Het was alsof ik dat achtjarige
meisje, dat veel te vroeg met seks was begonnen, eindelijk
soelaas bood door nu zelf het heft in handen te nemen en hij
kwam in me, precies zoals ik hem had gevraagd.

Vandaag was het 30 december en morgen zou het oudejaars-
dag zijn. Papa's favoriete dag. Het was tevens zondag, maar
Peter en Inès moesten maar samen op stap. Ik had mijn eigen
uitje gepland. Ergens op een pier, buiten elke tijd om, wachtte mijn echte schip. Zonder zeilen. Anderen waren al voor
mij aan boord gegaan. Het was koud en er lag nog overal
witte sneeuw, maar een roestbruin plekje in mijn onderbroek was het teken dat ik ongesteld was geworden en tevens het teken dat ik, zoals ik al vermoedde, een gecorrum-
peerd lichaam had: het zou geen nieuw leven kunnen geven.

Ik was niet zoals Mamaatje, de kat in het souterrain. En dat souterrain betekende de dood voor het leven. Dat duistere, rommelige, van spinrag vergeven souterrain had al het leven uit me geknepen. Daar had ik mezelf aan hem uitgeleverd en voor hem mijn eigen wil gebroken, en nu was die weg. Mijn wil was dood, dus ik kon net zo goed zelf ook dood zijn.

Dus ik schreef mijn zelfmoordbrief van twee pagina's, heel keurig, als laatste teken van respect voor mijn vader. Zou mijn eer daarmee gered zijn? Papa zat in de kroeg en mijn moeder lag boven in de ouderlijke slaapkamer te maffen. Ik had geklaagd over tochtige ramen en erop aangedrongen dat ik in haar bed bij de keuken kon slapen. De gedachte om in die slaapkamer boven te sterven was ondraaglijk. Ik pakte papa's grote whiskyfles en de medicijnpotjes van mijn moeder. Nadat ik alle pillen met een paar stevige borrels had weggespoeld, nam ik de fles whisky mee naar de badkamer en begon aan de Tylenol, Advil, Robitussin, koortswerende tabletten, Imodium, Pepto-Bismol, vitaminepillen, codeïne en alle andere huis-tuin-en-keukenmiddeltjes die ik kon vinden. Ik liet de lege potjes op tafel staan en de halflege whiskyfles liet ik achter in de wastafel in de badkamer. De kraan liep en de tube tandpasta was plat omdat ik die had leeggeknepen en de inhoud doorgeslikt.

27

Het contract

Het eerste wat ik zag toen ik weer wakker werd, was oog-verblindend licht dat in rechthoekige bundels boven mijn hoofd hing. Toen braakte ik een zwart goedje uit dat op ge-smolten asfalt leek.

'Schrik niet,' zei de man in groene kleren. 'We hebben je koolstoftabletten gegeven om je te laten overgeven. Je hebt geluk gehad. Alles komt in orde. Blijf gewoon overgeven, meisje, je maakt het goed.'

Ik was tamelijk gefascineerd door mijn onmenselijkheid: ik was een en al buis en draad. Er zat een infuus in mijn hand; vastgeplakt met dikke, transparante tape. Ik had geen ondergoed aan en er was een katheter in me aangebracht. Mijn handen waren vrij, maar mijn benen waren vastgebon-den met een of ander koord. Ik probeerde me los te wurmen maar het koord gaf niet mee.

'Maak me los, alstublieft.'

De witte wereld kwam als in een waas op me af. Ik sloot heel even mijn ogen en het ziekenhuispersoneel verdween uit mijn blikveld. 'Maak me los,' mompelde ik. 'Laat me alstu-blieft gaan.' Het was moeilijk mijn ogen open te houden. Mijn enkels wreven hulpeloos langs hun ketenen en even schoot de gedachte door mijn hoofd dat de arts seks met me wilde, dat hij me daarom had vastgebonden.

De daaropvolgende keer werd ik wakker door het geluid van stemmen. Papa en Peter. Ze stonden bij me aan het voeteneinde. Ze hadden het over mij, dus ik deed net alsof ik nog sliep.

'Weet je zeker dat haar ingewanden niet beschadigd zijn?' vroeg Peter.

'Ja, goddank. Volgens de arts heeft ze expres al die rommel achtergelaten zodat haar moeder het zou vinden. Het was kennelijk een schreeuw om aandacht. Ze weet dat haar moeder 's nachts altijd naar de wc moet.'

'Maar ze heeft wel een brief achtergelaten, zei je. Heeft Sandy die gevonden? Stond erin waarom ze dit heeft gedaan?'

'Ze heeft te veel ingenomen, daarom is ze nog in leven. Als ze maar een paar pillen had geslikt, had ze dood kunnen gaan. Maar het was allemaal voor de show. Aandacht trekken.'

'Maar wat stond er dan in die brief? Je zei dat je hem onderweg naar het ziekenhuis hebt gelezen. Stond er nog iets in over haar moeder of over jou, of over mij of Inès?'

'Ik heb het briefje aan de artsen overhandigd. Dan kunnen zij het doorgeven aan de zaalpsycholoog van de jongerenafdeling. Ik kon er geen touw aan vastknopen. Kurt Cobain, ouijaborden. Ze schreef iets over een gesprek met hem via een ouijabord. Ik wist niet eens dat ze er eentje had. Die borden zijn geen dingen om mee te sollen. Waarom heb je haar niet tegengehouden?'

'Ze deed dat altijd met Inès. Ik ging ervan uit dat het volstrekt onschuldig was. Maar was dat het enige wat er in het briefje stond? Kurt Cobain en een ouijabord?'

Ik vroeg me af waarom hij zo zat door te zagen over die brief. Ik leefde nog. Dat zou voor hem het belangrijkste moeten zijn.

'Kurt Cobain. De liefde van haar leven is een heroïnejunk. Er stonden alleen maar gestoorde dingen in dat briefje. Je kon wel zien dat degene die het had geschreven zelf gestoord was.'

'Die obsessie is beslist ongezond,' beaamde Peter. Ik kon niet geloven dat hij met mijn vader samenspande. Ik had geen zin om er nog verder over na te denken. Geen idee wat voor pillen ze me hadden gegeven, maar ik kon er wel weer meteen door in slaap vallen.

Er lag een heel knappe jongen bij mij op de jongerenafdeling die met een mes zijn tatoeages uit zijn eigen armen had gesneden. Als we aan dezelfde groepstherapiesessie deelnamen, deed ik rode lippenstift op. Ik had mijn moeder gevraagd om die met de rest van mijn kleren mee te nemen. Met al die pillen in haar lijf kon mammie natuurlijk geen traan laten. Haar gevoelens waren sowieso amper te peilen; of ze bijvoorbeeld bezorgd was dat ik net zo zou eindigen als mijn kamergenote Shawna, die altijd twee identieke klodders gezichtscrème op haar wangen deed. Als een verpleger zei dat ze die moest uitsmeren, snauwde ze: 'Sterf, teringlijer.' Gelukkig leek ik niet op Shawna. Ondanks mijn depressie had ik ze nog altijd op een rijtje.

Gedurende de twee weken dat ik op de psychiatrische afdeling lag, werd ik door de Inquisitie doorgezaagd over Peter. Ik moest allerlei lastige vragenlijsten doorwerken en rorschachtests maken, en een idioot contract ondertekenen dat ik nooit meer zelfmoord zou proberen te plegen. Volgens de psychiater wezen de vragenlijsten uit dat mijn woede veel meer op mijn moeder dan op mijn vader was gericht, wat voor mij eens te meer een bewijs was dat ze geen enkel benul hadden. Hoe kon ik boos zijn op mijn arme mama? Papa was degene die ons gezin had verwoest. Ook wist de psychiater me te vertellen dat ik zo positief mogelijk over mijn moeder moest denken om negatieve gevoelens uit te sluiten, en dat ik ondanks de woede jegens mijn vader diep in mijn hart heel veel van hem hield. Ik had nog nooit van mijn leven zoveel flauwekul moeten aanhoren als van die zogenaamde experts.

Ik bleef bloedingen houden. Het leek me wel cool om tegen mijn nieuwe vriendin Kim te zeggen dat ik een miskraam had, ondanks het feit dat mijn menstruatie altijd al ongewoon lang was. Shawna was even de kamer uit; die zat ergens in een speciale wastobbe haar benen te scheren onder begeleiding van een verpleegster die moest verhinderen dat je je polsen doorsneed, en dus hadden Kim en ik het rijk alleen. Het ergerde Kim dat ik zo zat te snoeven dat het me niets deed als Greg, de hulpverlener, met een stijve tegen me op stond te rijen in het washok.

'Als hij de kloten had om me te verkrachten, zou ik nog blij zijn ook, want dan kon ik hem laten ontslaan. Bovendien kon ik hem dan aanklagen, want hij heeft niet het recht om aan de meisjes te zitten, hier noch elders. Maar vooral niet hier, waar de meiden het al moeilijk genoeg hebben. Ik ben misbruikt sinds mijn achtste. Waarschijnlijk langer dan wie ook in dit oord.' Dat kwam er zo rap en zo arrogant uit dat ik mijn woorden graag had teruggenomen.

Er stond geen medelijden op Kims gezicht te lezen, en daar was ik haar dankbaar voor. Ze moest alleen maar denken dat ik stoer genoeg was om elke beproeving te ondergaan. 'Door je vader?' vroeg ze.

'Nee, het was iemand uit Weehawken, geen familie.' De slechte Peter was natuurlijk zomaar iemand uit de buurt. Zolang ik zijn naam niet noemde, was het net alsof de man van wie ik hield overal buiten stond, de man die aan de artsen had gevraagd of ze die boeien van mijn armen en benen wilden halen.

'Nou, Shawna is door haar eigen broer bepoteld. Heb je haar laatst niet gehoord bij de groepstherapie? Haar bloedeigen broer. En Tracy dan?'

Ik schaamde me. Zelfs toen ik Tracy's afgrijselijke relaas over die groepsverkrachting aanhoorde, dacht ik nog 'ja, maar je was tenminste geen acht'. Het was best wel een schok om te ontdekken dat er mensen waren met grotere problemen dan ik.

'Ik haat Greg,' zei Kim. 'Ik haat alle perverselingen op deze wereld. Als ik de baas was, zou ik ze allemaal laten martelen en het snoer van de elektrische stoel op hun pik zetten.'

'Mijn idee,' zei ik en voelde me eenzamer dan ooit. Ik realiseerde me opnieuw dat Peter een pedofiel was en dat iedereen hier hem zou verafschuwen. Maar ik hield nog steeds van hem en had hem behoed voor gevangenisstraf. Wat zei dat over mezelf?

28

De tijgersprong

Enkele maanden na mijn ontslag uit de kliniek spoelde ik al mijn medicijnen door de wc. Van Zoloft leek ik in eerste instantie meer energie te krijgen, maar gaandeweg sloopte het mijn vermogen om wat dan ook te voelen. Nog erger was dat ik niet eens meer zin had om aan mijn roman te werken. Peter en ik kochten altijd elke week een paperback en dan las ik hem 's avonds vier uur voor. Maar door die stomme pillen raakte zelfs mijn liefde voor boeken afgestompt.

Ook Peter overwoog om aan de medicijnen te gaan. Volgens de psychiater van het veteranenziekenhuis zat hij op ramkoers naar een joekel van een depressie. Hij was inmiddels op het punt beland dat hij geen enkele vorm van kritiek meer verdroeg, zelfs plagerijtjes werden hem al te veel. Als bijvoorbeeld een serveerster iets zei over de hoeveelheid suikerklontjes die hij in zijn koffie deed, was hij zo van slag dat ik de volgende dag zijn koffie moest halen.

Op een dag stond hij helemaal overstuur bij ons thuis voor de deur. Mama zei dat hij moest gaan zitten en zette gauw papa's asbak voor hem neer. 'Paws, Paws, Paws,' was alles wat hij kon uitbrengen.

Kort na Paws' dood kreeg Peter een hoge dosis Prozac voorgeschreven. In combinatie met zijn toenemende afhankelijkheid van Lorazepam, een kalmerend middel, reduceerde dat zijn seksuele drift tot nul. De bijwerkingen waren ook niet mals: diarree en misselijkheid (als we gingen wandelen, moest hij soms de bosjes induiken om zijn behoefte te doen). Niettemin maakten we nog steeds elke dag een autoritje van minstens veertig kilometer. Ik was verslaafd aan deze routine en Peter ook. Toen de Granada de geest gaf, leende ik Peter een paar honderd dollar van mijn eigen spaargeld – dat op zijn bankrekening stond – om een tweedehands Cadillac Cimarron te kopen. Peter had me er een paar jaar geleden toe overreed om mijn geld op zijn rekening te storten. Voor de rente, zei hij erbij. Ik was nog te jong om een rekening op mijn eigen naam te openen.

Dat najaar – ik was inmiddels zeventien – vond papa dat ik een baantje moest zoeken of een opleiding moest gaan volgen. Ik vulde de aanmeldingsformulieren in voor Hudson County Community College. Ik was het niet alleen met papa eens, ik raakte zelfs opgewonden bij het idee om naar een universiteit te gaan. Ik wist dat het er daar heel anders aan toe zou gaan dan op school. Peter zat voornamelijk te jammeren dat hij die pijpbeurten en massages zo miste: hij voelde zich niet langer een man. Maar voor mij was het een reden tot vreugde: de slechte Peter, de man van het souterrain, was eindelijk met de noorderzon vertrokken.

Toen ik net op het HCCC zat, met als hoofdvak pedagogiek, ging ik er nog van uit dat ze me niet zouden mogen. Toch kon ik met een aantal jonge mannen en vrouwen redelijk goed opschieten. De jongens liet ik vrijwel meteen weten dat ik elke relatie platonisch wilde houden, en enige tijd werkte dat goed. Ze kwamen me op zondag halen voor een uitstapje of we gingen ergens koffiedrinken voor de lessen begonnen. Als een jongen liet merken dat hij een serieuzere relatie met me wilde, loog ik dat ik nog niet over mijn vorige vriend heen was. Dat was overigens niet helemaal gelogen. Ik was een hele tijd met Peter geweest, al was het moeilijk om hem 'mijn vriendje' te noemen. 'Een vader met wie ik seks had' zou toepasselijker zijn.

Mijn schaamte om over Peter of over mijn verleden te praten, was te groot, maar de anderen waren wel openhartig tegen mij. Jennifer snoof coke voor de les begon; Keisha, die al twee keer was opgenomen vanwege een depressie, geloofde heilig dat Jezus haar steeds belde; Natalie had net als ik geprobeerd om tienermoeder te worden. Alleen was het bij haar wel gelukt en nu werkte ze bij als stripper om haar zoon te onderhouden terwijl ze ook nog blokte voor haar verpleegstersdiploma. Katie had vaak seks gehad met mannen van middelbare leeftijd. Ze vond eigenlijk dat ze zich op hiv moest laten testen bij een kliniek in Jersey City, maar ze was te bang. Meisjes van mijn leeftijd praatten onbekommerd over de standjes die ze hadden uitgeprobeerd, welke seksspeeltjes ze gebruikten, welke lingerie hun vriendjes mooi vonden, maar niemand had het over een man met het soort fantasieën als die van Peter.

Op zondag maakte ik regelmatig uitstapjes met Rocco, die een jaar daarvoor vanuit Nigeria naar de vs was geëmigreerd; dan gingen we naar het winkelcentrum of New York City. Ook ging ik geregeld op Bergenline shoppen met Tania, een Puerto Ricaanse met blonde highlights en een tongpiercing. Als ik met Rocco op pad ging, bepaalden we altijd om de beurt wat we gingen doen, maar had ik met Tania afgesproken, dan liet ik haar alles beslissen: welke film we gingen kijken, welke muziek we opzetten of wat we te eten bestelden. Ze nam graag het voortouw, en ik voelde me senang als de spiegel die haar seksualiteit en macht naar haar terugkaatste. Ze had een breed, katachtig gezicht met sensueel uitgezette neusvleugels, grote borsten, een zwanenhals, een dikke haardos en ze had de pest aan smerissen, atheïsten en zelfingenomen gozers die geen enkele reden hadden om zelfingenomen te zijn. Tania praatte het liefst over zichzelf, wat me heel goed uitkwam want ik luisterde liever. Zo leerde ik nog eens wat. Als we samen op haar kamer zaten, wilde ik haar horen broeden en stoom afblazen terwijl ik zelf afstandelijk en ongrijpbaar kon blijven, als een schaduw waarmee ze 's avonds in haar eentje zat te sparren. Tania bracht datgene onder woorden wat ik zelf niet uitsprak, en mijn intuïtie vertelde me om niet de concurrentiestrijd met haar aan te gaan maar haar te bestuderen en te doorgronden. Als ze mij niet als rivale zou zien, zou ze de parel van haar ware inborst aan mij openbaren. Dat was me veel meer waard dan snel scoren door haar te imponeren. Niets was zo belangrijk, want ik had vaak het gevoel dat de afgelopen jaren heel wat roofbouw op mij was gepleegd en dat mijn persoonlijkheid zichzelf op de een of andere manier moest restaureren. Net als een architect moest ik met een solide blauwdruk beginnen. De vlijtige, milde pasteltinten van Rocco en de onbeschaamde primaire kleuren van Tania waren de twee schakeringen op het schilderspalet die ik 's nachts in mijn dromen vermengde.

Niettemin was deze verlichte taak van onderzoeken, leren en uitproberen geen peulenschilletje. Het was alsof ik mijn ledematen moest strekken na een lang coma. Ik was dit soort sociale contacten ook niet gewend: als ik een paar uur met Rocco of Tania had doorgebracht, was ik helemaal gaar, soms zelfs een beetje misselijk. Ik verlangde naar Peters kamer, zijn auto, en naar Paws, die ik steeds in akelige dromen bleef terugzien: dan vond ik hem naast de treinrails, zijn van de ingewanden ontdane buik krioelde van de witte kakkerlakken. Op zulke momenten had ik er alles voor over om maar weer onder Peters mottige dekens te liggen, in het gedimde blauwige licht van de plantenbak, omringd door de bedompte rooklucht en de geur van babyolie; om me als een vleermuis terug te trekken in een leegstaand gebouw en daar ongezien te kunnen hangen.

Pas toen het uit was tussen Tania en haar vriendje, viel het haar op dat we alleen op zondag afspraken. Dat vond ze maar raar. Ze wist immers dat ik geen vriend had. Ik zei dat ik de rest van de week bij mijn grootvader doorbracht, die ik voorlas omdat hij stekeblind was. Toen ze bleef aandringen, gaf ik haar Peters nummer, en op een vrijdagavond belde ze zomaar of ik zin had om te stappen.

'Ik moet naar huis,' zei ik tegen Peter nadat ik had opgehangen. 'Ik ga me verkleden. O wat leuk! Ik ga met haar naar een club, naar de Tunnel of misschien wel naar de Bank, die gothictent waarvoor je minstens achttien moet zijn.'

'Waar ga jij heen?' Peter pakte zijn sigaretten. 'Ga je nu zomaar weg?'

'Ja, dit is onverwacht. Maar ik zie je morgen toch weer?'

'Wat ben ik dan? Een vod? Iemand om je tijd mee te vullen en zodra een ander belt laat je me vallen als een baksteen?' Er stonden nu alweer tranen in zijn gerimpelde ogen.

'Dit overkomt me niet vaak, de kans om met mensen van mijn eigen leeftijd een beetje lol te trappen. Dat vind je toch ook leuk voor mij?'

'Ik wist dat dit ging gebeuren. Het was een kwestie van tijd. Waarom zou je hier met een ouwe vent opgescheept zitten als je lekker kunt gaan dansen en jezelf vermaken?'

'Maar anders wordt ze kwaad. Ik ken dat van haar. Ze zal het maar stom vinden als ik nee zeg en...'

'Ga maar. Toe dan. Ga je maar bezatten. Word maar lekker high. Aan mij heb je niks meer. Kon ik je maar mee uit nemen. Had ik maar niet zo'n slechte rug. Was ik maar een jonge vent, dan kon ik je gelukkig maken... Dan konden we samen naar de disco. Maar goed, ga maar.'

Ik hoorde mezelf zwakjes zeggen: 'Ik blijf liever bij jou. Echt. Het enige is dat ze dan kwaad zou worden. Maar ik weet zeker dat ze het wel zal begrijpen. We hadden ook niets afgesproken of zo.'

Maar Tania begreep het niet, en dat was het einde van onze vriendschap.

Peter en ik zaten op de bemoste oever van een vijver naar jonge rondspringende kikkertjes te kijken. 'Waar ben je gisteren met Rocco naartoe geweest?' vroeg hij.

Ik wierp een steentje in het groene water, en zag hoe de rimpelingen in het oppervlak zich verspreidden. 'We waren weer in Central Park en hebben een roeibootje gehuurd. Daarna hebben we kebab gegeten.'

'Dat hebben Inès en ik ook een keer gedaan. Ik kan me nu niet meer voorstellen dat ik ooit van die zware lichamelijke inspanning aankon. Wie roeide er: jij of hij?'

'Hij. Ik wilde ook een roeispaan, maar dat mocht niet van hem.'

Hij blies een lange rookpluim uit. Ik was die rooklucht op mijn handen en in mijn kleren zo ondertussen wel zat. Hij hield nooit rekening met de gevoeligheid van mijn neusholtes, die bovendien een graadje erger was geworden sinds hij me op mijn gezicht had gestompt. 'Aha, hij is een beetje macho. Hij stelt zich passief op, maar ze zeggen dat je juist moet oppassen voor die stille wateren.'

Rocco was echter het tegenovergestelde van macho. Hij schreef kinderverhalen, naaide Afrikaanse poppetjes van katoenen lapjes en hij was hoffelijk genoeg om niet verder te gaan dan soms een arm om mijn schouders te slaan. Peter was als een jachthond die achter het verkeerde luchtje aan

369

zat. Ik had hem nog niet verteld over mijn vriend George, die me hielp mijn wiskundekennis bij te spijkeren voor de tentamens. Mijn wiskundige vaardigheden hadden het niveau van halverwege de middelbare school toen ik toelatingsexamen deed voor het HCCC: het leek wel alsof alles wat ik ooit geleerd had, was weggevaagd. Tijdens een van onze gesprekken kwamen we op het onderwerp seks. Volgens hem was ik het dominante type dat zich voordeed als juf doorsnee. Hij scheen dat op te kunnen maken uit het soort schoenen dat ik droeg, en die zweem van macht die om me heen hing: hij had daar een speciale neus voor. Peter wist niets van mijn knielaarzen met veters die ik samen met Tania had gekocht. George en ik begonnen elkaar te mailen, buiten Peters medeweten om. We mailden elkaar onze fantasieën en zijn mailtjes hadden altijd 'lieve meesteres Margaux' als aanhef. Als we elkaar live zagen, gaf hij me gewoon bijles en verder niets.

Ik dacht dat Peter het onderwerp zou laten rusten, maar nee. 'Wilde hij per se weer betalen?'

'Ja.'

'Je weet toch dat een jongen altijd iets terug wil als hij betaalt?'

'We zijn gewoon vrienden. Ik heb zelf ook altijd geld op zak, maar hij is te beleefd om iets aan te nemen.'

Hij maakte een terneergeslagen indruk.

'Wat is er loos?' vroeg ik uiteindelijk.

'Ik heb er niets op tegen dat je met jongens van je eigen leeftijd uitgaat. Zo hoort het ook. Maar het valt me niet mee om zo aan de zijlijn te staan. Hij mag dan gewoon een vriend zijn, het zat eraan te komen. Daar was ik al op voorbereid. En er is ook niets mis mee, lieverd. Het was onvermijdelijk. Mijn zegen heb je. Ik ben gewoon, tja, een beetje jaloers. Maar kun je me dat kwalijk nemen? Ik was onlangs in het veteranenziekenhuis en nu moet ik voortaan elke dag langskomen om mijn insuline te laten testen. Ik pieker er niet over; ik ga nog liever dood. Maar toen zag ik een oude man in een rolstoel. Wie wil er nou zo leven? Hoe houdt hij het uit? Inès zei dat zoiets went, maar ik zou dat niet aankunnen. Nooit.' Hij liet zijn hoofd op mijn schouder rusten. 'Denk alsjeblieft, alsjeblieft, af en toe aan mij als je bij hen bent, wil je dat doen? Het doet er niet toe bij wie of waar je bent, denk gewoon aan mij.'

'Goed,' zei ik. Maar ik was nog niet vergeten dat mijn loyaliteit me al mijn vriendschap met Tania had gekost. Die ene avond dat ze met me uit wilde, liet ze aan de telefoon doorschemeren dat ze me maar een rare meid vond, en ik wilde dat niet nog een keer meemaken.

In het voorjaar werd ik toegelaten op een universitaire opleiding van vier jaar. Leren werd een verslaving voor me, net zoals de kortstondige liaisons met schilders en muzikanten die een net zo woelig verleden hadden als ik. Als een Eva speurde ik één dag in de week een omheinde tuin af, leerde spelenderwijs, werd verliefd, maar bleef in de geest gebonden aan mijn huwelijksgelofte, al kwamen mijn hart en mijn lichaam ertegen in opstand. Peter was weliswaar vreselijk jaloers op deze eerste lichting kandidaten, maar hij raakte pas echt in paniek toen ik op mijn twintigste de zesentwintigjarige Anthony tegenkwam.

Kort nadat we verkering kregen, liet ik Peter weten dat ik Anthony naast het weekend voortaan ook op vrijdag wilde zien. Hij was immers al die jaren steevast met Inès op zondag weggegaan, terwijl ik indertijd echt te depressief was om in mijn eentje te kunnen zitten. Ik moest door Peters verdriet steeds denken aan een dichtregel van Byron die ik in mijn dagboek had opgeschreven nadat een leraar die in de klas had voorgedragen:

Wraak is als een tijgersprong,
Dodelijk, snel en verpletterend, maar ach,
weet dat die folterende pijn
henzelf vanbinnen even intens verteert.

Als Peter me op vrijdag naar huis reed, deed hij altijd zijn uiterste best om mij zo laat mogelijk op mijn date met Anthony te laten verschijnen, terwijl ik ondertussen zat te popelen om mijn haar en make-up te doen. Nadat hij had geparkeerd, haalde hij zijn langste liefdesbrief van die week tevoorschijn, die hij dan heel langzaam en kettingrokend voorlas. Ze gingen over zijn herinneringen aan mij toen ik dertien, twaalf, elf, acht en zeven was.

Hij schreef ook vaak over zelfmoord. Ik wist niet zeker of hij daarmee zijn verloren jaren wilde terughalen; ik wist wel dat ik me er niet al te veel zorgen over maakte. Hij had ook geen zelfmoord gepleegd toen zijn tweede vrouw van hem scheidde, en bovendien wist ik uit ervaring dat je stalen zenuwen moest hebben om zoiets te doen. Hij was de laatste tijd ook erg religieus geworden en vroeg me voortdurend of ik in de hel geloofde. Hij had zelfs met viltstift een tekening gemaakt van een met roze rozen ingevlochten doornenkroon, druipend van het bloed, met daaronder de tekst: HIJ GAF ZIJN BLOED OM ONZE ZONDEN TE VERGEVEN. Omdat mijn moeder ook al zo in de Here was geraakt, plakte hij de tekening boven haar bed, samen met uitgeknipte plaatjes van dieren en baby's, foto's van mij uit mijn kindertijd en allerlei zelfhulpcitaten.

Hij zei dat hij de hele zaterdag homevideo's van mij zou kijken, en smeekte: 'Denk aan mij als je bij hem bent, of tenminste om de paar uur, ik denk ook aan jou. Stuur me telepathische boodschappen.' Ik herinnerde me dat hij dat ook al van me vroeg toen ik nog klein was. Soms fluisterde hij in mijn oor dat hij mijn gedachten had kunnen horen. Hij bleef doorzeuren dat ik hem aan Anthony moest voorstellen, en toen ik allerlei uitvluchten verzon vroeg hij of ik me soms schaamde voor zijn uiterlijk (Peter had niet één kledingstuk zonder vlekken, gaten of verfspatten en hij was zijn kunstgebit kwijtgeraakt zodat hij dat niet eens meer voor speciale gelegenheden kon indoen). Ik wist niet waarom hij zo gebrand was op een ontmoeting, maar ik hield mezelf voor dat hij zich gewoon vaderlijk wilde opstellen.

'In mijn tijd speelde ik een aardig potje, maar je doet het niet slecht,' zei Peter tegen Anthony na een potje biljarten en gaf hem een hand. Later zei Anthony dat mijn oom aardig was, maar wel 'ietwat van lotje getikt'. Ik vroeg wat hij daarmee bedoelde. 'Op een gegeven moment had hij niet eens in de gaten dat hij twee sigaretten tegelijk had opgestoken.'

Toen Peter en ik op een maandag bij een kraampje hamburgers aten en naar golfers stonden te kijken die de ene bal na de andere sloegen, vroeg Peter: 'Denk je dat Anthony iets vermoedt?'

'Dat we geen familie zijn, bedoel je?'

'Nee, dat niet alleen. Ik bedoel: wat betreft ons tweeën.'

'Wat is er dan met ons tweeën?' Ik scheurde een papieren servetje aan snippers. Er was niets meer aan de gang tussen hem en mij.

'Waarom scheur je dat servetje kapot? Dat doe je nu al acht jaar,' zei hij met zijn blik op de golfers gericht.

'Natuurlijk weet hij niets.'

'Volgens mij heeft hij zo zijn vermoedens. Ik zei niet dat hij het wéét.'

'Waarom lach je zo?'

Hij verstarde. 'Nou en? Mag ik soms niet blij zijn? Het is een prachtige dag.'

Bij wijze van verklaring voor de tijd die ik met Peter doorbracht, had ik Anthony verteld dat ik doordeweeks op de kinderen van ene Gretchen paste. Ik pakte nog een servetje en begon weer te scheuren.

'Het viel me op dat hij een borstel en handcrème in de bekerhouder van zijn auto had staan; had je vader ook niet standaard een kam in zijn dashboardkastje liggen? En zo'n blitse auto zou ook heel goed bij je vader hebben gepast.'

'Mijn vader had een grijze Chevy, weet je nog?'

'Jawel, maar Louie was al zo'n beetje halverwege de veertig toen ik hem voor het eerst ontmoette. Ik bedoel: toen hij nog de leeftijd van Anthony had...'

'Volgens mij gaf mijn vader nooit zoveel om auto's. Anthony daarentegen kan binnen twee seconden bouwjaar en type noemen. Hij is helemaal gek van auto's, vooral die opgevoerde wagens waarmee ze races houden vindt hij te gek. Hij zat op zijn achtste al achter het stuur, ergens op een open veld met zijn pa ernaast. Hij heeft me er al mee naartoe genomen om mij daar ook te leren autorijden.'

'Hij gebruikt ook veel aftershave. Niet zoveel als je vader maar toch. En o ja, die zilveren ketting van hem doet me aan dat kruis van je pa denken.'

Het leek wel alsof hij terug wilde gaan in de tijd, naar zijn eerste ontmoeting met pa in restaurant Benihana. Daarna had papa zijn handen van me afgetrokken. Wilde hij soms dat Anthony hetzelfde deed? Net als Tania? Ik kon de gedachte niet meer uit mijn hoofd zetten. Als hij om me gaf, waarom probeerde hij me dan te belemmeren in mijn vooruitgang? Hij bleef maar obsessief in dat verleden peuren. 'Nou, ze lijken anders voor geen meter op elkaar. Je hebt zelf gezien hoe rustig Anthony is.'

'Misschien mocht hij me gewoon niet.'

'Waarom zou hij je niet mogen?'

En daar was die glimlach weer, terwijl hij naar zijn verstrengelde vingers staarde. 'Omdat ik zijn rivaal ben, daarom. Al weet hij niet van de hoed en de rand, mensen voelen zulk soort dingen aan.'

Nu begon ik me ook zorgen te maken. Ik was even naar het toilet geweest toen zij samen stonden te biljarten. Had Peter hem toen soms een hint gegeven? Er was echter geen enkele reden waarom hij zoiets zou doen, en ook geen schijn van kans dat Anthony ook maar iets zou vermoeden, gegeven Peters uiterlijk. Zijn haar was nu helemaal wit en in plaats dat hij het liet knippen, droeg hij het in een paardenstaartje: niet bepaald een flatterende coupe aangezien het de diepe rimpels in zijn gezicht extra deed uitkomen. Hij had ook zijn snor laten staan, zonder te beseffen dat die meer op een melksnor leek dan op een echte. Als Anthony naar Peter keek, zag hij een man van vierenzestig die eruitzag als vierenzeventig. Peter dacht dat hij bij biljarten had gewonnen, maar Anthony verklapte later dat hij Peter expres had laten winnen.

DEEL DRIE

29

Rivalen

Die winter haalde ik mijn rijbewijs en kocht ik mijn eigen autootje, een Toyota, waarmee we net zo vaak als met Peters auto gingen toeren. Op een dag bleek Peter zonder Lorazepam te zitten en moesten we op stel en sprong naar het veteranenziekenhuis. Hij was inmiddels zo verslaafd dat hij bij het minste of geringste ongemak al meteen een pil innam. Rillend en zwetend hield hij mijn hand vast in de wachtkamer van de spoedeisende hulp, waar we drie uur zaten tot hij zijn pillen kreeg.

Onderweg naar huis zette ik de muziek uit zodat ik me beter op de weg kon concentreren, maar ik werd afgeleid door een hol, fluitend geluid, alsof iemand in een plastic bekertje blies met een gaatje in de bodem. Nadat ik de raampjes had dichtgedraaid om niet in de tocht te zitten, besefte ik dat het griezelige geluid door Peters emfyseem werd veroorzaakt.

Een van mijn docenten creatief schrijven had me uitgenodigd in de boekwinkel Barnes & Noble om voor te lezen uit eigen werk. Peter besloot met ons mee te rijden in Anthony's Firebird: hij wilde mijn grote moment niet missen. Eigenlijk had ik hem er liever niet bij gehad, maar ik wilde hem niet kwetsen door te vragen of hij weg wilde blijven. De lezing stelde verder niet veel voor, behalve dat een jongen uit mijn klas erg met me zat te flirten. Onderweg naar huis bedankte

Anthony Peter dat hij hem had geholpen zijn zelfbeheersing niet te verliezen.

'Hij gaf me een gecodeerde boodschap,' zei Peter de volgende dag met een vreemd lachje, terwijl ik net ging inhalen op Tonnele Avenue.

'Hè? Wie?'

'Je vriendje, Anthony.' Hij staarde uit het raam. 'Als ik iets geleerd heb, is het wel dat je nooit het gedrag van onbekende mensen kunt voorspellen. Maar zeg eens eerlijk, heb je hem soms iets over ons verteld? Ik wil niet dat hij op een avond bij mij op de deur komt bonzen en Inès angst aanjaagt...'

'Voor de duizendste keer: waarom zou ik hem ook maar iets vertellen? Zodat hij het met me uitmaakt?'

'Misschien moet je een keer laten vallen dat ik erg bedreven ben in kungfu. Dat verleer je nooit, hoe oud je ook wordt.'

'Nou, Anthony mag je anders zo graag dat hij wil voorkomen dat je je auto sloopt. Hij hoorde van mij dat jij almaar plankgas geeft, en volgens hem is dat hartstikke slecht voor je versnellingsbak.'

Peter wierp zijn peuk uit het raam. Het was voor het eerst dat ik hem zomaar iets op straat zag gooien. 'Hij heeft er echt geen verstand van. Zo blaas je juist je brandstofleiding schoon.'

'Ach, kom op, Peter, je weet geen moer van auto's.'

Hij zweeg even. Toen hij weer sprak, was zijn stem laag. 'Dat je met hem naar bed gaat betekent nog niet dat die gast alles weet, ja?'

Ik wilde hem het liefst in zijn pens stompen, maar ik was bang dat hij deze keer echt mijn neus zou breken. Ik hield het bij een kortaf antwoord. 'Daar weet jij helemaal niets van, of wij met elkaar naar bed gaan of niet, dus hou je bek en bemoei je met je eigen zaken.' En ik voegde eraan toe: 'Hij is mijn vríéndje. Wat denk je?'

Zijn glimlach vertrok tot een grimas waardoor hij bijna niet meer op een mens leek. 'Nou, vertel maar eens dan, ben je gelukkig met hem? Want jou gelukkig maken is het moeilijkste wat er bestaat!'

'Voor egoïsten is het inderdaad moeilijk, ja.'

'Wat bedoel je daarmee?'

'Laat ik het zo stellen: hij heeft nooit met tapdansers te maken gehad, nooit, en geloof me, dat is goed te merken.'

Het duurde even voor hij me begreep, maar toen het tot hem doordrong wat ik zo-even had gezegd, zei hij dat ik de auto langs de kant moest zetten en stapte hij met een gezicht zo strak als van een tinnen soldaatje uit op Kennedy Boulevard. Hij moest vanaf daar te voet een heel stuk afleggen voor hij thuis was, en in zijn tempo zou hij er uren over doen. Met hangend hoofd en zijn hand tegen zijn rug gedrukt stak hij het brede kruispunt over. Hij kwam zo langzaam vooruit dat het voetgangerslicht alweer op rood sprong en hij werd bijna geschept door een opgepimpte Honda waar salsamuziek uit schalde. Ik maakte een U-bocht, parkeerde de auto dubbel en riep uit het geopende raam: 'Kom, stap nou maar weer in. Je kunt niet dat hele eind gaan lopen.'

'Nee. Ga maar naar je vriendje toe. Ik heb het helemaal gehad met jou en je wraakzucht. Wat ik al die jaren wel niet te verduren heb gehad, die wrede en meedogenloze teksten van jou, het getreiter, zoals je altijd de baas probeerde te spelen... En waarvoor? Veertien jaar door de plee gespoeld, veertien jaar, onze liefde. Ik dacht dat onze band onbreekbaar was, maar tjonge, wat heb ik me vergaloppeerd.'

Ik reed langzaam terug naar het huis van mijn ouders en weerstond de verleiding om hem daar meteen te bellen. Misschien was het moment wel gekomen om er een punt achter te zetten. Hij had Inès. Ik kon die avond moeilijk de slaap vatten. Ik lag maar te woelen en te draaien. 'Nu gaat het nog heel slecht, maar ik zal me er elke dag een stukje beter bij voelen,' dacht ik. 'Ik zal eraan wennen. En hij ook, uiteindelijk.' Toen ik de volgende dag uit college thuiskwam, ontdekte ik dat hij een witte kussensloop had afgegeven bij mijn moeder waarin alle blocnotes met brieven zaten die hij me had geschreven, tezamen met een paar foto's en beeldjes. 'Ik wil dit aan Margaux geven,' had hij erbij gezegd. Ik zonk neer op de vloer van de huiskamer, met opgetrokken knieën, en kon me nog maar amper bewegen. 'Veertien jaar,' was het enige wat door mijn hoofd ging. 'Veertien jaar.' Bijna mijn hele leven. Mijn moeder wist er geen raad mee. Ze aaide even over mijn wang. 'Peter en jij hebben wel vaker een ruzietje. Jullie leggen het altijd weer bij.'

De rest van de week zat ik elke avond bij Anthony, met als excuus dat Gretchen me had ontslagen. Anthony snapte niet dat ik zo overstuur was door het verlies van een babysitbaantje, dus ik vertelde hem dat er meer achter zat: Gretchen en ik waren al bevriend sinds we kleuters waren. Ik reageerde vier of vijf dagen niet op Peters telefoontjes, maar uiteindelijk belde ik hem vanuit een telefooncel op de universiteit. Ik zat opgekruld in een hoekje van de cel. Gedurende een minuut was alleen onze ademhaling te horen. Ik voelde me weer negen jaar oud, net als toen ik hem altijd belde om over Het Sprookje te praten. Ik was eenentwintig en ik voelde me weer negen. Acht. Zeven. Ik voelde me een klein meisje. De volgende dag kwam hij me weer ophalen, op het gebruikelijke tijdstip, en maakten we weer een middagritje.

30

De lening

In april vierden we mijn tweeëntwintigste verjaardag in restaurant de Red Lobster in Wayne. Het was karaokeavond, en Peter stond op om 'Leroy Brown' te zingen. Hij klonk net zo goed als welke loungezanger dan ook, en hij kreeg na afloop een daverend applaus. Daarna zong hij 'Nights in White Satin', dat hij aan mij opdroeg. Toen hij weer terug aan tafel kwam, pakte hij mijn hand.

'Tweeëntwintig,' fluisterde hij, en kneep in mijn hand. 'Ik kan niet geloven hoe lang dat al voor mij geleden is. Kun jij je voorstellen hoeveel jaren er al zijn verstreken?' Hij vervolgde: 'Onze band duurt nu al veertien jaar. Mensen hebben geprobeerd hem te verbreken, maar hij was te sterk.'

Hij begon zachtjes te huilen en de tranen bleven in het web van groeven in zijn gezicht hangen. 'Je bent zo mooi, schatje, zo mooi en al zo volwassen. Al helemaal volwassen.'

Ik nam een hapje van mijn koud geworden cheddarkoekje. Het goudkleurige licht in het restaurant was gedimd en de inrichting was in nautische stijl, wat ik heel prettig vond. Ik was een beetje aangeschoten door de twee pina colada's, maar niet zo dronken om ook op te staan en karaoke te zingen. Peter was daarin veel dapperder, en voor het eerst in jaren was ik er trots op om met hem onder de mensen te zijn.

'Bij "Nights in White Satin" kwam ik bij dat gedeelte over

de waarheid,' zei hij. 'Hoe je nooit kunt weten wat precies waarheid is... Nou, ik moet je nog iets vertellen, want we hebben geen geheimen voor elkaar, maar ik was bang dat je kwaad zou worden. De koppeling van mijn Escort staat namelijk op instorten. Daar baal ik van, want ik heb alleen nog maar die auto als ik ergens wil komen, die auto is mijn onderstel.'

'Ik kan geen geld aan mijn vader vragen, als je daar soms op doelt.' Hij had al eerder geopperd om geld van pa te lenen. 'Waarom vraag je het niet aan Inès?'

'Dat zal niet gaan... Ik heb eerder al veel geld van haar geleend en tot nu toe heb ik nooit een cent kunnen terugbetalen.' Dat was nieuw voor me; ik wist niet dat hij haar geld schuldig was.

Hij wendde zijn blik af. 'Ach, ik ben zo gevoelig de laatste tijd. Het zal de leeftijd wel zijn... Mannen worden sentimenteler als ze wat ouder worden... Toen ik daarstraks op het podium stond, kon ik mijn tranen nauwelijks bedwingen. Die song ging helemaal over jou en mij: onze autoritjes zijn als een carrousel en we blijven maar eindeloos rondjes maken. Enfin, ik ben niet helemaal eerlijk tegen je geweest. Ik heb stiekem geld van je spaarrekening gehaald om iets te kunnen betalen waarover ik je niets heb verteld. Ik hoopte het geld te zijner tijd weer ongemerkt terug te kunnen storten, maar toen begon die koppeling te sputteren, en begreep ik dat ik het moest opbiechten... Ik ben een dief, ik heb geld van je gestolen...'

'Hoeveel, Peter?' Ik sloeg mijn armen over elkaar. Ik had naar Anthony moeten luisteren. Hij wist dat ik geld op Peters rekening had staan en had me al aangeraden om het op te nemen. Niet dat hij mijn oom niet vertrouwde, zei hij, maar omdat het beter was om mijn eigen spaarrekening te hebben. Ik was er alleen nog niet aan toegekomen. Lekker stom van me om Peter te vertrouwen, want nu had hij mijn geld gestolen.

Hij barstte weer in tranen uit. 'Vierhonderd dollar.'

'Neem je me nou in de maling?'

'Ik hoopte zo dat ik het nooit aan je hoefde te vertellen.'

Peter pakte het laatste kaaskoekje en kneep erin alsof het een stressballetje was. De karaoke was gelukkig nog steeds aan de gang, want dan konden de mensen ons tenminste niet horen. Niettemin bleef Peter om zich heen kijken om zich ervan te verzekeren dat we niet werden afgeluisterd. 'Het komt door Gretchen, die heks. Mijn god, wat heb ik een hekel aan die trut. Ze is eropuit om alles en iedereen te vernietigen. Met jou erbij. Ze zal niet aarzelen om jouw leven met dat van mij te versjteren. Ze is een duivelin. Ik word nu van allerlei dingen beschuldigd. Nou, *zij* beschuldigt me van alles... Ik denk dat zij overal achter zit, en niet hij. Ricky is een goeie knul. Ik heb hem opgevoed. Ik heb hem nooit kwaad willen doen, en dat weet hij.'

'Heb je hem... heb je soms aan hem gezeten?'

Ik had bijna 'misbruikt' gezegd, maar wist me nog net in te houden.

'Dat is wat ze tegen Inès hebben gezegd. Ik heb die vierhonderd dollar gebruikt voor een leugendetectortest. Ik heb Inès de uitslag gegeven. Misschien waait de bui nu gewoon over. Althans, daar hoop ik op.'

'De test was negatief?'

'Ik ben onschuldig. Ik heb nooit iets met Ricky gedaan. Ik val niet op jongens, dat weet je.'

'O, nou, ik dacht dat...' Ik moest weer denken aan zijn verhaal over die man die hem anaal had gepenetreerd. Hij had altijd volgehouden dat het verkrachting was, al had hij erin 'toegestemd' zodat hij die buks kon kopen. Hij leek toen oprecht woest dat een volwassen man een kind zoiets kon aandoen. En homofoob was hij ook niet. In Palisades Park had hij de nichten bewonderd omdat ze de lef hadden publiekelijk hand in hand te lopen, en hij had altijd beweerd dat de liefde tussen twee mannen niet minderwaardig is.

Het was alsof hij mijn gedachten had gelezen. 'Ik heb je verteld dat ik als tienjarige ben misbruikt door een man. Ik vond het niet prettig wat hij deed omdat ik zelf niet homoseksueel ben. Zo ja, dan was er niets aan de hand geweest. Bovendien ging hij niet bepaald zachtzinnig te werk. Het kon hem niet schelen dat hij me pijn deed. Hij heeft me op straat opgepikt... hij was een roofdier. Jij en ik waren verliefd. Geloof me, voor jou was er niemand anders. Ik probeerde een normaal leven te leiden.'

'Maar waarom zou Ricky jou dan van zoiets beschuldigen? Waarom zou hij zoiets verzinnen?'

'Geen idee. Ik zit er nog steeds over te piekeren. Misschien beeldt hij het zich wel in. Om de een of andere reden wil hij geloven dat het is gebeurd. Misschien is hij al die jaren wel jaloers geweest op jou. Of misschien heeft die Gretchen hem wel zo om haar vingers gewonden dat hij alles voor haar wil doen, zelfs ons het leven zuur maken.'

'Waarom zou Gretchen de pik op ons hebben?'

'Het is niets persoonlijks. Ze is vast jaloers op iedereen die tussen haar en Ricky in zou kunnen staan. Weet je nog dat ze hem een jaap met een mes gaf?'

'Dat was Gretchen niet, dat was Audra,' zei ik.

'Nou ja, hoe dan ook. Ze zijn wat mij betreft allemaal mesjogge. Na één blik op Gretchen weet je al dat ze bepaald niet geloofwaardig is. Ze heeft zoveel piercings dat ze volgens mij lekt als een vergiet. Onlangs kwam ze bij ons thuis met een of ander veterkorset aan waar haar voorgevel zo ongeveer uit hing; ze droeg een pruik van paarse dreadlocks, had halvemanen boven haar ogen en zwarte lippenstift op.

Zie je haar zo al voor een rechtbank verschijnen? Ze zouden haar vierkant uitlachen. Maar weet je wat me dwarszit? Dat Inès haar nog steeds gelooft. Ze wilde dat ik mijn biezen pakte, zonder dat er enig bewijs was! En ik kan nergens heen! Het enige wat ik heb is mijn kamertje; dat en mijn auto. Ik ben op mijn knieën gevallen en heb haar gesmeekt me de tijd te geven om te bewijzen dat de aantijgingen onterecht zijn. Maar hoewel ik door die leugendetectortest ben gekomen, heb ik nog steeds het gevoel dat ze me weg wil hebben. Miguel keek me laatst zo smerig aan. Hij bleef me aanstaren tot ik mijn blik moest afwenden. Ik kan het hem niet kwalijk nemen. Hij moet zijn eigen broer wel geloven. Ik heb geen idee waar ik naartoe moet als Inès me op straat zet. Hoe kan ik een huurhuis betalen als ik maar zeshonderd dollar per maand vang?'

Dat zat ik me ook af te vragen. Waar moest hij naartoe, zo oud en ziek en berooid als hij was? Maar toen moest ik weer aan mijn spaargeld denken en werd ik weer nijdig. Ik wilde me nu niet met Ricky bezighouden en met de vraag of Peter wel of niet iets met hem had gedaan. Wat een merkwaardige afweging was dat, om te proberen niet aan het ene ding te denken omdat het toelaten van de ene gedachte betekende dat je de rest ook moest toelaten.

'En weet je? Ik ben nu zo afhankelijk geworden van dat veteranenziekenhuis dat ik hier in de buurt moet blijven wonen. Ik heb overwogen om naar Florida te gaan, of naar Vegas, ergens waar het warm is. Ik heb even met de gedachte gespeeld, want als jij straks een fulltimebaan hebt trek je misschien wel bij Anthony in en zullen we elkaar amper nog zien. Geen autoritjes meer 's middags. Dus leek het een plan om ergens helemaal opnieuw te beginnen, alleen kan ik niet te ver bij dat verdomde ziekenhuis vandaan wonen. Ik ben ook te oud om nog zo'n eind te verhuizen. Als je op een bepaalde leeftijd bent gekomen, wil je geen al te grote veranderingen meer. Dat is te eng.'

Ik vond het ook eng. Soms schoot de gedachte door mijn hoofd dat hij weleens aan een hartaanval zou kunnen sterven. Ik kon me niet voorstellen dat ik ergens een nieuw leven kon opbouwen als hij altijd in de coulissen zou staan, steeds afhankelijker en wanhopiger naarmate hij ouder werd. Als ik kinderen zou krijgen, zou ik die nooit mee naar hem kunnen nemen. Net zoals Gretchen haar kind bij hem weghield, al had hij die leugendetectortest doorstaan.

Een paar dagen later gaf de koppeling van zijn Escort voorgoed de geest. Peter smeekte me of ik mijn vader om een lening van vijfhonderd dollar wilde vragen, dat durfde hij zelf niet. Ik wilde dat alleen doen op voorwaarde dat hij ons allebei het geld zou terugbetalen. Dat beloofde hij, al zou het betekenen dat hij moest stoppen met roken om geld uit te sparen. Hij wist me nog wel een voordeeltje van een paar honderd dollar te bezorgen door mijn autoverzekering op zijn naam te laten zetten: omdat hij al op leeftijd was en een schadevrije polis had, betaalde hij maar zeshonderd dollar per jaar, wat een schijntje is in New Jersey. Toen papa op een dag in een zonnig humeur was omdat hij een flink bedrag terug zou krijgen van de belasting, leek me dat een goed moment om het hem te vragen. Hij stond in de keuken in een pan rijst te roeren en neuriede 'Across the Universe' van de Beatles.

Tot mijn verbazing stemde hij toe. 'Ach wat, ik ben in een goeie bui. Ik zal hem geld lenen voor een fatsoenlijke auto, dan kan hij dat barrel waarin hij nu rijdt verkopen en me in termijnen terugbetalen. Maar dan wil ik wel zelf de auto uitkiezen. En het zal zeker geen Ford worden!'

Papa nam ons mee naar een terrein vol tweedehandsjes en

sprak in het Spaans met de verkopers; hij hield vol dat je in deze buurt nooit een goede auto zou kunnen kopen als je geen Spaans sprak. Maar met zijn bemoeienis schoten we geen meter op, dus uiteindelijk vroeg Peter of ik Anthony de auto-expert wilde inschakelen. Die kende weer een vriend die een zwarte Mazda voor veertienhonderd dollar te koop had staan, maar Peter kreeg hem voor duizend. Papa kwam met Peter overeen dat hij hem in tien termijnen van honderd dollar terug zou betalen. Maar om de een of andere reden lukte het Peter nooit om aan het eind van de maand een honderdje over te houden.

Zoals te verwachten viel, sprong pa op een gegeven moment uit zijn vel, nadat hij er maandenlang niets over had gezegd. 'Die man heeft me bedrogen! Hij heeft misbruik gemaakt van mijn vrijgevigheid! Hij heeft me misleid! En jij was zijn handlangster! Jullie hebben me allebei belazerd! Ik had het kunnen weten! Jullie soort leeft in je eigen wereldje. Dat maakt maar autoritjes met Joost mag weten wat voor doel. Ik heb de kilometerteller op die Escort gezien: de cijfers gaan door het plafond! Je zou zeggen dat jullie naar het eind van de aarde zijn gereden en weer terug. Die vent heeft geen greintje verantwoordelijkheidsgevoel en jij net zomin! Jullie leven in een fantasiewereld! Ik zal je één ding vertellen, en je kunt maar beter naar me luisteren: die kerel ziet er knap beroerd uit! Elke keer als ik hem zie, is het een graadje erger. Hij kan amper op zijn benen staan! Begrijp je wat ik bedoel? Je kunt het maar beter onder ogen zien!'

Elke donderdag reden we tachtig kilometer naar Bear Mountain om vanaf de hoge rotsen over 'de velden van de eeuwigheid' uit te kijken, zoals Peter ze noemde. Wuivend gras, naaldbomen, zwartkoren. Zwarte bessen en hazelnootbomen. Eiken en tulpenbomen. Heel soms zagen we een hertje dat net zo strak overeind stond als kippenvel. Er was alweer een zomer verstreken, een die Peter zwaar was gevallen vanwege al dat gedoe met Gretchen en haar aantijgingen. De herfst stond voor de deur.

'Gisteravond heeft Inès me het vuur na aan de schenen gelegd,' zei Peter. We zaten naast elkaar op een witte kalkrots, waar de aarde in al haar weidsheid onder ons lag terwijl de avondschemering de lucht met roze vegen inkleurde. 'Ze had eindelijk met Gretchen in een café afgesproken om haar de uitslag van de leugendetectortest te laten zien. Maar volgens Gretchen bleef Ricky erbij dat ik hem had misbruikt. "Wie wil je nou geloven: een of andere test of je eigen zoon?" had ze gezegd. Ik zei tegen Inès dat ze alleen maar achter de waarheid kon komen als ze met Ricky zelf ging praten.'

'Gaat ze dat doen?'

'Inès heeft een irrationele angst voor zulk soort acties. Ze laat de dingen liever op hun beloop dan dat ze de directe confrontatie aangaat. Maar ik heb haar verteld dat ze het hem maar beter op de man af kan vragen. Gretchen zit hierachter, niet Ricky. Daarvan ben ik overtuigd.'

'Maar wat als het wel van Ricky zelf afkomstig is? Waarom zou hij dan zoiets zeggen?'

'Daar heb ik ook over nagedacht. Ik heb me suf gepiekerd en kwam met een theorie. Jarenlang heeft iedereen geweten wat zich tussen jou en mij afspeelde, was het niet bewust dan toch wel onbewust. Ze hebben gezien dat we altijd met z'n tweeën in mijn kamer zaten, ze hebben ons ruzie horen maken. Ze weten het. Dat kan niet anders.'

Ik voelde een golf van schaamte opwellen, die zo krachtig was dat het wel een aanval van misselijkheid leek. Ik had ergens wel geweten dat ze op de hoogte waren, maar kon die gedachte amper verdragen.

'Ze weten het wel maar ze begrijpen het niet; niemand kan het echt begrijpen. Inès misschien een beetje want ze is zelf verliefd op een drugsverslaafde. Ze hebben jou jarenlang mijn kamer in en uit zien glippen, en dan bleef je uren binnen. En dan had je ook nog die maatschappelijk werkster...'

'Toch namen ze ons allemaal in bescherming. Als ze het wisten, zouden ze dan niet hun mond hebben opengedaan?'

'Weet je, ik heb zitten denken... Gretchen heeft een paar keer haar zoontje meegenomen om bij ons in de tuin te spelen, weet je nog? Inès paste weleens op hem. Misschien heeft Ricky, die ons al die jaren samen zag, bedacht dat ik iets met Gretchens zoon zou kunnen uithalen. En hij wilde niet zeggen dat hij ons jarenlang in de gaten had gehouden zonder een poot uit te steken, want dan zou Gretchen hem een lafaard vinden. Of zich misschien afvragen of hij wat betreft haar kind wel te vertrouwen is. Maar als Ricky zich als slachtoffer presenteert, lijkt het schuldig noch verdacht als hij haar zoon bij mij uit de buurt wil houden. Niettemin denk ik nog altijd niet dat hij de spil is van dit alles. Hij zou nooit zoveel bij elkaar liegen.'

'Maar als hij het wel op die manier tegen Inès zegt? Denk je dan dat zij jou vraagt om te vertrekken?'

'Ik weet het niet.'

'Ooit zei je dat ze je nooit de deur uit zou zetten, dat weet ik nog wel. Om welke reden dan ook.'

'Maar nu gaat het over haar zoon. En wie weet stuurt Miguel er ook op aan dat ik mijn biezen pak. Een van de dingen die Inès tegen me zei, was dat ze haar zoon vertrouwde. En weet je? Ik was zo bang voor je in de tijd dat jij en ik zo vaak ruzie hadden. Je had de macht om me kapot te maken, maar dat heb je nooit gedaan, dat zou je nooit doen. Dit is heel anders, dit is een vreemde... ze kent ons geen van allen...' Hij zweeg even om een sigaret op te kunnen steken; pas na drie pogingen kreeg hij zijn aansteker aan de praat.

'Maar zelfs als Ricky hiermee kwam,' vervolgde hij, 'is Gretchen degene die Inès niet langer over de vloer wil hebben. Weet je wat ze tegen Inès heeft gezegd? Op een avond bonsde ze bij ons op de deur, het moet al na tienen zijn geweest. Inès vertelde later dat Gretchen daar in haar zwarte outfit had gestaan, met een maffe pruik op, en had gezegd: "Zolang je met die vent samen bent, willen we niets meer met jou te maken hebben." En toen ging ze weer weg. Enfin, er zal nog wel wat tijd overheen gaan, maar uiteindelijk gaat Inès de confrontatie met Ricky wel aan. Inès zal proberen om dat zo lang mogelijk uit te stellen, maar nu hebben ze haar met de rug tegen de muur gezet. Als Ricky zegt dat ik schuldig ben, sta ik op straat. Daar ben ik van overtuigd.'

'Ricky... Ricky zei altijd wel iets of zwaaide even gedag, maar op het laatst, vlak voordat hij het huis uit ging, leek hij zich erg ongemakkelijk te voelen in mijn bijzijn. Ik vond hem altijd zo leuk, maar wie weet hoe hij over mij dacht... Ik sloeg mijn handen voor mijn gezicht.

31

De erfenis

Enkele maanden na 11 september en de miltvuurpaniek – ik was toen nog één semester van mijn afstuderen verwijderd – gooide Peter een dikke envelop bij mij in de bus, en ging toen weer weg. Ik zat op dat moment op de universiteit om een laatste tentamen Engelse literatuur af te leggen. Vanwege de olieprijzen en navenant gestegen brandstofkosten deden een heleboel mensen aan carpoolen. Die woensdag reed ik met Manuel mee. Manuel was een vriend van me, een jonge nicht die zijn nagels zwart lakte en werd geplaagd door nachtmerries over miltvuurvergiftiging sinds hij vanuit zijn slaapkamerraam het tweede vliegtuig had zien inslaan. De miltvuurparanoia was zo wijdverbreid dat sommige buurtrestaurants geen poedersuiker meer over hun pannenkoeken en wafels strooiden.

In talloze winkels op Bergenline werden t-shirts en buttons verkocht met de tekst OSAMA: WANTED DEAD OR ALIVE. Bijna iedereen plantte de Amerikaanse vlag in zijn voortuin of op zijn auto. Een streng religieuze moslima uit mijn klas, die eerst altijd een hidjab droeg, ging voortaan spijkerbroeken dragen nadat drie mannen in een SUV hadden geprobeerd haar auto op het gevaarlijkste kruispunt van Jersey City tegen de stroom van tegemoetkomend verkeer in te duwen. Toen ik het aan mijn moeder vertelde, schreef ze het meteen op in haar meest recente Feitenboek, waarin ze alleen al twintig pagina's over 11 september had volgeschreven. Pa was gepikeerd dat ze volhield dat de kamikazepiloten het kwaad zelf waren, zonder dat ze nadacht over de aanleiding. 'Ze zijn gehersenspoeld vanaf de luiers,' zei hij. 'Wat ze hebben gedaan is verkeerd, maar zelf zijn ze ervan overtuigd dat ze een nobele daad pleegden.' Waarna mijn moeder hulplijnen belde om te zeggen dat haar echtgenoot een voorstander was van de aanslagen op 11 september.

Toen ze het tuinhek hoorde dichtvallen, liep ze naar het raam en zag hoe Peter zich snel uit de voeten maakte, met hangend hoofd en zijn handen diep in zijn zakken. Ze had gekeken hoe laat het was, want ze wist dat ik dat zou vragen; hij was maar één keer eerder zo vroeg langsgekomen, toen hij alle spullen die hem aan mij herinnerden kwam afgeven. Het was alsof mijn duivelse wens eindelijk werd verhoord en ik wilde niets liever dan die terugnemen. In de afgelopen maanden had Peter steeds laten weten dat hij een einde aan zijn leven wilde maken. Ik verkeerde in voortdurende staat van paraatheid en vond dat ik hem in de gaten zou moeten houden. Maar ik had die dag tentamen en verwachtte ook niet dat hij het echt ging doen. 'Waarom heb je hem niet tegengehouden, mama?'

'Daar was geen tijd voor. Hij had kennelijk veel haast.'

Ik keek naar de envelop: hij was dik en slordig dichtgeplakt met cellotape, omdat Peter er een hekel aan had enveloppen dicht te likken. De envelop lag naast het tasje met Chinees eten dat mijn moeder voor onze lunch had gehaald; we aten vaak samen voordat ik 's middags met Peter op stap ging. Ik maakte de tas open, rook de wontonsoep en gebakken rijst met kreeftjes en probeerde het onvermijdelijke uit te stellen. Ik sneed de envelop open met een schaar, zoals mijn vader me lang geleden had geleerd omdat hij het openrukken van een envelop als iets barbaars beschouwde. Ik haalde het dikke pak papieren eruit. Op het eerste velletje stond een ruwe schets, waarin ik een plattegrond van Palisades Park herkende. In het midden van het park had hij een autootje getekend op een lege parkeerplaats, met een pijl erboven waar drie cirkels omheen waren getrokken. Zodra ik de rest van de bundel openvouwde, viel er iets in mijn hand: een autosleuteltje.

Bevend over mijn hele lichaam las ik de tien zelfmoordbrieven. Ze waren moeilijk te lezen: zijn handschrift was nog onleesbaarder dan normaal en ze stonden vol vreemde spelfouten. Hij had 'Jezus' gespeld als 'Jezis' en 'jaren' als 'jaare'; bij 'schaamte' was hij de 'e' aan het eind vergeten. Keer op keer herhaalde hij: 'Voor alle duidelijkheid: ik heb Ricky nooit iets aangedaan. Maar van mij mag hij geloven wat hij wil geloven.' In elke brief drukte hij me op het hart om niet naar Inès of naar de politie te gaan.

Ik probeerde hem te bellen op zijn gsm: het zou de eerste van de honderden keren worden dat ik hem probeerde te bereiken. En ik hield niet op met bellen toen de politie hem op een mistige vrijdag vond, op zijn rug. Toen Peter van het klif in Palisades Park sprong, zat de telefoon in zijn zak. Gek genoeg ontdekte ik later dat hij nog altijd werkte. Al de keren dat ik hem belde, moet dat mobieltje tachtig meter lager op de grond onophoudelijk hebben gerinkeld.

'De auto staat nu op jouw naam,' stond in de brief. 'Ga hem gauw halen voor hij wordt weggesleept. Ik zou niet willen dat je de sleepkosten plus die van de stalling ook nog moet betalen; dat kost meer dan honderd dollar.'

Later keek ik ook naar de datum van de brieven, en ontdekte dat ze op verschillende tijdstippen waren geschreven. De eerste dateerde van bijna een jaar geleden. Hij moet stukje bij beetje de moed hebben verzameld om uiteindelijk deze stap te zetten.

Hij had gelijk. De wegsleep- en stallingkosten bedroegen in totaal honderdveertig dollar. Mijn vader had me naar het opslagterrein gebracht, zo'n vijftig kilometer rijden. Het was een druilerige dag en pa, die niet meer gewend was om achter het stuur te zitten, bleef minstens dertig kilometer onder de maximumsnelheid. Ik staarde naar de Hudson River die half was verdwenen in de mistbanken, en snikte zachtjes toen we River Road in reden en langs plekjes kwamen die ik zo goed kende van al mijn uitstapjes met Peter: eetcafé River View, het winkelcentrum met de boekwinkel Barnes & Noble en muziekwinkel Wall, waar ik weleens cd's kocht, de bioscoop waar we naar de film gingen. Bij elk rood stoplicht zei pa dat ik mijn neus moest snuiten. Ik kreeg zijn witte zakdoek – niet zo prettig als tissues, maar nog altijd beter dan niets.

We gingen eerst langs het politiebureau van Palisades Parkway, dat aan het eind van een prachtige landweg lag. Mijn vader zei dat Peter de halfbroer van zijn vrouw was, en toen wezen ze ons de weg naar het opslagterrein.

'Je moet die auto zo snel mogelijk verkopen. Hij heeft jou toch alles nagelaten? Alles wat hij in zijn kamer had liggen?' Ik knikte flauwtjes, omdat ik wist dat hij door zou blijven gaan tot ik reageerde. 'Nou, ook weggooien, die meuk. Verkoop alles wat enige waarde heeft. Luister je wel?'

'Ik verkoop niets. Hij wilde dat ik het zou bewaren, dat was zijn laatste wens.'

Pa zette de ruitenwissers aan. Het was harder gaan regenen. Pa was de enige die ik kende die liever met regen dan zonneschijn in de auto zat, iets waar Peter zich altijd hogelijk over had verbaasd. Ik wierp een zijdelingse blik op mijn vader. Zijn leeftijd was hem aan te zien, en nu ik zelf volwassen was, was het duidelijk hoeveel we op elkaar leken. Het viel me ook op hoe mager hij was geworden: zijn kleren leken wel om hem heen te hangen. Waarschijnlijk kwam dat doordat hij tegenwoordig meer dronk dan at. Ik wist niet hoeveel hij die dag al ophad en hoeveel glazen hij die avond nog achterover zou slaan.

'Ik zal je een verhaaltje vertellen, Keesy. Het gaat over mezelf. Ik denk er steeds vaker over om te verhuizen. Ik heb Union City nooit een fijne woonplaats gevonden, en nu begin ik ook al een hekel te krijgen aan mijn huis. Maar de verhuizing op zich... Toen ik nog jong was, ben ik heel vaak verhuisd. Wie in het leger zit, kent geen vaste verblijfplek. Ik vond dat toen nooit een punt. Nadat ik was afgezwaaid, woonde ik overal en nergens: een tijdje in Harlem, daarna in Queens, ik ben zelfs nog voor een korte periode teruggegaan naar Puerto Rico. Als jonkie had ik nog geen bezittingen, dus dan is verhuizen een makkie. Pas later ging ik dingen om me heen verzamelen. Spullen die ik niet direct kon gebruiken, maar die toch iets vertegenwoordigden. Wat precies zou ik je niet kunnen zeggen: het is net als in dat ene liedje van de Beatles, dat over plekken en dingen gaat. Hoe dan ook, toen we de flat uitgingen, probeerde ik zo veel mogelijk te lozen. Maar ik ontdekte dat ik van sommige spullen geen afscheid kon nemen. En omdat bij mijn nieuwe huis een schuur hoorde, dacht ik dat ik mijn spullen daar zolang kon opbergen zodat ze me niet in de weg lagen. Jaren later stapte ik daar eens binnen om de boel te inventariseren. Ik kwam de romans tegen die ik vroeger las, sommige in het Engels, andere in het Spaans of in het Frans; bundels van de grote dichters die ik toen geweldig vond maar nooit zou herlezen, en dat wist ik maar al te goed; langspeelplaten, maar ik luister nooit meer naar Jefferson Airplane. Op de meeste platen zitten toch krassen, dus ik heb geen idee waarom ik ze bewaarde. Oude kleren... Ik had zelfs mijn legeruniform nog. Brieven, zo ontzettend veel brieven en foto's in schoenendozen, mooie meisjes wier gezichten ik gezworen had nooit te vergeten maar als ik nu naar hun foto's kijk schiet ik onwillekeurig in de lach. Er zitten een paar foto's tussen van mij en een jonge man, arm in arm, dus we waren vast dik bevriend, maar ik zou zijn naam niet eens meer weten, al sloeg je me dood. De foto moet zijn genomen toen ik zo oud was als jij nu: tweeëntwintig, drieëntwintig?'

'Tweeëntwintig.'

'Dit soort regenbuien zijn om depressief van te worden. Moet je eens zien, wat een motregentje. Ik heb liever van die stevige plensbuien die alles lijken weg te vagen. Trouwens, volgens mij zijn we verdwaald. Ik kan maar beter omkeren.'

We stonden ergens in een buitenwijk. Pa reed een oprit op om te keren en de snelweg weer op te zoeken. Hij keek op het papiertje in mijn hand. 'Ah, ik zie het al. Die agent had huisarts moeten worden, met dat kriebelhandschrift. Enfin, er staat dus zoveel troep in die schuur, souvenirs van reizen, onbenullige cadeautjes die ik heb gekregen van mensen die me geen biet interesseren. Zelfs de kooi van mijn oude papegaai... Waarom heb ik die allemaal in vredesnaam bewaard? Maar toen we een jaar of vijftien geleden verhuisden, moeten al die dingen toch enige waarde voor me hebben gehad. Ik dacht dat ik ze nodig zou hebben. Maar ach, ik ben verhuisd, ik heb de spullen opgeslagen en een paar maanden later was ik ze allemaal vergeten. Ik stond elke ochtend vroeg op, at een avocado of hardgekookt eitje als ontbijt, poetste mijn tanden, deed mijn stropdas om, ging naar mijn werk, kwam weer thuis, at een hapje, meestal in mijn eentje, wat witte rijst met zwarte bonen, poetste mijn tanden weer... Ik heb nooit een seconde over al die spullen nagedacht. Nooit.' Maar ik wist dat dat niet waar was. Het was duidelijk dat papa nu aan al die dingen dacht en dat hij ze nooit had weggegooid.

De eerste twee maanden na Peters dood waren een marathon van slapen, wakker worden, matig eten en weer in slaap proberen te vallen. Overdag sliep ik in mama's bed in de keukenserre. 's Nachts gunde ik haar weer haar eigen domein, want het was uitgesloten dat ze in dat grote bed boven een oog dicht zou doen. Voor mij maakte het niet uit. 's Nachts deed niets er nog toe.

Overdag, als ik in mijn dagboek schreef, zat ik te mijmeren of ik wel voldoende had ondernomen om Peter van zijn daad te weerhouden. Als hij zei dat hij van het klif zou springen, was mijn reactie dat hij dan beslist een plekje moest vinden waar geen bomen groeiden. En waarom had ik, ondanks mijn sombere stemming, onlangs voor het eerst mijn haar laten highlighten? Ik had ook een afspraak gemaakt om een tatoeage te laten zetten; als ik dat had gedaan terwijl hij nog leefde, was hij in tranen uitgebarsten. Wat had ik mezelf al die jaren ontzegd? In hoeverre waren mijn eigen voorkeuren in feite de zijne geweest? Zes maanden geleden had ik er nog niet over gepiekerd om mijn haar te verven of een tatoeage te laten zetten. Ik werd er bang van. Waar hield zijn invloed op en waar begon mijn eigen ik? Het was een gekmakende vraag, die me ertoe aanzette zijn zelfmoordbrieven te herlezen en met een stofkam door zijn stapels liefdesbrieven te gaan, om mezelf eraan te helpen herinneren dat zijn leven een altaar voor het mijne was geweest. Alles wat ik van hem had geërfd, was het bewijs dat ik voor hem het meest dierbare was geweest. Toch zat een zinnetje uit een zelfmoordbrief me dwars: 'Margaux, ik laat jou mijn auto na want Inès kan er toch niet in rijden.' Was het soms een troostprijs? Een auto van duizend dollar die hij sowieso van mijn en papa's geld had gekocht? Ik hield mezelf voor dat hij er vast niet bij had stilgestaan; in zijn hoofd was hij al met heel andere dingen bezig.

Op een dag deed mama de luiken dicht en kwam ze bij me op bed zitten. 'Margaux, ik hoop echt dat je straks je tenta mens kunt doen. Ik heb op de kalender gekeken. Ze zitter eraan te komen. En jij wilt toch ook niet dat je onvoldoen des dikke onvoldoendes worden?'

'Ik weet dat het egoïstisch is,' antwoordde ik, 'maar ik zou bijna wensen dat hij het had uitgesteld, tot na de tenta mens. Tot na mijn afstuderen. Ik weet het niet: misschien zag hij geen uitweg meer en had hij zo zijn redenen om niet lan ger te wachten.'

'Hij heeft het zwaar gehad, tot aan het eind. En alles heeft een reden. Alleen God kent alle geheimen. Maar neem van mij aan dat Peter meer dan wie ook wilde dat jij een univer sitaire opleiding volgde. Hij was altijd je fanatiekste suppor ter. Telkens als je vader je in de steek liet, wist hij jou er weer bovenop te helpen.'

'Ik wou maar dat hij hier was. Op dit moment.'

Mama streek over mijn haar. 'God zorgt altijd voor alles en iedereen. Ook voor mij. Hij heeft liefdevolle mensen op mijn pad gebracht. Net als toen je nog klein was en je nooit je bord wilde leeg eten. We gingen naar Maria en Maria gaf je te eten: zij deed altijd het vliegtuigje, weet je nog?'

'O ja, ze had dat zoontje. Een lief jochie.'

'God wilde dat ik mijn huissleutels kwijtraakte. Ik geloof er heilig in dat Hij ze die dag zoekmaakte zodat we Peter weer konden opzoeken. Ik weet dat je nu verdriet hebt, maar je hebt ook jarenlang heel veel plezier met hem gehad; hij nam je overal mee naartoe en je hebt zoveel van hem ge leerd.'

'Waar denk je dat Peter nu is?'

'In de hemel. Hij kijkt op je neer, als je eigen engelbewaar der. Ik denk af en toe nog steeds dat hij de reïncarnatie van Jezus kan zijn geweest. Hij was zo wijs en zo puur. Had hij maar de juiste psychiatrische hulp kunnen krijgen, of de juiste medicijnen, zodat dit voorkomen had kunnen worden.'

'Linksom of rechtsom, het zat eraan te komen. Geloof mij maar.'

'Goed, je kent hem beter dan wie ook. Jullie hadden een heel bijzondere vriendschap. Jammer dat hij zo oud was en zoveel kwalen had. Maar zoals ik altijd al heb gezegd: je kunt nog altijd in de hemel met hem trouwen.'

'Hij is als een echte man gestorven,' zei mijn vader een maand later in de keuken. 'Dat moet ik hem nageven. Hij is niet als een lafaard heengegaan, als een mietje. Ik heb geen idee waar hij het lef vandaan haalde. Je moet echt gek zijn om zoiets te doen.' En met het flesje Heineken tegen zijn lippen voegde hij er zacht aan toe: 'Ik had het nooit gekund.' Daar keek ik van op, want ik wist dat hij nooit een voorstander van zelfmoord was geweest. Maar toen pas hoorde ik de trilling in zijn stem, wat betekende dat hij een zeldzame poging deed om mij te troosten terwijl hij die woorden zelf waarschijnlijk niet eens geloofde. Of zag hij toch iets van heldhaftigheid in Peters sprong? Ondertussen sneed hij een papaja in stukken. Ik zag de zwarte zaadjes eruit vallen. Ik zag mijn vader met smakkende lippen een hapje nemen. Hij legde hem voor me neer op een blauw bord dat barstjes van ouderdom vertoonde en ik begon te eten, al was het alleen maar om mijn handen en mond ergens mee bezig te kunnen houden.

'Weet je wel zeker dat je die auto wilt hebben?' Ik zag toe hoe hij de keukenkastjes doorzocht, verwoed rokend. Hij wapperde de rook weg van zijn kleren, nam weer een trekje, wapperde, nam een trekje. 'Je kunt hem maar beter verkopen zodat ik mijn geld terugkrijg. Er rust nu een vloek op dat ding. Ik zou er in elk geval niet in willen rijden. Ik loop nog liever tien kilometer dan één voet in die zwarte barrel te zetten.'

Ik zei hem dat ik de auto wilde hebben. En weer schoot de gedachte door mijn hoofd dat ik hem alleen maar had geërfd omdat Inès er niet in kon rijden. Ik probeerde het van me af te zetten.

'Weet je wat ik deed op de avond dat ik werd gebeld?' Hij drukte zijn peuk in de asbak uit. 'Ik ben naar de kroeg gegaan. Om te drinken. En terwijl ik daar het ene glas na het andere achteroversloeg, dacht ik: misschien heeft die man pillen geslikt, is hij het bos in gelopen en is het daar koud. Of is hij ergens vanaf gesprongen en heeft hij een been gebroken. Ligt hij daar te creperen en kan niemand hem te hulp schieten. Ik bad tot God dat hij dood was. "Laat hem dood zijn," zo luidde mijn gebed. Ik wil niet dat mensen lijden. Dat ligt niet in mijn aard. Enfin, het was een opluchting om te horen dat hij dood was.'

Hij stak weer een sigaret op. 'Toch vond ik altijd dat er iets raars aan hem was, iets abnormaals. Ik kon er mijn vinger niet achter krijgen. Niet dat ik hem geen schappelijke kerel vond, hij was erg hulpvaardig. Hij heeft me zelfs een keer geld geleend, toen de juwelenhandel was ingezakt, weet je nog? Ik had een paar maanden geen werk. Toen hij je op een zaterdag kwam ophalen, vroeg ik of hij me twintig dollar kon lenen. Erg vernederend om dat aan iemand te moeten vragen die zelf ook geen cent te makken heeft. Natuurlijk heb ik later een auto voor hem gekocht, dus ik heb hem in tienvoud geholpen.' Hij zweeg even. 'Hij heeft ook veel voor je moeder gedaan. Toch was er iets raars aan hem, iets afstandelijks. Hij heeft zijn tragische verleden nooit van zich af kunnen zetten. Het leven heeft van alles voor je in petto: je kunt een familielid verliezen, grote sommen geld, je baan, er kan van alles gebeuren. Maar je moet wel doorgaan. Tegenslag mag geen reden zijn om je van kant te maken, dat is niet de bedoeling van het leven. Je moet je erdoorheen slaan, wat er ook op je weg komt.'

'Ook als je zo oud wordt dat, bijvoorbeeld, iemand anders je luiers moet verschonen?'

'Ook dan. Het leven is veel te kostbaar. Mijn oudste zus, Esmeralda, heeft de luiers van mijn pa verschoond tot aan zijn dood.'

'En was dat niet vernederend, voor allebei?'

'Het was haar plicht! Ik heb toch ook jouw luiers verschoond? Ik kan alleen maar hopen dat jij net zo goed voor mij zult zorgen als ik ook zo oud word. Daar gaat het in het leven om. Familieleden moeten voor elkaar zorgen. Ik heb over hem na zitten denken. Hij heeft me geholpen, hij heeft me geld geleend al was hij arm, hij heeft je moeder vaak genoeg naar de kliniek gereden; ik waardeerde het allemaal zeer, maar hij was geen familie. Ook niet van jou. Het is triest dat hij dood is, maar zo zijn er wel meer trieste dingen. We moeten door.' Hij legde zijn hand op mijn schouder. 'Moet je horen, denk maar niet dat ons leven meer voorstelt dan de zon die opkomt en weer ondergaat. Denk niet dat hij dat voor eeuwig doet, want dat kunnen wij niet weten. Ik verwacht niet de zon te zien opkomen als ik 's morgens mijn ogen opendoe, maar zo ja, dan beschouw ik dat als een geschenk.' Opeens herinnerde ik me weer dat hij gedichten schreef toen hij van mijn leeftijd was, maar het had opgegeven. Toen beschouwde hij het leven niet als een geschenk, want hij riep elke dag dat hij vervloekt was. Het was net als met zijn opmerking dat Peters zelfmoord een dappere daad was: hij zei het niet omdat hij er zelf in geloofde, maar omdat hij om de een of andere reden wilde dat ik het geloofde.

'Ondanks alles wat mij is overkomen, blijf ik toch volhouden. Ik treur ook weleens, maar nooit te lang. Daar is het leven te kort voor. Zo ben ik aan mijn bijnaam gekomen: mijn vrienden noemen me altijd het feestbeest.'

Ik lachte in mezelf, maar stond met mijn rug naar hem toe zodat het hem ontging. Toen ik over mijn schouder naar hem keek, zag ik dat hij ook lachte. 'Ik ben een feestbeest volgens Eduardo, Jose, Felix en Ricardo. Vrienden, barkeepers, leuke meisjes: zodra ze me zien, wenken ze naar me en trappen we gewoon lol. Ik ben een makkelijke prater. Ik ken de juiste grappen. Als ik ergens naar binnen loop, zie je de hele tent opleven. Ik kan elk gewenst moment een feeststemming oproepen, in oorlogs- en in vredestijd, bij een recessie of een natuurramp of een persoonlijke crisis. Misschien ben ik vanbinnen wel verdrietig, maar ik neem toch een slok. Ik ga met vrienden naar de paardenraces of naar een basketbalwedstrijd en dan zorg ik dat we het leuk hebben; ik blijf volhouden. Daarom zal ik nooit zo eindigen als jouw vriend Peter.'

Elf maanden na Peters dood kreeg ik een aanstelling als directrice op een katholieke peuterschool in Jersey City. Ik was altijd afgepeigerd als ik te midden van de stroom forenzen naar de flat ging waar ik inmiddels met Anthony samenwoonde.

Op een dag stak ik het gevaarlijkste kruispunt van New Jersey over. Het regende pijpenstelen, en ik zag dat er een paar auto's vastzaten in het water, dat een meter hoog stond. Er was niemand gewond geraakt, maar het was duidelijk dat de automobilisten vergeefs hadden geprobeerd erdoorheen te rijden. Ik minderde vaart om ergens langs de kant van de weg te gaan staan, maar in een opwelling trapte ik het gaspedaal in. De Mazda kwam niet ver. Ik werd aan alle kanten omringd door hoog water, en na wat gesputter hield Peters auto ermee op; het water sijpelde door de kieren in de portieren en de bodem naar binnen. Brandweerlui moesten me met een boot komen redden. Ik nam mee wat ik kon, en klom met een paar cd's en wat boeken in de boot. De auto was naar de filistijnen, van de bekleding tot en met de motor. Duizend dollar naar de knoppen, zou papa later schreeuwen. Maar toen ik met koppige trots zei dat ik een baan had en hem elke cent van de geleende vijfhonderd dollar zou terugbetalen, stak hij afwerend zijn hand op. Ik hoefde van hem niet andermans schuld af te lossen.

Het was alsof ik na Peters dood uit een diepe slaap ontwaakte, door het geblaf van honden of het gejank van wilde wolven. Alsof ik in het staartstuk van een droom leefde dat toch al met de minuut zwakker werd. Door het raam zag de lucht blauwzwart, en de door de tocht bewegende gordijnen leken op ogen die zich openden. Het was twee of drie uur 's nachts, of een ander onbestemd tijdstip. Ik had net zo goed een schildpadje kunnen zijn dat uit zijn ei was gekropen en instinctief een weg naar de zee zocht. Ik had een splijtend atoom kunnen zijn of water dat verdampte. God had mijn wimpers uit de as van een gedoofd vuurtje kunnen maken. Ik had een groeiend embryo kunnen zijn waarbij de ogen zich in de zachte schedel aan het vormen waren. Ik had al twintig keer eerder kunnen sterven, maar dat doet er nu niet meer toe.

Op de terugweg vanuit Coney Island zet Peter, als het plotseling begint te hozen, zijn Suzuki onder een brug, waar we tongzoenen te midden van gele kratten, oranje verkeerskegels en weggesmeten afval. Omdat niemand ons kan zien, durven we wel daar onder die brug. Of in Peters kamer met de deur op slot. Of op een verlaten strand.

Ziedaar, het rozerode hemelgewelf boven Coney Island. Ziedaar, hij en ik in de metro onderweg naar het centrum van New York. Kijk ons eens samen daar boven op het Empire State Building, waar we zo ongeveer door de wind worden gescalpeerd. Schaatsend op de rollerskatebaan, heel voorzichtig, want door één ongelukkige val kan hij in een rolstoel belanden. We spelen Super Mario Brothers 3; hij vraagt hoe hij Mario kan laten springen. Ik lees hem voor uit Mary Shelleys *Frankenstein*. En daar zitten we in de kerk: hij reciteert de drieëntwintigste psalm. Ik ben het enige meisje uit de tweede klas van het middelbaar onderwijs dat getrouwd is. Daar zit ik achter op de motor, mijn paardenstaart is los gewaaid door de wind. We liggen op een grazige weide in Bear Mountain te wachten tot de sterren hun lasers aanzetten. Eindelijk klim ik op de hoge berg aan het begin van de landweg om frambozen te plukken die op de top groeien. Zo dapper sta ik boven op de berg, met de frambozen in mijn hand om hem te laten zien dat ik de klim eindelijk heb aangedurfd. In het volle zonlicht, tegen een glasheldere hemel, sla ik de frambozen op een paar scherpe stenen tot moes en begin aan de afdaling terwijl ik mijn hand schoonlik.

Vele jaren na Peters dood bekijk ik alle foto's die hij heeft genomen. Losse foto's, foto's in albums, foto's in mijn eigengemaakte houten doos. Ik die als zevenjarige probeer een radslag te maken, met mijn roze en witte jurkje over mijn hoofd gezakt en mijn lakleren schoentjes die uitsteken als de punten van een krik. Mijn onderbroekje, met de My Little Pony-print, is duidelijk zichtbaar. Op mijn basisschooldiplomafeestje zit ik in de tuin op een terrasstoel met een rode roos in mijn handen die ik van Peter heb gekregen. Zijn haar is in een leuke pony geknipt en zijn gezicht is mooi. Ik ben vijftien en buig me over een houten poppenhuis, met een grijs viltmuisje in een flanellen overhemdje en bretels in mijn hand.

Ik kijk nu naar de foto van mijn grote rivale, Jill. Buiten Peters medeweten heb ik haar in de zomer van zijn laatste levensjaar een keer gezien, al helemaal volwassen. Waarschijnlijk kwam ze net uit college. Ik weet zeker dat zij het was. Ze had nog steeds het schoonheidsvlekje onder haar oog dat ik mij herinnerde. Ze had een blonde paardenstaart en liep op sandalen met halfhoge kurkzolen. Ze was lang, slank en er lag een roze gloed op haar wangen. Toen ik haar die dag voorbijliep, wist ik zeker dat ze Peter volkomen was vergeten. Mocht ze ooit enig plezier met hem hebben beleefd, dan was dat zo vluchtig als schuimgebak. Haar moeder was altijd in de buurt gebleven, dus de tijd die ze samen hebben doorgebracht was zo doorsnee als haar kuitbroek en haar enkelkettinkje. Geen betoverende uurtjes, geen geheimpjes.

Daar zat ik op mijn twintigste op een lolly te sabbelen, het zonlicht dat vanuit die onzichtbare hoek op mijn gezicht valt is zo fel dat de gloed op mijn gezicht wel van kaarslicht lijkt. En er zijn nog veel meer foto's: lachend in de zon kijkend, met mijn handjes in die geheime vijver waarin ik ooit een schildpadje heb uitgezet.

Zoveel foto's van mij met de roestige gieter waarmee ik blootsvoets naast het groene hek van Peters afrastering sta; op de motor, mijn neus diep in een Max Graf-roos. In de hangmat, mijn hoofd op zijn borst; hij laat een haarlok om zijn vinger krullen, ik kijk loom voor me uit. Op een andere foto rust mijn hoofd op zijn arm, zijn gezicht is opzij gedraaid om naar mij te kunnen kijken, mijn ogen zijn vochtig van emotie, zijn blik is zo scherp als het ochtendgloren. Op een foto die ik nog niet eerder had gezien zitten Karen en ik in de badkuip en was ik Karens haar met babyshampoo. Tussen ons in dobberen een paar Winnie de Poeh-speeltjes.

De cameraman is uiteraard buiten beeld. Hij bevindt zich ergens buiten ons blikveld, ergens in verloren heuvels, zijn reflectie gevangen in het ovaal van een handspiegel. Heel even flitst hij door het hoofd van een stervende grootmoeder, ergens in een donker meer, in de lachende bossen. Hij verzint er de woorden en de muziek bij, hij is van alle markten thuis, en hij is mooi. Hij houdt heel veel van ons.

Nawoord

Vandaag is het 6 oktober 2010. Ik heb net bij Walgreens een heel ander soort foto's opgehaald. Op een ervan, die mijn echtgenoot heeft gemaakt, sta ik met mijn dochter aan de oever van een groot blauw meer. Mijn ogen gaan schuil achter een hippiezonnebril met vierkante glazen en paarse, psychedelische rondjes op het montuur. Mijn dochter heeft een knalroze gleufhoed op met fonkelende kraalsliertjes, van het merk Hello Kitty. Zoals gewoonlijk weigert ze voor de foto te lachen, wat ik opvat als een teken van onafhankelijkheid.

Toen ik gisteravond langs de trap kwam, zag ik dat de elektrische gitaar van het circa twintig centimeter hoge beeldje van Kurt Cobain weer eens ontbrak. Kurt staat boven op het cd-rekje, links van de 'gelukskaars' die ik jaren geleden in Binghamton heb gekocht. Rechts van Kurt zit een donkerblauw plastic monster met slagtanden, rode oogjes en een wit T-shirt met de opdruk '# 1 KAPPER'.

'Heb je nu alweer Kurts gitaar gepakt?' vraag ik aan mijn dochter. 'Ja,' zegt ze. Ze is dol op muziek en de minigitaar speelt een belangrijke rol in veel van haar spelletjes. Op de traploper staan twee met cellotape dichtgeplakte rollen bakpapier: 'Boomstammen voor mijn filmset,' legt ze uit. Ze maakt haar 'sets' vaak van schoenendozen, lege waterflessen en weggegooid karton die ze uit de recyclecontainer heeft gevist. Ik vind het leuk om samen met mijn dochter kunstige creaties van huis-tuin-en-keukendingen te maken: groen vilt kan heel goed dienen als grasmat, platte rivierstenen komen tot leven met een likje verf en bolle oogjes. We hebben een keer een wintertafereel gemaakt door lijm op zwart papier te smeren en daar wat tafelzout overheen te strooien. Die tip had ik uit een oud schrijfblok vol handnijverheidsideeën van mijn moeder, uit haar tijd als hulponderwijzeres voor ze haar werk vanwege haar geestelijke gezondheid moest neerleggen.

Door al mijn herinneringen in dit boek op te schrijven, heb ik mij ingespannen om de oude, diepgewortelde patronen van leed en misbruik te doorbreken die mijn familie generaties lang in hun greep hielden. Eén ding heb ik al schrijvend geleerd, en dat is dat het trauma van het seksueel misbruik van mijn moeder en tante zulke verstrekkende gevolgen kon hebben omdat mijn grootouders er niet goed mee om wisten te gaan. Mijn moeder had geen flauw idee hoe zij deze problematiek kon herkennen, laat staan dat ze mij ervoor wist te behoeden. Waarschijnlijk dachten mijn grootouders er goed aan te doen erover te zwijgen en het weg te stoppen, zodat hun dochters niet nog meer kwellingen hoefden te doorstaan. Mijn persoonlijke verhaal is het bewijs dat dit een tragische misvatting was.

Geheimhouding was datgene waarop Peters wereld kon gedijen. Zwijgen en ontkennen zijn precies het soort zaken waar pedofielen baat bij hebben, omdat zij daardoor hun ware motieven kunnen verbergen. Als ik al die brieven uit mijn jeugd nalees en over mijn eigen ervaringen nadenk, wordt het me duidelijk in hoeverre Peter zowel mij als mijn ouders heeft weten te manipuleren. Toen ik bijna klaar was met mijn boek, las ik *Conversations with a Pedophile: In the Interest of Our Children* van Dr. Amy Hammel-Zabin, een therapeute die werkzaam is in penitentiaire inrichtingen. Zij bevestigde wat ik zelf al vermoedde: seksuele roofdieren zoeken vaak contact met kinderen uit probleemgezinnen, zoals dat van ons. Maar ook weten ze doorsneegezinnen ervan te overtuigen dat zij heel normaal zijn, of zelfs modelburgers. Pedofielen zijn meesters in misleiding omdat zij ook excelleren in zelfbedrog: ze maken zichzelf wijs dat hun daden volstrekt onschuldig en onschadelijk zijn.

Op mijn harde schijf staan de stukken van de rechtszaak in 1989 (ik kreeg vorig jaar pas voor het eerst inzage) waarin Peter vier misdrijven ten laste waren gelegd betreffende zijn pleegkinderen: seksueel misbruik, strafbaar seksueel gedrag, het in gevaar brengen van het welzijn van een kind en kindermishandeling. Het hof oordeelde dat Peter 'naar alle waarschijnlijkheid baat had bij een voorwaardelijke straf'. Dit speelde zich af in de tijd dat Peter en ik alleen telefonisch contact hadden. Een jaar later, op mijn elfde, ging de tweede periode in waarin hij mij inwijdde in het geslachtsleven. Ik ben van mening dat het huidige juridische systeem grotendeels niet adequaat functioneert om zedendelinquenten te veroordelen en te behandelen. Het is in mijn optiek dan ook van essentieel belang dat, wil dit veranderen, deze problematiek moet worden aangepakt door mensen die hun leven hebben gewijd aan de bestudering van het gedrag van pedofielen. In *Time* concludeert Dr. Fred Berlin, de oprichter van het National Institute for the Study, Prevention and Treatment of Sexual Trauma, het volgende: 'Mensen zien graag dat pedofielen worden afgeschilderd als "monsters". De veiligste aanpak is echter om pedofielen te behandelen, zodat ze niet nog meer slachtoffers maken.' Op Berlins website www.fredberlin.com/treatmentframe.html kunnen mensen terecht die met hun seksuele gevoelens voor kinderen worstelen. Op latere leeftijd heeft Peter baat gehad bij de antidepressiva die hem werden voorgeschreven, en de persoon in Hammel-Zabins boek werd enorm geholpen door testosteronremmende medicijnen. Maar ook het opleggen van gevangenisstraf levert een noodzakelijke bijdrage aan de oplossing. Helaas doen weinig pedofielen vrijwillig een beroep op de mogelijkheden voor behandeling – veelal pas nadat ze zijn gearresteerd en veroordeeld. Tegen de tijd dat de autoriteiten worden ingeschakeld, heeft een seksueel roofdier vaak al talloze kinderen misbruikt en zijn zijn gestoorde denkpatronen dermate ingeroest dat behandeling niet meer aanslaat. Er zou meer hulp beschikbaar moeten zijn voor mensen die met de gedachte spelen om dit misdrijf te begaan, zodat het probleem bij de wortels kan worden aangepakt.

Ik vertelde mijn dochter laatst een verhaaltje voor het slapengaan. Het ging over een heks die de aarde liet stoppen met draaien. Omdat de tijd bleef stilstaan, werd het nooit meer nacht en bleef de zon aan één stuk door schijnen. Maar alleen de zon werd daar vrolijk van, omdat er constant naar haar werd gekeken: ze hoefde niet langer te concurreren met de glorie van de maan. Nachtdieren raakten van slag en kwamen niet meer uit hun holletje. Mensen konden pas weer gaan slapen nadat de vloek teniet was gedaan en de heks werd opgesloten in een onderaardse kerker. 'Maar het is nog niet afgelopen,' zei mijn dochter, die dol is op het drama van een cliffhanger. 'De heks had haar zusters een sms'je gestuurd of ze haar kwamen bevrijden.'

Ik verzin altijd van die sprookjes voor mijn dochter, net zoals mijn vader voor mij deed toen ik nog klein was. Sommige familietradities houd ik in ere, andere moet ik een halt toeroepen.

Dankbetuiging

Ik weet niet hoe ik iedereen kan bedanken voor hun vriendschap, generositeit, affectie en tederheid die ik in de afgelopen tien jaar heb mogen ontvangen. Ik wil niet het risico lopen dat ik daarbij ook maar iemand oversla. Dus laat ik me beperken tot eenieder die van directe invloed is geweest op de totstandkoming van *Tijger, tijger*. Graag wil ik de volgende mensen bedanken:

Mijn mentoren John Vernon van Binghamton University en Edvige Giunta van New Jersey City University, die mij alles leerden wat ik moest weten om mijn eigen verhaal te kunnen vertellen. Ik ben jullie ten zeerste dankbaar.

Terra Chalberg, voor je immense precisie, zorg en energie: voor je geweldige redigeerwerk van de eerste manuscriptversies, voor je rotsvaste vertrouwen en je geduldige research naar de rechtbankverslagen van 1989, en met name omdat je zo'n 'tijger' van een agente bent.

Courtney Hodell, voor je superbe en onvermoeibare redactie, je onnavolgbare intuïtie en vakkundigheid; dank dat je zo diep hebt willen graven naar wat zo ver weggestopt zat. Je bent een redacteur par excellence.

Tom O'Connor, die door de jaren heen mijn manuscripten telkens heeft willen doornemen en aanpassen en mij de moed heeft gegeven om 'het onuitspreekbare' bespreekbaar te maken.

Mark Krotov, Marion Duvert, Sarita Varma en alle andere behulpzame en lieve medewerkers bij FSG en het Susan Golomb Literary Agency.

Mijn redacteuren overzee, die mijn verhaal naar een wereldwijde lezerskring wilden overbrengen: ik kan jullie niet dankbaar genoeg zijn.

De docenten aan Binghamton University en New Jersey City University met wie ik nauw heb samengewerkt en die altijd bereid waren opbouwende kritiek te geven: Pamela Gay, Nancy Henry, Leslie Heywood, Maria Gillan, Jaimee Wriston Colbert, Ingeborg Bachman, Joshua Fausty, Emily Bernard, Connie Sica en Chris Wessman. Dank aan de schrijfdocenten van NJCU: Bob Hamburger, Bruce Chadwick en Charles Lynch, die mij hebben geholpen me tot schrijver te ontwikkelen. En aan de deelnemers van de creatieve schrijversworkshops van zowel NJCU als Binghamton University die zoveel waardevolle bijdragen hebben geleverd aan hele stukken uit *Tijger, tijger*: ik sta bij jullie in het krijt.

Louise DeSalvo, voor al haar geweldige adviezen en haar voortreffelijke blog 'write-a-life'.

Steven McGowan, Kathi Difulvio, Aaryn Nardone, Quana Brock en Sarah Jeffries die bereid waren om de eerste versies helemaal door te lezen en belangrijke redactionele bijdragen en/of wijze raad wilden geven.

En tot slot wil ik mijn dochter bedanken, die mij elke dag weer laat zien wat het allerbelangrijkste is in dit leven.